*handwritten inscription*

# N'y a-t-il pas d'amour heureux ?

La guérison du cœur, *J'ai lu* 7244

# GUY CORNEAU

# N'y a-t-il pas d'amour heureux ?

### Comment les liens père-fille et mère-fils conditionnent nos amours

Bien-être

À mes parents pour leur amour et leur générosité

À mes sœurs pour leur amitié

À Marie-Ginette et à chacune des femmes qui en s'approchant de moi, dans la douleur ou dans la joie de l'amour, ont contribué à ma difficile naissance

À mes compagnons de route du Réseau Hommes Québec, et à ceux des réseaux belges, suisses et français

À la Vie pour nous garder tous et toutes si gracieusement en son sein.

# SOMMAIRE

## REMERCIEMENTS

Je tiens d'abord à remercier ma compagne Marie-Ginette Landry qui a cru dès le départ en ce projet et l'a facilité de toutes les façons possibles.

Je tiens également à remercier Christiane Blondeau, ma précieuse adjointe, pour avoir géré les affaires courantes du bureau pendant mes périodes d'écriture, pour avoir saisi le manuscrit dans sa première version et pour avoir veillé avec minutie à sa concrétisation finale.

Marie-Claude Goodwin, mon agent, qui a négocié les contrats auprès des Éditions de l'Homme et de la maison Robert Laffont, mérite toute ma considération.

Ma gratitude va à Joëlle de Gravelaine, directrice de la collection « Réponses » chez Laffont, pour m'avoir traité avec tant de respect et d'amitié. Elle va également à James de Gaspé Bonar, alors éditeur aux Éditions de l'Homme, pour sa foi indéfectible dans mon travail.

Je m'en voudrais aussi de passer sous silence l'intervention salvatrice de Jean Bernier qui m'a redonné confiance en mon texte et en moi-même alors que j'étais dans un creux de vague.

D'autres personnes m'ont également accompagné lors de ce long périple : Céline Bietlot et Shandra Lord ont toutes deux été des aides providentielles ; ma reconnaissance va également à Hélène Deschesnes, une lectrice de la toute première heure, et à Nicole Plamondon, une lectrice de la dernière heure, pour leur enthousiasme par rapport à mes idées.

Je remercie également ma collègue et amie Jan Bauer pour ses idées stimulantes ; ainsi que Robert Blondin, Tom Kelly, Pierre Lessard, Marie-Lise Labonté, Danièle Morneau, Louis Plamondon, Camille Tessier, et tous les membres de ma famille pour leurs encouragements répétés. Le soutien de toute ma « caravane » belge, Thomas d'Ansembourg, Louis Parez, Pol Marchandise, Bettina de Pauw, Régine Parez, Alexiane Gillis, Liliane Gandiblieu, Véronique Boissin et Pierre-Bernard Velge, m'a aussi été très précieux.

Finalement, les derniers mais non les moindres, ma gratitude éternelle va à tous ceux et celles qui ont fréquenté mon cabinet, mes conférences et mes séminaires, pour ces bribes d'eux-mêmes sans quoi ce livre serait resté lettre morte.

*Il y a une fissure, une fissure dans tout*
*Comme ça, la lumière peut entrer.*

Leonard Cohen


*Dites ces mots ma vie*
*et retenez vos larmes :*
*« Il n'y a pas d'amour heureux ! »*

Aragon

## Devant un café crème...

« Devant un café crème, je t'ai dit je t'aime... » Voilà l'air que fredonnait la première fille à qui j'ai volé un baiser, oh ! un tout petit baiser, dans un bois près de la maison de mon enfance. Je devais avoir quatorze ans et mon cœur battait à tout rompre. La chanson, le désir, le parfum de la forêt humide, le sourire de ma bien-aimée, tout fusionnait parfaitement. Avec Jacques Brel chantant son premier amour, j'aurais pu entonner : « Je volais, je le jure. Je jure que je volais. »

J'étais jeune. Mes ailes s'ouvraient. Je ne voyais pas d'obstacles. L'élan de mon cœur me jetait dans les bras des filles où je pensais comme le poète Aragon trouver un pays. Tout était si facile. Je croyais qu'il me suffirait de rencontrer la bonne partenaire et que le tour serait joué. Mais c'est plutôt l'amour qui m'a joué un tour. Aujourd'hui, j'ai quarante-cinq ans, je vis seul et je n'ai pas d'enfant. J'ai une copine mais nous ne partageons pas le même appartement.

Je pensais que l'amour me faciliterait la vie, il me l'a compliquée infiniment. J'ai connu plusieurs femmes, je me suis même aventuré à former quelques couples. Les partenaires que j'ai vraiment aimées ont eu peur de moi et j'ai fui celles qui m'aimaient vraiment. Ma ferveur naïve est venue se briser sur la difficulté du quotidien, les jalousies et les trahisons. Si j'ai passé des années à vouloir aimer à tout prix, je me suis également fermé le cœur pour au moins une décennie. J'ai juré d'être fidèle par amour, mais j'ai aussi juré d'être infidèle par dépit et pour ne plus souffrir.

Si j'ai entrevu en moi l'amant lumineux et transporté, l'amoureux généreux et touché, l'homme engagé et responsable, j'ai aussi rencontré celui qui avait un compte à régler avec les femmes. J'ai côtoyé le vengeur, l'agressif, le possessif, et même le violent, le fuyard, le menteur. Autant de personnages que je ne connaissais pas et que j'aurais souvent préféré ne pas connaître. Et pourtant, ils sont bien là, m'obligeant maintenant à nuancer chacun de mes jugements sur les autres, parce que me sachant capable du meilleur et du pire.

À la longue, je me suis rendu compte que j'aimais pour me débarrasser d'un vide que je sentais en moi. J'offrais mon cœur à tout venant parce que je ne savais qu'en faire. Je désirais qu'une femme me prenne en charge pour ne pas avoir à le faire moi-même. Pour mieux comprendre, j'ai dû replonger dans mon enfance afin d'identifier l'origine de mes difficultés. J'ai exploré le passé de mes partenaires et écouté celui de mes patients.

J'ai compris peu à peu que l'amour est cette immense force de cohésion qui nous jette pêle-mêle les uns sur les autres à travers le désir et la peine. Je sais maintenant qu'on s'y rencontre tout autant qu'on y rencontre quelqu'un d'autre. Tous les obstacles qu'il nous présente nous révèlent à nous-mêmes. En nous blessant, en nous ouvrant, en nous pétrissant pour ainsi dire, il nous prépare simplement à l'accueillir dans toute sa splendeur, nous rendant toujours plus humbles et plus aptes au bonheur.

Aujourd'hui, mon cœur chante à nouveau avec ferveur. Le voyage intérieur que j'ai fait m'a rassuré, rendu serein. L'amour est devenu pour moi un état intérieur qui ne dépend pas d'une partenaire, mais je sais aussi que toujours, chaque jour, il reste à inventer et qu'il n'y a pas de tâche plus noble et plus urgente que celle de renouveler l'amour humain.

# L'amour en guerre

La guerre a éclaté au pays de l'amour. Comment se fait-il qu'il y ait tant de conflits qui surgissent dans nos vies alors que nous cherchons tous et toutes le bonheur ? Comment se fait-il que nous soyons précisément en guerre contre ceux et celles que nous aimons le plus ? Cette guerre sert-elle à quelque chose ? Qui l'a déclarée ? Que pouvons-nous y gagner ? Et, surtout, comment y mettre fin ?

À vrai dire, toutes les guerres du monde, quel que soit le prétexte invoqué, sont des guerres de territoire. La guerre éclate lorsque deux pays prétendent à la souveraineté sur une même portion de terrain, quand les frontières entre deux États indépendants ont été mal définies ou ont fini par se confondre avec le temps. Là où des limites claires ont été établies et sont respectées, il n'y a ni confusion ni conflit.

Or, dans le contexte d'une société en plein bouleversement en ce qui concerne la définition des rôles et des limites, la tâche n'est pas des moindres. Un tel état d'incertitude favorise la propagation du conflit sur tous les fronts. Particulièrement sur les terrains de la famille et du couple. Car, en osant remettre en question les rôles définis à l'avance par la société patriarcale, en osant demander ce qu'est un père, une mère, un homme, une femme, un hétérosexuel, un homosexuel, on pouvait parier qu'un conflit ouvert allait finir par toucher le domaine des relations affectives entre les hommes et les femmes.

D'une certaine façon, nous pourrions dire que nous avions absolument besoin de cette guerre pour rompre avec les dynamiques périmées qui définissaient nos vies à l'avance. Le conflit amène les êtres à un point d'ébullition. Pour arriver à dissocier certains amalgames et à créer de nouvelles molécules, la nature a besoin de chaleur intense. Cela est aussi vrai sur le plan physique que sur le plan psychologique. Les nouvelles molécules dont il est question ici sont des molécules d'entraide et d'égalité entre les hommes et les femmes.

Mais en même temps il est clair que chaque crise représente un risque. Chez les Chinois, le mot *crise* a d'ailleurs le double sens d'occasion et de danger. La crise offre pour ainsi dire une possibilité dangereuse d'évolution. Pour nous, cela consisterait à profiter de l'ouverture pour créer une nouvelle intimité entre les hommes et les femmes ; et le danger serait de nous abrutir dans les griefs incessants d'un sexe envers l'autre.

## Le bonheur à inventer

Lorsque je donne une conférence sur l'intimité, je commence souvent en demandant aux gens s'ils connaissent au moins un couple heureux. La plupart lèvent la main. Si je vais jusqu'à trois couples, je ne compte plus qu'une dizaine de mains levées dans un groupe de cinq cents personnes. Au-delà de cinq, il n'y a plus guère de mains levées.

Étonnantes statistiques ! On finit par se demander si le couple n'est pas une chimère, voire une forme de masochisme. Presque tout le monde s'y essaie en espérant y trouver un bonheur qui ne cesse de s'échapper. Comme la carotte pendue au nez de l'âne, l'idée d'un bonheur possible à deux aiguise notre appétit, nous motive, nous fait avancer, mais peut-on espérer l'atteindre un jour ?

J'ai tendance à penser, avec la psychanalyste Jan Bauer, que l'intimité entre les hommes et les femmes n'a jamais vraiment existé[1]. Tout au plus a-t-elle été le fait de quelques couples isolés. Ce n'est pas comme si le bonheur était derrière nous, comme si les générations précédentes avaient réussi là où nous-mêmes

---

1. La psychanalyste Jan Bauer est l'auteur d'un excellent livre sur l'amour : *Impossible Love, Why the Heart Must Go Wrong*, Dallas, Texas, Spring Publications, 1993.

cafouillons misérablement. Non ! Le bonheur du couple, l'intimité entre l'homme et la femme sont devant nous. Ils sont à inventer. Nous ne sommes pas en train de faire un constat d'échec, nous sommes en train de créer quelque chose de neuf. Nous sommes devant un nouvel apprentissage.

## À la conquête de l'intimité

Ce texte prend l'allure d'une réflexion sur le défi que présente l'intimité entre les hommes et les femmes à l'aube du troisième millénaire. Je tente de réfléchir sur les difficultés du parcours. Mon but n'est nullement de proposer la formule magique du bonheur conjugal. Non seulement je ne la possède pas, mais de plus je ne crois pas qu'il y en ait une. Au lieu de m'évertuer à inventer des systèmes qui rendraient l'aventure plus facile, j'essaie de dégager le sens des difficultés. Je m'attache à rendre visibles certains conditionnements en espérant que leur connaissance permette de les dépasser.

En guise de préliminaires, le livre place la crise qui secoue les couples actuels dans le contexte d'une déstabilisation du patriarcat, puis nous procédons à l'éclaircissement de quelques notions théoriques que nous utiliserons tout au long du livre, telles que la formation du moi et des complexes parentaux, celle de l'estime de soi et des archétypes de l'animus et de l'anima.

Puis, dans ce que nous pourrions appeler la première et la deuxième partie du livre, nous nous penchons sur les relations père-fille et mère-fils parce qu'elles conditionnent directement les dynamiques entre les sexes. En effet, les carences du passé expliquent en grande partie les impasses du présent. Dans ces chapitres, nous expliquons comment la négligence du père produit « la femme qui aime trop » et comment l'excès de sollicitude maternelle produit « l'homme qui a peur d'aimer ». Nous y parlons également du conflit intérieur que doivent assumer le « bon garçon » et la « bonne fille » dans leur tentative de retrouver l'une le sens de l'initiative et l'autre la capacité d'aimer. J'y vais également de quelques « Réflexions sur le rôle de la mère » parce que j'ai pu constater à de nombreuses reprises combien mon livre *Père manquant, fils manqué...* [1] avait pu les inquiéter, en particulier dans des situations de monoparentalité.

Dans la troisième partie, nous en venons aux rapports amoureux. Le chapitre intitulé « L'amour en peine » nous parle des difficultés du couple quand celui-ci patauge dans les répétitions. Il nous dit pourquoi les hommes souffrent de ce que nous pourrions appeler avec un tantinet d'humour le « syndrome de la corde au cou » et les femmes du « syndrome du lasso ». Le chapitre suivant, « L'amour en joie », parle du défi actuel de l'intimité et offre des éléments de réponse pour nous aider à sortir de la crise. Il pose des questions et propose des attitudes qui peuvent faciliter la création d'un couple viable.

Finalement l'ouvrage se clôt sur la question de « L'intimité avec soi-même », car le nouvel enjeu posé par le contexte contemporain me semble le suivant : comment pourrait-il y avoir intimité avec l'autre s'il n'y a pas intimité avec soi ? Le rapport amoureux y apparaît non seulement comme une magnifique occasion de travail sur soi, mais également comme un pont pour une communion avec l'autre et l'univers.

Dans ce livre, je parle principalement des couples hétérosexuels, mais j'ose espérer que les couples homosexuels y trouveront leur compte eux aussi car la vie à deux présente d'étonnantes similarités, peu importe l'orientation sexuelle. De même les axes classiques père-fille et mère-fils que j'explore sont relatifs. Il va sans dire qu'au jeu de l'amour un homme ne choisit pas toujours une partenaire qui ressemble à sa mère, elle peut très bien porter les traits caractéristiques du père.

1. Guy Corneau, *Père manquant, fils manqué. Que sont les hommes devenus ?*, Montréal, Éditions de l'Homme, 1989.

## La réflexion psychologique n'est pas un dogme

Je ne prétends pas posséder la vérité vraie, comme on dit. Pour moi, la vérité est ce qui fonctionne dans la réalité d'une vie. Elle est toujours relative au contexte global. Les Indiens pueblos se disaient fils et filles du dieu Soleil à qui ils vouaient un culte quotidien. Ils croyaient que s'ils négligeaient leurs pratiques religieuses le soleil refuserait de se lever. Cette croyance donnait un sens à leur existence et leur permettait de vivre en communion étroite avec la nature. La leur enlever les aurait rendus malades. C'est une vérité psychologique qui collait à leur réalité, dans le contexte de l'époque, mais qui fonctionnerait plutôt mal actuellement. Chaque être a besoin d'un tel principe ou mythe directeur pour donner un sens à sa vie. L'important n'est pas que cette idée ou cette représentation du monde soit objective ou vérifiable, mais qu'elle génère chaque jour l'enthousiasme nécessaire pour continuer à avancer sur la route de la vie.

C'est donc une vérité comme celle-là que je cherche, une vérité psychologique qui nous permettrait de regarder la dynamique des couples sous un angle nouveau, une vérité qui conférerait un sens à nos difficultés et nous donnerait le goût de continuer à vivre et à aimer. Je vous prie donc d'utiliser ce livre comme s'il s'agissait d'un instrument de recherche. Usez de ce qui vous concerne, ce qui fait écho en vous, et délaissez le reste.


## L'amour en paix

Je ne connais pas le chemin qui mène à coup sûr en dehors du champ de bataille. Je sais seulement d'expérience que l'effort de se tourner vers l'intérieur assidûment, de réfléchir sur ce qui se passe en soi, d'examiner les mouvements de sa vie sans les juger et de tenter de se réconcilier avec soi-même, ses parents et tous ceux qui partagent notre vie devient source de sérénité et donne lieu à de grandes joies. Il fait que la souffrance et les drames ont beaucoup moins d'emprise sur nous et que la vie est beaucoup plus agréable à vivre.

Pour arriver à cette liberté, nous avons un grand ménage à faire, une grande guerre d'amour à mener, une grande conquête à réaliser. Il s'agit d'une bataille contre la confusion pour gagner le droit d'être soi-même. Entre le Diable et le Bon Dieu, entre le spiritualisme et le matérialisme, entre valeurs féminines et masculines se dessine un chemin qui permet de marcher les pieds bien en contact avec la terre. Enraciné dans la plénitude des sens, dans la béatitude du cœur et dans la paix de l'esprit, un être peut connaître la joie de participer à la grande communauté du monde. Nous ne sommes pas nés pour être des bêtes de sexe, des amoureux sans espoir ou des ascètes lointains. Nous sommes conviés à la dignité d'être humain.

Puissiez-vous trouver dans ce texte rempli de pleurs et d'illuminations, de cris et d'éclats de rire l'esprit d'amour et de paix qui l'a guidé. Puissiez-vous y boire comme à une source rafraîchissante sur le chemin de la vie.

# 1

## L'AMOUR EN GUERRE

### *Homme et femme sur canapé*

#### Elle

Il vient tout juste de rentrer du boulot et il s'est assis là, sur le canapé du salon, fatigué mais content. Il bâille et s'étire après avoir enlevé ses chaussures. Il a beaucoup de choses à raconter ce soir. Il continue même de parler pendant que vous allez à la cuisine chercher des verres. Il porte la chemise qui vous plaît tant, d'ailleurs c'est vous qui l'avez choisie. Elle lui donne un petit air coquin, un air qui vient alléger tout le sérieux qu'il attache à sa vie. Vous aimez ces moments où il se laisse aller avec plus d'abandon, fatigue aidant, au jeu de la conversation. Ce qu'il raconte n'est pas particulièrement intéressant mais au moins il vous parle. Il est en relation...

Il parle et vous approchez du divan. Vous avez envie de l'embrasser comme ça, pour rien, pour célébrer le moment. Pour une fois, vous allez prendre l'initiative des caresses au lieu que ce soit toujours lui, ce dont il se plaint amèrement d'ailleurs. Donc vous approchez du divan, lascive et sensuelle.

Il vous voit venir du coin de l'œil et vous sourit, prend les verres et les pose sur la table. Il répond à votre premier baiser avec un plaisir évident, mais plus vous insistez et plus ça se gâte. Vous devinez un malaise certain. Vous décelez une certaine raideur dans tout le corps, une sorte de refus d'engagement.

25

Il a toujours le sourire mais son visage est figé. Il a cessé de parler et prend son verre de vin.

Visiblement il est mal à l'aise et vous n'y comprenez rien. Ou plutôt si, mais vous n'aimez pas ce que vous commencez à comprendre. Lorsque vous prenez l'initiative, en fait, ça ne va jamais très loin. Ce n'est jamais le bon moment. Si ça se trouve, il va prétexter qu'il a mal à la tête ! On dirait un petit garçon qui a peur de sa mère. Mais vous n'êtes pas sa mère, justement, vous n'avez rien à voir avec sa mère. Vous n'avez plus qu'une envie : lui renvoyer son petit chéri dans un paquet bien ficelé avec une étiquette où l'on pourrait lire : *Marchandise endommagée*.

## Lui

Elle est rentrée du boulot avant vous et son odeur est déjà partout dans l'appartement. Son odeur et la lumière du soleil qui entre à pleines fenêtres à cette heure du jour. Elle vous demande si vous voulez boire du vin et vous répondez *pourquoi pas ?* Vous aimez quand elle vous sert quelque chose, quand elle est de bonne humeur et pleine d'attentions. Dans ces moments-là, vous vous sentez choyé, privilégié, et vous trouvez que la vie est belle.

Pendant qu'elle va à la cuisine, vous lui dites un tas de trucs sans importance pour la faire rire, parce que vous savez qu'elle aime vous entendre parler. Vous parlez et soudain vous avez envie de faire l'amour avec elle. Ah, si elle pouvait faire les premiers pas, prendre les devants comme elle ne le fait presque jamais ! Vous la mangeriez toute crue ! Mais voilà justement qu'elle s'avance en s'offrant à vous, fantasme devenu réalité. Pourtant quelque chose ne va pas... C'est l'intensité qu'elle y met... Tant d'ardeur vous dérange. C'est comme si sa vie en dépendait. Comme si son besoin d'affection était si grand que jamais un homme ne pourra le combler.

Elle a déposé son verre et elle se serre contre vous

en vous embrassant. Maintenant elle veut vous entendre dire *je t'aime*. Ah non ! Ça recommence. Elle veut que vous lui disiez *je t'aime* tout le temps. Vous devriez l'enregistrer sur cassette, comme ça elle pourrait l'écouter à longueur de journée. La situation commence à vous irriter. D'où lui vient ce besoin d'affection qui est comme un gouffre, si grand que vous n'osez pas en approcher de peur d'y sombrer ? « Pas eu de papa ! » qu'elle vous répond immanquablement. Franchement ! « Pas eu de papa ! » Comme si vous en aviez eu un, vous...

Après le quatrième baiser, vous reprenez votre verre. Vous espérez que votre malaise passe inaperçu mais avec son intuition vous ne pouvez vraiment pas compter là-dessus. Il ne vous reste plus qu'à renverser du vin sur le tapis. Vous décidez plutôt d'aller aux toilettes afin d'avoir un peu de temps pour vous ressaisir.


## Elle

Tiens, le voilà encore qui se sauve ! Mais cette fois vous n'allez pas lui courir après. Vous en avez assez. Vous en avez assez de cette indifférence d'homme. Vous en avez assez de faire la gentille fille. Vous en avez assez de lui préparer de bons petits plats et de jouer ses fantasmes au lit en échange d'une affection qui ne vient pas. Votre colère commence à monter et vous préférez vous taire parce que ce que vous avez à dire vous semble trop gros, trop méchant. Il y a cinq minutes vous vouliez l'embrasser, mais maintenant vous voulez régler vos comptes. Si seulement il pouvait enfin sortir des toilettes...


## Lui

Dans la salle de bains, vous vous reprochez votre attitude. Après tout, elle a fait tout cela pour vous faire plaisir. Si vous suiviez son initiative pour une

fois... Si vous lui donniez l'affection qu'elle désire...
Cela mettrait fin à cette petite guerre que vous vous
livrez depuis quelques jours. Alors vous retournez au
salon rempli de bonnes intentions.

Vous la retrouvez distante, froide, cassante, toute
ramassée à l'autre extrémité du divan. Vos bonnes
intentions s'envolent aussitôt. « Si c'est la guerre
qu'elle veut, elle va l'avoir », pensez-vous. Vous ne
vous laisserez pas faire ! D'ailleurs, depuis qu'elle est
entrée en thérapie et qu'elle a commencé à s'affirmer,
il vous semble que les problèmes n'ont fait qu'aug-
menter. Elle ne laisse plus rien passer.

Au moment où elle se lance dans l'une de ses tirades
habituelles sur le couple et l'engagement amoureux,
votre sang ne fait qu'un tour. Vous avalez une gorgée
de vin pour vous calmer mais il a goût de vinaigre.
Du vinaigre, bien sûr, du vinaigre ! En un éclair, il
vous semble avoir saisi le cœur du problème. C'est
une pisse-vinaigre ! Tout ce qu'elle touche a goût de
vinaigre. Encore une fois la soirée est gâchée. Vous
n'avez plus qu'une idée en tête : partir. Vous allez l'in-
terrompre pour le dire mais elle vous ôte les mots de
la bouche : « Je gage que tu veux encore partir. Tu me
trouves trop dérangée, peut-être, mais ça serait pas
plutôt que je suis dérangeante ? Nuance, mon cher !
Et puis penses-tu vraiment que les autres sont différentes de moi ? Penses-tu que tu vas finir par la trouver, la femme idéale ? T'es-tu déjà regardé ? »


## Le poids d'un rêve

Et voilà, c'est reparti ! La valse des blâmes et des
accusations vient de recommencer. Le ton va monter.
Ça va mener à quelques coups d'éclat du genre claquer des portes, partir et revenir. Il va y avoir quelques cris, quelques larmes, de l'amertume des deux
côtés, des regrets, un petit baiser et, si c'est un bon
soir, ça se terminera en faisant l'amour ! Et dans quelques jours, ça recommencera.

Je sais, vous pensiez que ça n'arrivait que chez vous... Désolé de vous décevoir, ça arrive partout ! Bien entendu, vous pouvez y ajouter votre touche personnelle. Parfois il s'agit de deux hommes sur le canapé, parfois de deux femmes. Souvent c'est elle qui ne veut pas qu'on l'approche. Quelquefois ça va jusqu'aux coups... Mais en général le scénario ne varie pas beaucoup, à tel point qu'on a parfois l'impression que les relations de couple chez les humains suivent un programme établi à l'avance.

*Elle* se dit prête et recherche un homme capable de s'engager. Elle veut recevoir de *Lui* ce que papa n'a pas pu lui donner. Mais le poids d'une telle attente lui fait peur. D'autant plus qu'il n'a aucune idée de ce qu'est l'intimité, avec autrui ou avec soi-même. Il connaît le pouvoir, la gloire, la mécanique, les idées. Pour ce qui est des sentiments, c'est autre chose. Il lui manque l'élément essentiel de la recette amoureuse, élément qu'*Elle* prétend posséder. Du coup, il se sent comme un moins que rien sur le terrain affectif.

*Lui* se sent coupable de ne pas répondre à un rêve qu'elle veut réaliser depuis si longtemps et pour lequel il ne peut être qu'inadéquat. *Elle* est malheureuse de ne pas arriver à le rendre heureux, elle qui fait pourtant tant d'efforts pour l'aider à devenir le prince charmant qu'elle espère. *Lui* se sent contrôlé, manipulé, pressé d'être ce qu'il n'est pas. Il ressentait le même désarroi devant sa mère. Elle aussi voulait faire de lui son petit prince. Le même rêve, la même emprise qu'*Elle* exerce sur lui sans même s'en rendre compte.

*Elle* ne se rend pas compte du poids de son rêve. *Lui* ne se rend pas compte du poids de ses exigences. Il ne se rend pas compte du poids de ses négligences. Il ne se rend pas compte que c'est sa façon de lui faire payer ce rêve qu'elle fait pour lui. C'est avec ça qu'il la manipule, qu'il lui fait faire tout ce chemin vers lui.

C'est comme ça que ça devient tranquillement insupportable. *Elle* qui attend et qui le suit. *Lui* qui se tait et qui la fuit.

Chacun de leurs gestes trahit ce qu'ils espèrent l'un de l'autre, mais ils se déçoivent. Ils continuent tout de même par jeu, par malice, pour voir jusqu'où l'autre va aller dans le deuil de son rêve. Ils continuent par impuissance. Lorsqu'ils se seront assez menés par le bout du nez, lorsqu'ils se seront assez piétinés, ils se laisseront, dégoûtés. *Elle* dira qu'elle s'est encore fait rouler. *Lui* qu'il s'est fait piéger, encore une fois. Et tous les deux souffriront que ça n'ait pas marché. Cette valse des soupirs, réglée au quart de tour depuis des siècles, n'est-il pas vrai que seule une crise fondamentale pouvait nous permettre de penser la changer ?

## *Le couple est devenu un champ de bataille*

### La déstabilisation du patriarcat

*Elle* et *Lui* sont en crise comme beaucoup de couples contemporains. Pourtant, la guerre qu'ils se livrent a commencé bien avant eux. Elle s'enracine en grande partie dans l'organisation même du pouvoir au sein de ce qu'il est convenu d'appeler le patriarcat, c'est-à-dire une société où la loi du Père et les valeurs masculines prédominent.

Dans un tel contexte on peut bien se dire « qu'être à deux c'est ne faire qu'un... mais lequel ? ». Dans le couple traditionnel, la paix domestique reposait plus souvent qu'autrement sur le sacrifice de la femme au profit de son conjoint. Les partenaires s'unissaient pour faire le couple de « l'homme », celui qui suivait les édits de la société des patriarches. Il allait de soi qu'une femme nie son individualité, c'est-à-dire ses goûts, ses ambitions et sa créativité, pour élever des enfants. D'ailleurs, des formules telles que « Qui prend mari prend pays ! » illustrent bien la situation. À partir du moment où de nombreuses femmes se sont mises à refuser cet état de fait, le couple allait nécessairement être plongé dans la crise, car nous ne possédons pas de modèle historique nous inspirant une façon de vivre à deux tout en demeurant chacun une personne complète et autonome.

Le patriarcat est un système d'idées qui façonne les identités psychologiques et sociales des hommes et des femmes. Et cette idéologie désigne la place de ces dernières comme devant être soumises à l'homme. Elle est fondée sur le préjugé suivant, à savoir que ce que produisent les hommes et ce qu'ils pensent sont plus importants que ce que font, pensent et ressentent les femmes. Cela a eu pour conséquence une dévalorisation de ce qui est féminin, sentimental et domestique. Voilà pourquoi la structure patriarcale s'est trouvée remise en question lorsque les femmes ont commencé à affirmer qu'elles étaient des êtres humains à part entière. Voilà pourquoi la guerre des sexes s'est menée et se mène encore aujourd'hui à l'intérieur comme à l'extérieur des foyers. D'ailleurs, cette lutte se résume à une question très simple : *qui est-ce qui sert et qui est-ce qui est servi ?*

Nous pourrions d'ailleurs dire avec le sociologue Edgar Morin que « les femmes sont les agents secrets de la modernité », car la remise en question du patriarcat et sa déstabilisation progressive suivent les étapes de leur marche vers l'autonomie. Bien qu'il y ait eu de tout temps des femmes qui revendiquaient un statut d'égalité [1], c'est tout récemment que leur statut a commencé à changer de façon importante. L'invention de la pilule contraceptive qui a affranchi les femmes de la maternité systématique marque sans conteste un des premiers jalons de la perte de pouvoir

---

1. Je pense ici à la pièce de théâtre *Lysistrata*, où des femmes décident de faire la grève du sexe pour faire reconnaître leurs droits. L'auteur grec de cette pièce, Aristophane, a vécu de 445 à 386 avant J.-C.

des hommes sur leurs compagnes. L'espace de plaisir et de désir qui s'ouvrait à elles a permis la remise en question des rôles traditionnels. La deuxième étape de cette déstabilisation est liée à leur arrivée massive sur le marché du travail dans les années soixante. Les femmes commencent alors à exister sur le plan économique et à se libérer de leur dépendance financière. Ce qui nous mène tout droit au féminisme actif et organisé des années soixante-dix, qui réclame que soit reconnue l'égalité des femmes dans toutes les sphères d'activité.

Comme il fallait s'y attendre, cette contestation a aussi profondément marqué le domaine des échanges amoureux. Ainsi le couple moderne est devenu le champ de bataille par excellence, où se joue la remise en question de notre société patriarcale tout simplement parce qu'il met en présence les deux cultures opposées que sont la culture masculine et la culture féminine dans la friction intense du quotidien. En conséquence, le sort de la culture des patriarches est en train de se régler dans l'intimité des cuisines et des chambres à coucher, là où les rapports sont plus informels qu'au travail ou dans l'arène politique.

## Le patriarcat existe en chacun de nous

Il serait illusoire de penser régler ce contentieux en séparant les bons des mauvais. Car cette histoire en recouvre une autre dont la majorité des hommes a fait les frais. Le patriarcat n'a pas seulement opprimé les femmes, il a aussi aliéné les hommes d'une large partie d'eux-mêmes en leur proposant un prototype de mâle héroïque et dur, qui ne communique pas ce qu'il ressent. Si bien que nombre de femmes croient que les hommes sont incapables d'éprouver le moindre sentiment et que leur compétence est nulle en matière d'organisation familiale et d'éducation des enfants. Ce qui correspond à l'inverse du parti pris masculin qui voudrait que les femmes ne puissent pas penser.

Continuer à entretenir de tels préjugés équivaut à perpétuer les inégalités engendrées par la société des patriarches. N'y a-t-il pas lieu de reconnaître que les hommes comme les femmes sont solidaires au sein d'un même drame historique ? N'y a-t-il pas lieu de reconnaître qu'il y a des bourreaux et des victimes des deux côtés ? Ne s'agit-il pas pour les deux sexes de sortir de l'inconscience de leur position respective ?

Car force est de constater que de nombreuses femmes se font elles aussi prendre au jeu de la dureté en tentant de se faire une place dans le monde des mâles. Pour chacun et chacune, la terrible loi du monde patriarcal demeure la même : Coupe-toi de tes émotions et de tes sentiments si tu veux survivre !

Le couple risque en fait de demeurer impossible tant qu'un tel esprit régnera dans nos sociétés. La masculinité patriarcale se construit sur l'amputation du cœur et du corps. Elle s'établit sur la répression de la sensibilité et de la sensualité, et sur le blocage de l'expression spontanée des sentiments. Elle propose comme remède à tous les maux la domination d'une raison abstraite qui impose sa loi à tous les autres registres de l'être. C'est notre participation à tous, hommes et femmes, à ce mythe collectif qui nous éloigne de plus en plus de la vie et de toute possibilité d'intimité avec le monde et les êtres qui nous entourent.

Car le patriarcat représente bien plus qu'une organisation du pouvoir social et politique. Il n'existe pas de façon abstraite et indépendante de nous. Il existe d'abord et avant tout en nous. Par exemple, nous gérons nos émotions et nos pensées selon ses diktats lorsque nous faisons sans cesse passer le devoir extérieur avant les valeurs affectives, lorsque la raison l'emporte sur le cœur. Le patriarcat nous a jetés dans une effroyable division qui représente une blessure intime pour chaque homme et chaque femme. Voilà pourquoi la création d'une intimité réelle entre les hommes et les femmes dans l'égalité et la complémentarité est le seul remède possible à nos maux[1].

## Vers une nouvelle intimité

L'intimité entre les hommes et les femmes n'a jamais beaucoup existé. Il n'y a pas longtemps que l'on se marie par amour et encore moins longtemps que l'on tente de rester ensemble par amour. Mis à part le fait de fonder une famille, nos grands-parents et arrière-grands-parents se sont souvent mariés pour survivre économiquement, pour améliorer leur statut social, ou encore pour préserver ou enrichir le patrimoine ancestral. Ils demeuraient souvent ensemble pour que l'Église et les voisins ne les montrent pas du doigt. Pour eux, le devoir d'intimité ne faisait pas partie de la liste des devoirs conjugaux, ni entre eux, ni avec les enfants d'ailleurs.

Pour les générations d'antan, les rôles de père et de mère, d'homme et de femme étaient définis à l'avance. Voilà pourquoi tout devait éclater. Une sorte de sécheresse maladive gangrenait cette conception tranquille de l'existence. Aujourd'hui nous remettons tout en cause. Les rôles de mère ou de père ne nous semblent plus aussi évidents. Nous nous interrogeons même sur ce qu'est un homme ou une femme, sur ce qu'est l'hétérosexualité ou l'homosexualité. La crise est sans précédent et elle nous offre une chance inégalée d'évolution. Aucune civilisation n'a jamais eu le loisir de se poser de telles questions sur une large échelle. Cela rend notre époque aussi excitante que troublante. La journaliste et auteur Ariane Émond répond d'ailleurs au pessimisme qui pourrait nous accabler devant l'hé-

1. Ce paragraphe et celui qui précède sont largement inspirés d'un article que j'ai écrit et intitulé « Le défi de l'intimité », dans *Communiquer pour vivre*, publié sous la direction de Jacques Salomé, Paris, CLÉS et Albin Michel, 1996, pp. 65-66.

catombe des échecs amoureux que ça n'a jamais aussi bien été entre les hommes et les femmes puisque, pour la première fois de leur histoire, ils commencent à se parler en dehors des rôles prescrits[1].

Le patriarcat a engendré une construction des identités masculine et féminine qui rend le couple virtuellement impossible, mais la nouvelle aventure est provocante et stimulante. Une chose est sûre, maintenant que les unes comme les autres en sont à revendiquer leur autonomie respective, le nouvel enjeu sur le plan de l'intimité ne se pose plus en termes de sacrifice de l'un pour l'autre mais bien de la façon suivante : être unis en continuant d'être deux individus à part entière, être deux sans cesser d'être unis.

1. Ariane Émond, *Les Ponts d'Ariane*, Montréal, VLB Éditeur, 1994.

## 2

NAÎTRE HOMME OU FEMME

## *La notion d'identité*

### La respiration fondamentale de l'être

Comment être unis en continuant d'être deux entités séparées ? Comment être deux sans cesser d'être unis ? Voilà posée la question fondamentale non seulement en ce qui concerne le couple, mais également en ce qui concerne la vie psychologique de l'individu.

Pour répondre à ces questions qui sous-tendent cet ouvrage tout entier, nous avons besoin de quelques repères théoriques. Nous allons donc clarifier ici quelques notions de base telles que la formation du moi et des complexes, les racines de l'estime de soi, l'identité sexuelle et les archétypes de l'animus et de l'anima. Nous allons commencer en parlant de la respiration fondamentale de l'être qui sert de support à l'identité.

En effet, dès le départ, notre identité tient à un double mouvement : s'approcher des autres pour trouver de l'amour, prendre ses distances pour affirmer sa différence. Dans le mouvement de rapprochement, nous cherchons une appartenance ; dans le mouvement d'éloignement, nous cherchons à explorer notre individualité. La façon dont nous intégrons ce double mouvement n'est pas étrangère à ce qui se passera par la suite dans notre vie amoureuse. Elle est même déterminante, car tout se déroule entre ces deux pôles de fusion et de séparation.

Au début de la vie, tout est Un pour l'enfant. Il vit en

symbiose totale avec ce qui l'environne, tout comme il vivait dans le ventre de sa mère. La naissance est le premier choc qui vient stimuler sa conscience individuelle dans le grand tout. Mais il ne s'agit que d'un premier balbutiement, rien n'est encore cristallisé. Pendant plusieurs mois, l'enfant vivra encore dans la sensation d'être uni à ce qui l'entoure, sans sentiment de séparation. Il ressent la mère comme une partie de lui-même ou il se perçoit vaguement comme une extension de son sein[1].

Avec les petites frustrations répétées telles que le biberon qui ne vient pas à temps ou le manque de réponse à ses cris de détresse, il finira par prendre de plus en plus conscience de son individualité séparée de celles des autres. À partir de tels heurts qui le ramènent à lui-même, la conscience de son existence prend forme. Il n'y aurait pas de vie subjective, c'est-à-dire de vie consciente d'elle-même, sans cette friction entre soi et les autres. Il est à noter cependant que ce n'est pas la frustration en elle-même qui est créatrice de la conscience de soi, elle en est plutôt le révélateur, elle révèle à l'enfant qu'il existe.

La conscience de soi est donc le produit d'une contraction, d'un repli sur soi, en réaction à l'impact de l'environnement extérieur. Mais ce repli se fait en vue d'un déploiement de l'être dans le champ universel. Car cet individu a pour fonction de transformer ses réactions primaires en de nouvelles productions qui seront lancées à leur tour dans l'univers. C'est pour

1. Heinz Kohut, *Le Soi. La psychanalyse des transferts narcissiques*, coll. « Le Fil rouge », Paris, Presses universitaires de France, 1974, pp. 9-45. Cette formulation appartient à un ensemble de théories sur le narcissisme primaire de l'enfant. Kohut a ouvert la porte à ce qui s'appelle maintenant le mouvement de la psychologie du soi *(self-psychology)*. À partir de l'étude des nourrissons, il a établi une psychologie qui ne repose pas sur les stades de développement (oral, anal, génital) définis par Freud, mais plutôt sur les besoins des enfants tels qu'observés en clinique. L'analyste jungien Mario Jacoby a vu dans ces théories un pont possible avec la psychologie de Jung. Il a consacré un livre à ce sujet : *Individuation and Narcissism, The Psychology of Self in Jung and Kohut*, Londres, Routledge, 1990.

cela que nous pouvons parler du formidable potentiel créateur de l'individu humain. Ainsi le circuit de la vie est établi : action, réaction, transformation, action. L'enfant transforme en cris sa sensation de faim, ses cris agissent sur les parents qui transforment en action de donner à manger leur réaction de bienveillance envers l'enfant.

La tension entre soi et l'univers, entre soi et les autres alimente la vie psychologique de l'individu. Elle détermine la respiration fondamentale de l'être. Pour garantir l'équilibre de la personne, cette tension doit être acceptée, car elle permet le mouvement et le changement. Elle permet surtout de devenir soi-même, car en regardant la chose autrement nous pourrions tout aussi bien dire qu'une identité humaine naît dans le chaos. Elle se trouve au départ collée à d'autres identités, submergée par des éléments dont elle doit se différencier graduellement pour prendre forme. Si cette tension de base qui pousse tous les êtres à sortir du magma originel pour devenir eux-mêmes n'était pas présente, nous resterions englués sans conscience de notre existence propre et indépendante. Le bourgeon ne pourrait pas devenir feuille.

## La formation du *moi* [1]

À mesure que le bébé grandit, la conscience de soi se stabilise ainsi qu'une impression de continuité dans le temps. On dira que peu à peu le moi de l'enfant se cristallise. Ce dernier voit maintenant son reflet dans un miroir et il se reconnaît. Il jouit de sa propre présence comme Narcisse tombant amoureux de son image reflétée par les eaux d'un lac. C'est le fameux *stade du miroir* élaboré par le psychanalyste

1. C'est le psychanalyste Erich Neuman qui parle de la cristallisation progressive du moi dans un livre intitulé *The Origins and History of Consciousness*, New York, RFC Hull, 1954.

Jacques Lacan. Le moi occupe désormais le centre du champ de la conscience et son émergence permet la véritable naissance psychologique du sujet, à savoir un être qui peut parler de son expérience subjective et dire *je* en se référant à lui-même.

Cette fascination par sa propre image constitue ce que la psychanalyse appelle le *narcissisme*. L'enfant est naturellement narcissique, c'est-à-dire centré sur lui-même. Mais cette phase est absolument nécessaire, elle est la racine de l'amour de soi dont nous parlerons en détail plus loin.

Par la suite, le moi de l'enfant s'affermira, permettant à sa personnalité d'émerger de façon de plus en plus consciente. Fusionné à la mère, fusionné au père, identifié aux valeurs de ses parents, il se distinguera progressivement de leurs désirs puis de ceux de l'environnement familial grâce à l'école. Ce changement important lui permettra de se différencier de sa famille, mais le fera baigner dans d'autres valeurs par rapport auxquelles il devra à nouveau trouver une distance afin de poursuivre sa route. Le même raisonnement vaudra plus tard pour l'identité accordée par l'exercice d'un métier ou d'une profession qui risque à son tour de submerger l'être et de faire taire l'originalité du moi. Et ainsi de suite à chaque nouvelle étape... l'individu tentant à la fois de s'adapter et de rester lui-même à travers le tissu des relations humaines.

Il faut cependant préciser que le moi ne pourrait pas se développer sans les autres, nous pourrions même dire sans l'amour. Tout au long de notre vie, notre individualité a besoin d'autrui pour se reconnaître, se former, se développer, s'identifier et se différencier, c'est-à-dire pour affirmer des différences et épouser des similarités.

Plus encore, nos relations avec les autres stimulent en nous des émotions que nous devons transformer et exprimer au-dehors. Nous pourrions dire que les rapports avec les autres nous gardent en vie et excitent notre créativité, qu'ils soient négatifs ou positifs.

Autrui s'avère plus qu'une commodité avec laquelle nous devons composer. Il nous permet véritablement de parvenir à nous-mêmes.

## Devenir soi-même

On constate cependant que nombre de gens inhibent le développement de leur personnalité et refoulent leur originalité par peur de déplaire aux autres. Il est clair que pour chacun de nous la tentation est sans cesse présente de se cantonner à une étape et d'arrêter de progresser. Ainsi certaines personnes ne s'affranchissent jamais de leur famille ou de leur image professionnelle. Elles demeurent des membres anonymes d'un clan, d'un couple ou d'une profession. Cela leur procure une sécurité, mais leur originalité profonde souffre et va immanquablement réclamer son dû sous forme de maladie psychologique ou physique.

Élaborer sa personnalité et devenir soi-même est beaucoup plus qu'un devoir psychologique, c'est un besoin fondamental qu'on ne renie pas sans le payer cher. D'autant plus que la satisfaction de ce besoin fonde le sentiment de s'être accompli. Elle permet également de connaître la sensation intime d'avoir trouvé sa place dans l'univers et un sens à sa vie. Ce besoin inaliénable de devenir soi, cette véritable pulsion d'autonomie constitue ce que le psychanalyste suisse Carl Gustav Jung appelle le *processus d'individuation*[1].

Pour Jung, le processus d'individuation pousse un être à devenir le plus fondamentalement lui-même tout en étant indéniablement uni à tout ce qui l'entoure. Il suit les étapes suivantes : il s'agit d'abord de

1. À propos du processus d'individuation et de ses différentes étapes, lire la deuxième partie du livre fondamental de Jung, *Dialectique du Moi et de l'inconscient*, coll. « Folio/Essais », n° 46, Paris, Gallimard, 1973, pp. 155 et suiv.

devenir graduellement indépendant de ses parents et des complexes qui se sont formés en relation avec eux ; la deuxième étape voit un être devenir de plus en plus compétent dans ses relations avec les autres ; la troisième l'entraîne à devenir de plus en plus ce qu'il se sent être ; et la quatrième étape le voit devenir plus *entier*, c'est-à-dire à la fois plus centré en lui-même et unifié avec le processus même de la vie dans tous ses aspects[1].

Lors de la dernière étape du processus d'individuation, le paradoxe de la fusion et de la séparation se résout parce que lorsque le moi est en rapport avec le niveau le plus profond de l'être, à savoir le *soi*, il n'y a plus de division entre soi-même et autrui. Le moi est alors à la fois le plus originalement lui-même et en communion avec tout ce qui est. Il s'agit là du mystère de notre identité. Nous sommes à la fois personnalité et communauté, individualité et universalité. Mais avant d'en arriver là, il y a un long chemin à parcourir. Demeurer soi-même en compagnie de quelqu'un et se sentir accompagné tout en étant seul demeurent les balises paradoxales de notre vie. Cette friction inévitable entre individualité et universalité est l'essence même de la créativité. Elle produit l'énergie vitale de l'être.


## La formation des complexes

S'affranchir des complexes parentaux semble une des tâches les plus ardues du processus d'individuation. Ce sont eux qui empêchent souvent les êtres d'affirmer leur individualité profonde. Ce sont également eux qui nous mettent des bâtons dans les roues dans la vie amoureuse. Il s'avère donc important de consa-

1. Ces étapes sont mentionnées par Verena Kast dans un article intitulé « Animus and Anima : Spiritual Growth and Separation », publié dans le magazine *Harvest, Journal for Jungian Studies*, nº 39, C.G. Jung Analytical Psychology Club, London, 1993, p. 7.

crer quelques lign          des complexes en
général et des          en particulier.

Les com          intériorisation
des dyna          avec nos proches          ellement en
rappo          arge émotive
et établ          che en nous. Ils
devienne          térieures qui nous
poussent à          schémas de base et ils
peuvent nous          s des modèles de comportement négati

Pourtant les c    exes ne sont pas négatifs en tant que tels comme le veut la langue populaire lorsqu'elle parle d'un complexe d'infériorité, par exemple. Ce sont plutôt les blocs de construction de notre psychisme, constitué, lui, par l'ensemble de nos réactions mentales et sentimentales. Chaque complexe a sa propre ambiance pour ainsi dire, il est coloré par une tonalité affective fondée sur un événement à caractère émotif. Cette émotion agit comme un aimant qui s'attire par la suite les événements, les pensées et les fantasmes qui ont la même teneur affective. Ces éléments se mélangent les uns aux autres dans l'inconscient et s'organisent en chaînes associatives. Cela a fait dire à Freud que, à partir de n'importe quelle représentation mentale, on pouvait remonter au complexe qui l'engendrait. Il a d'ailleurs construit sa méthode d'exploration des profondeurs de la psyché sur cette découverte et il lui a donné le nom d'*association libre*.

Pour en avoir une idée, concentrez-vous sur le mot *dégoût*, laissez-le résonner à l'intérieur, vous verrez peu à peu les éléments et les expériences qui ont pro-

---

1. C'est Jung qui a proposé le mot *complexe* à la suite de ses expériences sur les associations que produit spontanément le cerveau. Il s'est mis à s'intéresser en cours d'expérimentation à tout ce qui venait perturber le temps de réponse des sujets soumis à un test d'associations. Temps de réponse prolongé, éclats de rire, gêne, refus de répondre devinrent pour lui des indicateurs que certains centres émotifs avaient été touchés chez la personne. Il venait de découvrir les complexes.

voqué du rejet en vous depuis votre enfance remonter à la surface. Si je considère ce mot, je vois tout de suite apparaître dans mon esprit des représentations de rats et de poubelles. Je pense à une maison infestée de souris et de couleuvres que j'avais louée à la campagne il y a quelques années. Je pense à des amis d'enfance qui mangeaient des vers, etc. Vous pouvez faire le même exercice avec le mot *joie* ou tout autre mot.

Vous prendrez alors conscience que certains mots sont plus chargés que d'autres, qu'ils provoquent plus d'émotions, *tuyau* par exemple ou *trou*. C'est parce qu'ils réfèrent à des expériences auxquelles vous n'aimez pas songer ou auxquelles vous vous interdisez de penser. Cette tension est le signe de ce qu'il est convenu d'appeler en psychanalyse une *résistance*, car le moi n'aime pas songer à toutes ces choses désagréables (ou trop agréables). Il aime avoir un beau terrain bien propre autour de sa maison. Il se défend donc de certaines pensées et de certaines expériences, et il les *refoule* dans l'inconscient. C'est ce qui a mérité aux complexes leur mauvaise réputation, car c'est à ces complexes-là que nous ne voulons pas avoir affaire. En fait, lorsque les complexes sont positifs, nous ne les remarquons même pas. Ils contribuent tout simplement à l'harmonie générale de notre vie et jouent leur rôle d'intermédiaire entre l'intérieur et l'extérieur.

## Les complexes parentaux

Ces remarques valent aussi pour ce qui a trait à la formation des complexes parentaux. Le complexe paternel et le complexe maternel font partie des complexes les plus puissants de notre psyché. Ils ont eux aussi leur tonalité affective particulière selon que votre expérience du père ou de la mère fut bonne, adéquate ou désastreuse. Ils sont le condensé de votre relation avec vos parents. Il est important de comprendre cependant que ces complexes vous appartiennent en propre, ils sont votre mémoire de la relation avec eux. Ils ne disent rien d'objectif sur vos parents eux-mêmes.

Le complexe maternel ne concerne pas seulement la mère, il est le condensé de toute notre expérience du maternel. Nombre des événements qui le constituent auront pu avoir été vécus en rapport avec une grand-mère, une tante ou même une nourrice si ces personnes ont joué un rôle significatif dans nos vies. La même chose vaut dans le cas du complexe paternel qui synthétise toute notre expérience en rapport avec des figures de père.

J'ai connu en thérapie une femme que ses parents avaient placée en foyer d'accueil à plusieurs reprises pendant la guerre pour éviter qu'elle ne soit tuée. Elle est venue me consulter parce qu'elle craignait sans cesse d'être abandonnée. Ses voix intérieures la jugeaient sévèrement au lieu de la soutenir. Elle avait peu de confiance en elle-même et se sentait persécutée. Ses complexes parentaux avaient une teneur particulièrement négative, l'amenant à penser qu'elle ne valait rien et que dans son cas il était inutile de tenter quoi que ce soit pour s'en sortir. Alors que de leur côté ses véritables parents étaient plutôt adéquats. Mais les expériences d'abandon en bas âge, alors qu'un enfant est tellement dépendant du regard de ses parents pour vivre, avaient laissé en elle une empreinte difficile à déloger.

À l'instar de tous les complexes, ceux qui concernent les parents peuvent être positifs ou négatifs. Une enfance sans grand incident où un être s'est senti accueilli et aimé engendrera des complexes parentaux positifs. Ils soutiendront l'affirmation du moi et donneront à un individu la confiance nécessaire pour avancer dans la vie. Comme ils permettent un développement général harmonieux, ils ne feront jamais l'objet d'une psychothérapie. Même si une personne a connu des expériences négatives avec les figures parentales de son enfance, ce sort pourra être inversé en partie si elle a la chance d'entrer en contact avec des figures parentales positives.

Il est donc important de se rappeler que les complexes ne sont pas des choses mortes. Le psychisme n'est pas un musée. Il a la force d'un océan qui brasse sans cesse ses contenus. Les complexes sont les poissons qu'on y rencontre. Ils sont parfois aimables, parfois terrifiants. Le fait que les complexes soient vivants permet l'évolution personnelle. Ils peuvent se modifier et le rapport conscient avec eux leur fait perdre leur autonomie déroutante.

## Le moi est un complexe lui aussi

Vous serez peut-être surpris d'apprendre que pour la psychanalyse et la psychologie le moi est un complexe lui aussi. Le moi représente notre personnalité consciente, la façon dont nous nous connaissons. L'émotion centrale qui le constitue est précisément cette impression d'identité et de durée dans le temps. Il a à sa disposition une certaine dose d'énergie qu'il peut utiliser comme bon lui semble par le bienfait de la volonté.

Si le moi occupe une place centrale et définit la personnalité consciente, on peut penser aux autres complexes comme à des sous-personnalités avec lesquelles le moi est plus ou moins en lien. Chacun de ces *alter ego* possède sa mémoire propre et une certaine dose d'autonomie. Cela est très visible chez les gens qui souffrent du syndrome de personnalités multiples ou de schizophrénie. Des fragments entiers de caractère relativement structurés font soudain irruption dans le champ de la conscience et viennent prendre la place du moi habituel. La personne change alors complètement de personnalité. Elle ne dit pas : « Je me sens comme Jules César ce matin ! » Elle déclare : « Je suis Jules César ! », et elle y croit.

Si le moi n'était pas un complexe au même titre que les autres éléments plus inconscients de la personnalité, de tels renversements ne seraient pas possibles. D'ailleurs, si quelqu'un vous fâche au point de vous mettre réellement hors de vous, hors de vos gonds, ce qui veut dire hors de votre moi habituel, vous verrez qu'il n'est nullement besoin d'être schizophrène pour se découvrir une personnalité tout autre et une énergie insoupçonnée !

Pour Jung, la formation du moi et des complexes dévoile les structures inhérentes de la psyché. Il a donné le nom d'*archétypes* [1] à ces structures impersonnelles communes à toute l'humanité. Cela signifie que la psyché humaine a tendance à se former toujours de la même façon chez tous les êtres et dans toutes les cultures. Par exemple, l'archétype de la mère pousse l'enfant à développer un complexe maternel, comme s'il était programmé d'avance à reconnaître dans son environnement immédiat ce qui est de l'ordre du maternel. En somme l'archétype est une prédisposition qui s'active, s'humanise et se personnalise en fonction de l'expérience concrète. Le complexe qui se forme en réaction au vécu personnel n'actualise cependant qu'une partie du champ archétypal. Dans le cas de l'archétype de la mère, par exemple, il contient les opposés qui vont de la mère terrible et dévorante à la mère accueillante et bienveillante. C'est ce qui permet d'ailleurs l'espoir thérapeutique ; il s'agit en somme d'éveiller la partie dormante de l'archétype.

## Nous projetons des parties de nous-mêmes sur les autres

Les complexes sont en général inconscients, et ils le demeurent souvent parce que nous les *projetons* en dehors de nous. La *projection* [2] fait partie des mécanis-

1. Pour une compréhension approfondie de la notion d'archétype, je renvoie le lecteur à l'excellent livre d'Anthony Stevens : *Archetypes, A Natural History of the Self*, New York, Quill, 1983, pp. 21-79.
2. Pour un éclaircissement des notions classiques de la psychanalyse telles que *projection, refoulement, résistance, identité, moi, com-*

mes de défense que le moi conscient utilise pour se protéger de certains affects qui risquent de le perturber s'ils montent de l'inconscient. Il se débarrasse de ces dimensions d'*ombre* [1] souvent refoulées en les prêtant à d'autres personnes pour ainsi dire. Il projette ces aspects sur elles à la manière de projectiles. Si bien que nous nous retrouvons à blâmer les autres pour des tares qui sont tout simplement inconscientes chez nous. L'irritation est en général le signe qu'une partie de soi a été projetée sur autrui. Voilà pourquoi ce sont toujours les autres qui ont tort et qui portent tous les défauts du monde.

On voit tout de suite comment ce mécanisme joue à plein dans les relations amoureuses. Encore plus lorsqu'il est stimulé par la friction intense du quotidien. On voit aussi comment le couple peut devenir le lieu d'un travail intense sur soi à partir du moment où l'on accepte de considérer que tout ce qui nous agace chez l'autre puisse être une partie inconnue de soi. Ce mouvement de *retrait des projections* permet de comprendre que ce que nous vivons extérieurement reflète une dynamique intérieure orchestrée par les complexes. Le processus d'individuation exige ainsi un constant travail de mise en conscience des forces actives de l'inconscient.

---

*plexes*, consulter l'excellent ouvrage de référence de J. Laplanche et J.-B. Pontalis : *Le Vocabulaire de la psychanalyse*, Paris, Presses universitaires de France, 1976.

1. L'*ombre* est un archétype universel qui rend compte de la propension de chacun à participer à ce qu'il est convenu d'appeler le *mal*. Au niveau personnel, il s'agit du petit frère obscur que nous portons en nous-mêmes mais que nous ne voulons pas que les autres voient. Par extension, l'ombre désigne parfois tout l'inconscient parce qu'il demeure sans cesse obscur. Dans les rêves, l'ombre est en général représentée par une personne du même sexe que soi. Finalement, l'ombre représente aussi les parties de soi qui sont très positives mais qui ont été refoulées ou négligées.

# S'aimer soi-même

## L'amour-propre est un facteur d'équilibre psychologique

Explorons maintenant un des pôles de notre identité, à savoir l'amour de soi. Une dimension fondamentale de notre identité et une clé de son développement résident dans l'amour que nous nous accordons. L'estime de soi est d'ailleurs un facteur déterminant de nos relations affectives. En nous accordant plus de valeur, nous avons la chance d'éviter de tomber dans des relations de dépendance où nous quêtons le regard de l'autre pour avoir le droit d'exister. Dans le contexte général de notre recherche, il est important de saisir que l'amour de soi et l'amour d'autrui sont fortement articulés l'un par rapport à l'autre. Les êtres qui aiment au point de se perdre ne s'aiment pas suffisamment. Ils ont oublié la seconde partie du précepte chrétien qui dit : « Aime ton prochain *comme toi-même* ! »

Une identité saine repose sur une saine estime de soi. La confiance en soi, la valeur que l'on s'accorde, tout est là ! L'amour de soi permet de s'autoriser à être soi-même sans attendre l'approbation des autres, à rechercher et à expérimenter ce qui nous attire et nous fait plaisir sans jugements. Bref à se permettre d'exister, de respirer à l'aise et de prendre la place dont on a besoin pour évoluer, tout en respectant celle des autres.

Tant que nous ne nous estimons pas suffisamment, nous n'allons pas chercher ce dont nous avons réellement besoin pour évoluer positivement et développer notre potentiel. Nous croyons tout simplement que nous ne méritons pas le meilleur de ce que la vie a à offrir. Certaines personnes croient même qu'elles ne méritent pas d'exister ou que leur vie ne vaut pas la peine d'être vécue.

Cesser d'attendre l'approbation d'autrui pour s'apprécier et apprécier la vie est sans aucun doute la révolution la plus fondamentale qui puisse affecter une vie. Choisir de vivre, choisir d'aimer, choisir de célébrer la joie d'exister, devenir pleinement responsable de sa vitalité et de son propre bonheur constituent sans contredit les actes les plus créateurs qu'un individu puisse accomplir.

Mais c'est loin d'être facile. La plupart d'entre nous sommes encore submergés par notre passé non résolu avec le père et avec la mère, par les heurts inévitables de la vie amoureuse, et par les voix négatives qui nous habitent. En réalité, pour avoir la capacité d'aimer et de s'aimer, il faut avoir senti que l'on nous aimait. Les miroirs que nos parents et les autres figures parentales nous ont tendus à travers leurs gestes et leurs regards sont des éléments essentiels de la fondation d'une saine estime de soi[1].

Voyant, enfant, la lueur d'admiration, d'enthousiasme et d'amour dans l'œil de nos proches, nous intégrons progressivement ce miroir positif et apprenons à nous aimer. Cette intégration contribue à la formation de complexes parentaux positifs qui nous soutiennent au lieu de nous dénigrer. Cet amour de soi permet à un être d'avoir confiance en lui-même, d'être fidèle aux parties de lui que les autres n'apprécient pas, de se tenir debout dans l'adversité et de vivre la vie comme une grande aventure. Ce miroir interne positif constitue la base d'un narcissisme sain.

Si, en raison de circonstances de la vie telles qu'une mère malade, un père alcoolique, une période d'hospitalisation en bas âge, le miroir que l'on nous a présenté était négatif, si personne ne veillait sur nous, ou si nos parents ne prenaient pas plaisir à élever leurs enfants, nous développons une piètre estime de nous-

1. On peut approfondir la notion d'estime de soi en se référant au livre du psychanalyste jungien Mario Jacoby : *Shame and the Origins of Self-Esteem, A Jungian Approach*, Londres, Routledge, 1994, pp. 24-46. L'auteur se base sur les recherches auprès de nourrissons pour retracer les origines de la honte et d'une faible estime de soi.

mêmes. Au lieu d'avoir confiance en nos capacités, nous sommes assaillis par des doutes perpétuels. Ces expériences difficiles où nous ne nous sommes pas sentis accueillis dans notre milieu naturel contribuent à la formation de complexes parentaux négatifs qui au lieu de nous soutenir nous chuchotent la liste de nos incapacités.

C'est comme s'il y avait un méchant écho à l'intérieur de nous qui soupirait comme dans le conte : « C'est Blanche-Neige qui est la plus belle[1] ! » Nous commençons alors à nous sentir honteux d'être ce que nous sommes et à haïr toutes les personnes qui ont plus de facilité que nous. Nous rivalisons avec elles, les envions, tentons de les détruire, ou encore nous nous accrochons à elles et les imitons afin de recevoir l'attention dont elles nous semblent l'objet. Nous entrons ainsi dans une sorte de rapport d'amour qui peut se changer rapidement en haine si nous ne recevons pas l'approbation de la personne élue comme modèle de perfection, ou si celle-ci nous inflige une désillusion trop sévère en ne reconnaissant pas nos talents.

Ici le narcissisme est maladif et, contrairement à ce que l'on croit, c'est une personne qui souffre d'une telle blessure d'amour-propre qui donnera l'impression d'être égocentrique. Tout simplement parce que son estime d'elle-même est tellement vacillante qu'elle a sans cesse besoin d'être rehaussée par des remarques positives et des compliments. Cela explique aussi qu'une telle personne est sans cesse en train de mettre au centre ce qu'elle est et ce qu'elle fait comme l'enfant qui veut faire approuver son dessin à tout prix. Si elle arrive à lutter contre les représentations négatives d'elle-même qui lui sont suggérées par des complexes

---

1. Jacob et Wilhelm Grimm, « Blanche-Neige », *Contes I*, coll. « Grand Format », Paris, Flammarion, 1986, pp. 299-309. Dans ce conte, c'est la belle-mère de l'héroïne qui possède ce miroir magique. Elle deviendra mortellement jalouse de la beauté de la jeune fille, au point de la faire abandonner dans la forêt.

impitoyables, elle reprendra confiance et le comportement disparaîtra. Mais cela se fait souvent au prix d'une longue démarche thérapeutique car un tel problème est profond. Ce qui nous amène à parler plus en détail des racines de l'estime de soi.

## De la toute-puissance à l'estime de soi

Comme nous l'avons dit plus haut, l'enfant naît dans le monde de l'unité totale. Longtemps, il va résister de toutes ses forces à la perception de la réalité des autres car cela viendrait amoindrir son fantasme de toute-puissance. Les enfants naissent rois et se prennent pour le centre du monde. Il est même très important qu'il en soit ainsi. Pour quelques mois l'individu doit se sentir le centre de la vie qui bat autour de lui, car l'amour ressenti dès les premiers moments de l'existence donne une base de sécurité à l'enfant, base sur laquelle peut s'établir le sentiment de sa valeur propre.

Peu à peu, pourtant, il doit accepter de ne pas être le centre de l'univers. Il se rend compte que ses parents ont des intérêts différents des siens et que les autres n'évoluent pas nécessairement en fonction de lui. La question à cent mille dollars devient donc la suivante : comment des parents peuvent-ils permettre à l'enfant de passer de sa toute-puissance imaginaire à une perception plus exacte de la réalité ? Comment l'aider à développer une saine estime de lui-même et une confiance par rapport à son pouvoir personnel ? Car la valeur que l'on s'accorde est le résultat d'un compromis entre nos besoins de toute-puissance et les limites imposées par la réalité. Comment conserver la sensation de son pouvoir personnel, même si ce dernier est à jamais relatif ?

Théoriquement, nous le savons très bien : d'une part, les parents peuvent apporter des limites nécessaires au sentiment d'omnipotence de l'enfant sans brimer son assurance au moyen de petites frustrations qu'il peut accepter sans se sentir totalement rejeté et démoralisé ; d'autre part, il est bon qu'ils abandonnent peu à peu leur propre toute-puissance de parents pour faire de plus en plus confiance à l'enfant. Il est même souhaitable qu'ils puissent laisser voir graduellement leur propre humanité avec ses faiblesses.

Malheureusement dans la vie ça se passe rarement comme nous l'aurions souhaité, si peu en fait que, si je devais évaluer ce qui constitue le principal motif de consultation psychologique, je répondrais qu'il s'agit à coup sûr du manque d'estime de soi. Il est effarant de constater à quel point nous pouvons manquer d'amour envers nous-mêmes. Les scénarios les plus communs qui se présentent ressemblent à ce qui suit. Ce sont eux qui conduisent à la formation de problèmes dits narcissiques.

Certaines personnes qui ont vécu des frustrations trop intenses ou même traumatisantes dès la prime enfance, en raison de circonstances adverses ou de parents qui ne savaient pas comment aimer, réagiront en tentant d'imposer leur loi à tout prix afin de prouver qu'elles valent quelque chose. Elles ne vivent pas dans le monde de l'amour, elles vivent dans le monde du pouvoir. Il est d'ailleurs étonnant de constater à quel point le besoin d'amour frustré se transforme presque invariablement en volonté de puissance. Sur le terrain du couple, par exemple, il n'est pas rare de voir apparaître les luttes de pouvoir à mesure que s'éteint l'amour romantique. Cette terrible loi semble jouer tant chez les petits dictateurs domestiques que chez ceux qui tyrannisent leur pays. Tous et toutes portent une grande blessure d'amour.

Le psychanalyste Alfred Adler a d'ailleurs fondé toute sa théorie sociale de l'instinct de pouvoir des individus sur ce qu'il a appelé une *infériorité d'organe* [1]. Que cette infériorité d'organe soit réelle ou imagi-

---

1. Pour la théorie de l'infériorité d'un organe, voir le chapitre que Henri Ellenberger consacre à Adler dans son livre *The Discovery of the Unconscious, The History and Evolution of Dynamic Psychiatry*,

naire, elle stimule souvent un besoin de s'affirmer qui connaît peu de limites. Par exemple, Napoléon a réagi à sa petite taille par une ambition dévorante. Il voulait conquérir le monde entier. Chaque fois, la toute-puissance blessée parle à travers les gestes et tente de prendre sa revanche. Pensons à un homme convaincu que son pénis est trop petit et qui compense en s'achetant des bolides puissants. Il veut faire éclater sa puissance frustrée au grand jour.

On peut aussi s'effondrer au lieu de se pavaner en réaction aux traumatismes de l'enfance. Lorsque notre milieu n'a pas su apprécier ou accepter une partie de notre personne, lorsque des taquineries humiliantes ont souligné nos tares apparentes, une malformation physique ou une insuffisance intellectuelle, il est souvent difficile d'aimer ces parties. Nous continuons à les déprécier par nous-mêmes et nous craignons sans cesse d'être rejetés en raison de ces handicaps réels ou imaginaires. Se forme alors un complexe d'infériorité, le signe par excellence du manque d'estime de soi.

En effet, on ne compense pas toujours une infériorité ressentie en s'affirmant outre mesure. On peut très bien crouler sous le poids de la honte. On se replie alors sur soi-même, jugeant qu'on ne mérite pas plus que le triste sort qui nous est dévolu, affirmant que de toute façon la vie est souffrance et que c'est tout ce qu'il y a à espérer ici-bas. Une telle résignation conduit à une vie morne qui va parfois jusqu'à l'autodestruction par haine de soi.

Cela se produit fréquemment lorsque les parents demeurent autoritaires et affirment par leurs gestes et leurs comportements qu'ils ont toujours raison. Leurs enfants seront convaincus d'être sans valeur, ils tente-

New York, Basic Books Inc., 1970, pp. 603-606. Cet ouvrage est remarquable. Il dresse le portrait des grands psychiatres et psychanalystes de notre temps tels que Freud, Jung ou Adler, en plaçant leurs théories dans le contexte de leurs biographies personnelles et des grands événements historiques.

ront de prouver à tout le monde qu'ils valent quelque chose par des comportements excessifs ou, au contraire, ils se réfugieront dans la médiocrité et le défaitisme. Ils demeurent ainsi en position d'enfants perpétuels qui cherchent des modèles de perfection et s'accrochent aux personnes qui leur semblent puissantes. Ils nient leur pouvoir personnel et l'abandonnent à qui aura la sagacité de l'utiliser.

Cela engendre ce qu'il est convenu d'appeler de la dépendance. Ces gens peuvent dépendre tout autant de leurs partenaires amoureux, de leur environnement familial que de la dernière mode affichée par une vedette des médias. C'est ainsi qu'ils tentent de réparer la blessure du passé et font échec au rejet. À ce petit jeu on devient rapidement conformiste en n'affichant aucune opinion qui pourrait déplaire à la majorité du groupe auquel on appartient. L'appartenance à une secte, à une bande de rue ou à un club social peut ainsi servir à nous donner une identité sur mesure lorsque nous n'osons pas assumer notre pouvoir individuel. Notre identité est alors prise en charge par une collectivité qui s'affirme à notre place.

Si, au contraire, les parents n'osent pas assumer leur autorité et imposer des limites, l'enfant risque de devenir tyrannique envers eux et mal adapté à la vie. Sans le savoir ils livrent leur rejeton à la merci d'événements catastrophiques qui ne manqueront pas de venir lui prouver qu'il n'est pas omnipotent. Il risque fort de s'effondrer devant les premiers échecs et de se résigner parce qu'il n'a jamais appris à résister aux épreuves. Il pourra tenter de trouver refuge dans des rêveries illusoires sur son avenir et sa puissance, ou sombrer dans l'alcoolisme ou la drogue afin de rétablir pour un temps sa toute-puissance menacée. De tout temps, certaines substances ont été consommées pour rétablir ce sentiment vacillant de bien-être intérieur que la vie vient frustrer sans arrêt.

Comme on le constate, le passage de la toute-puissance fantasmée à une estime de soi équilibrée est délicat. Nombre d'événements peuvent s'interposer et faire qu'un être se réfugie dans un sentiment *illusoire* de supériorité ou dans la honte. En réalité, entre toute-puissance et dépression, la ligne est souvent mince. Mais à mesure qu'un être exerce ses talents et ose être lui-même, qu'il reçoit approbation et amour, un équilibre et une sécurité s'installent. L'important est d'établir une connexion avec les sources mêmes de la vie qui sont amour et qui n'ont pas le regard vengeur de la belle-mère de Blanche-Neige. Il s'agit de faire que la fleur que chacun porte en soi puisse s'épanouir.

## Unœil, Deuxyeux, Troisyeux

Un conte recueilli par les frères Grimm nous permettra de mieux saisir sur le vif la dynamique psychique qui se met en place entre le moi et les complexes. Ce conte s'intitule *Unœil, Deuxyeux, Troisyeux* [1]. Non seulement l'héroïne n'y a pas de père, mais de plus elle possède une mère cruelle. Le problème central élaboré dans ce conte concerne justement le manque d'estime de soi. Comme nous venons de le voir, il s'agit d'un problème crucial pour les êtres dont le développement n'a pas été encouragé. Le moi conscient demeure alors faible et mal affirmé.

Cette mère dévorante vit avec ses trois filles dont une seule est normale. La première a un œil, la deuxième a deux yeux et la troisième a trois yeux. C'est ainsi qu'on les prénomme : Unœil, Deuxyeux, Troisyeux. La mère et les sœurs traitent Deuxyeux comme une véritable bonne à rien. Elle fait les corvées et le ménage, et c'est elle qu'on envoie aux champs pour garder la petite chèvre.

1. Jacob et Wilhelm Grimm, *Contes II*, coll. « Grand Format », Paris, Flammarion, 1986, p. 323. Je tiens à remercier Lucie Richer, Daniel Bordeleau et Tom Kelly en compagnie desquels l'interprétation de ce conte fut élaborée lors d'un séminaire de formation offert par l'Association des psychanalystes jungiens du Québec.

Pour interpréter cette histoire sur le plan psychologique, nous devons imaginer qu'il s'agit d'un drame où tous les personnages mettent en images ce qui se déroule à l'intérieur de l'héroïne Deuxyeux. Ces incidents arrivent pour ainsi dire à son moi en pleine transformation. Deuxyeux représente une femme qui n'arrive pas à trouver en elle assez de force pour s'affirmer. Les complexes lui volent son pouvoir. Ils la jalousent et l'envient. Ces complexes psychologiques sont figurés dans le récit par Unœil, Troisyeux et la mère qui reflètent toutes les trois des dimensions intérieures de Deuxyeux. La mère représente le complexe maternel négatif. Les deux sœurs représentent des sous-personnalités de Deuxyeux qui prennent le dessus sur sa personnalité consciente.

Par exemple, quand nous avons un seul œil, notre vue s'en trouve réduite. Sur le plan psychologique, nous pourrions dire que cela trahit une attitude unilatérale, une vision à œillères. Cela se traduit par une rigidité d'opinion. Lorsque Deuxyeux est sous l'influence de cette attitude, elle manque de perspective. Elle ne voit qu'un seul côté de la médaille. Elle alimente son point de vue rigide avec une passion obscure et démesurée qui est digne du Cyclope qui lui aussi n'a qu'un œil au milieu du front. Elle pourra même nourrir des pensées méchantes à l'égard de ceux qui s'opposent à elle.

Troisyeux, l'autre sœur, représente au contraire une attitude d'hypervigilance. Quand on a trois yeux, il y a toujours un œil qui ne dort pas. Troisyeux symbolise un souci permanent par rapport à soi-même. Un tel être se surveille sans arrêt et doute constamment de lui-même. La personne qui n'a pas développé un moi fort en raison de complexes parentaux négatifs masque sa faiblesse en affichant des opinions catégoriques et en exerçant une vigilance pointilleuse par rapport à sa personne. Le but de ce comportement est de se protéger des jugements éventuels qui pourraient venir de l'extérieur.

Dans les contes de fées, la pauvreté de l'héroïne

symbolise le moi qui manque de force d'affirmation. Le moi faible est souvent représenté sous les traits de la petite servante qu'on relègue à des tâches exclusivement secondaires. *Cendrillon* en demeure l'exemple par excellence. Dans cette fable-ci, le moi affaibli a cependant un atout : il a gardé un rapport sain avec la nature instinctive figurée par la petite chèvre que Deuxyeux mène brouter aux champs chaque jour.

Un jour où elle a mené la petite chèvre aux champs, Deuxyeux se plaint à voix haute de son malheur, car on ne lui a donné qu'un petit quignon de pain pour se rassasier. Elle s'assoit et se met à pleurer sur son pauvre sort. Alors une fée apparaît et lui montre une formule magique lui permettant de faire venir un repas à volonté, de manger à satiété et ensuite, à l'aide de cette même formule, de faire disparaître ce repas. La formule commence avec le nom de la chèvre « Biquette, biquette, etc. », preuve s'il en est du rapport nourrissant à la nature instinctive.

Comme Deuxyeux dédaigne maintenant le morceau de pain qu'on lui donne à la maison, sa mère et ses sœurs finissent par se douter qu'il y a anguille sous roche. Alors les sœurs l'accompagnent aux champs une à une et bientôt Troisyeux, qui ne dort jamais, découvre le stratagème. La mère décide alors de tuer la petite chèvre pour que sa fille n'aille plus aux champs. Elles la mangent toutes les trois alors que Deuxyeux reste à l'écart. L'aspect cruel et démoniaque des complexes de l'héroïne éclate ici au grand jour.

Le pouvoir des complexes négatifs chez une personne qui manque d'amour-propre est tel qu'ils détruisent ce qui la réconforte. Aussitôt qu'elle trouve quelque chose ou quelqu'un qui est bon pour elle, les complexes s'en mêlent et font naître des doutes qui réduisent à néant l'espoir de s'en sortir de cette façon.

La bonne fée apparaît à nouveau à Deuxyeux et lui dit de réclamer les entrailles de l'animal, ces déchets qu'on ne mange pas. Elle lui ordonne ensuite de les planter dans la terre et, de ce germe, naît un arbre qui produit des pommes d'or auxquelles seule l'héroïne a accès. Par la suite, un beau prince remarque ce pommier, réclame la propriétaire et lui offre tout ce qu'elle désire. Deuxyeux lui dit alors qu'elle veut simplement l'accompagner dans son royaume. Elle devient sa femme et plus tard, bonne reine, elle accueille sa mère et ses deux sœurs qui sont tombées dans la pauvreté la plus sordide. Cette pauvreté signifie que les complexes ont perdu leur pouvoir. Ils n'ont plus la capacité de nuire au développement du moi.

Le thème des entrailles qu'on plante dans la terre présente aussi un intérêt psychologique. Dans ce conte, la solution pour le moi vient des déchets rejetés. On doit les enterrer pour les laisser croître. Ainsi on leur donne de la valeur. Cela signifie qu'il est souhaitable de rester en contact avec notre « merde » intérieure pour réaliser l'œuvre d'intégration de soi. Cette « merde » est constituée par ce qu'un environnement familial négatif a rejeté, par ce qu'il ne pouvait pas digérer chez nous. Ce qui en naît est un pommier qui donne des fruits d'or, ce qui nous montre combien le rapport avec la nature et son cycle est fécond. On remarquera d'ailleurs que dans ce conte, comme dans *La Jeune Fille sans mains* que nous analyserons plus tard, la nature et ses rythmes sont grandement valorisés. Comme si la rupture du patriarcat avec l'environnement naturel constituait une perte notoire.

Dans ce conte, l'héroïne n'a pas grand-chose à faire pour appeler la transformation. Il ne s'agit pas de travailler, il s'agit de *porter attention* au processus naturel. La bonne fée qui représente le complexe maternel positif intervient les deux fois où la jeune fille pleure. La première fois lorsqu'elle meurt de faim et la deuxième lorsqu'on tue sa chèvre. On nous suggère aussi que reconnaître sa souffrance et l'exprimer ouvertement en s'abandonnant au mystère des profondeurs initie le processus créateur qui guérit la blessure de l'enfance. La demande d'aide du moi qui reconnaît sa propre faiblesse constitue toujours un élément décisif dans une situation de malheur psychologique. Il faut reconnaître sa souffrance pour que quelque chose puisse changer.

On vient de voir dans ce conte combien les complexes négatifs peuvent être actifs et nuire au développement de la personnalité. Je voudrais cependant faire une dernière remarque : il est surprenant de constater que dans les contes dont les femmes sont les héroïnes, il s'agit souvent simplement de devenir témoin de l'impasse pour que le développement puisse reprendre son cours. Dans les contes masculins, au contraire, les héros doivent souvent aller par monts et par vaux pour finalement trouver le trésor. Cela exprime peut-être une différence essentielle entre la psychologie de l'homme et la psychologie de la femme et nous invite à parler d'identité sexuelle. Car il n'y a pas que l'amour de soi, il y a l'amour de l'autre que soi !

## Identité et différence sexuelle

### L'identité sexuelle est une construction psychologique

La seconde balise de notre identité psychologique concerne le rapprochement avec autrui à travers l'amour et la sexualité. Que nous le voulions ou non, à chaque fois que nous disons *je*, c'est un homme ou une femme qui parle. Nous naissons tous et toutes dans un corps masculin ou féminin. Chez les êtres humains cependant, si le genre sexuel est déterminé génétiquement comme chez l'animal, l'identité sexuelle n'est pas fixée de façon aussi rigide. Cela permet une expression et une créativité beaucoup plus étendues sur le plan érotique. L'activité sexuelle principale peut même finir par être différente du déterminisme génétique primaire comme dans l'homosexualité où un individu désire une personne de même sexe que lui. Autrement dit, l'identité sexuelle psychique y est différente de l'identité sexuelle biologique. Force est de constater que, là comme ailleurs, la culture influence fortement la nature de base au point qu'il devient même difficile de distinguer les effets de l'une et de l'autre.

Nous pouvons ainsi regarder l'identité sexuelle comme une construction culturelle établie à partir d'une donnée de la nature, à savoir le sexe biologique[1]. Cette façon de voir possède le grand avantage de ne pas nous enfermer dans des débats stériles qui nous portent à rejeter certains types de sexualité comme n'étant pas « naturels ». De mon point de vue tous les types de sexualité humaine sont en partie du moins influencés par la culture et aucun n'est purement naturel, ou bien ils le sont tous si nous admettons que rien n'échappe à la nature.

D'ailleurs, en 1948 déjà, le rapport Kinsey[2] rendait populaire une échelle d'évaluation de l'orientation sexuelle à six degrés plutôt que deux. À un bout du spectre le chercheur mettait les homosexuels purs et à l'autre les hétérosexuels purs. D'après son enquête, dix pour cent (10 %) seulement de la population se situaient dans chacune de ces catégories. Par exemple, la majorité des hommes oscillait entre l'homosexualité et l'hétérosexualité à des degrés divers. Ils révélaient également que le tiers des hommes avaient eu une relation homosexuelle complète avec orgasme passé l'âge de la puberté. Bref la chose n'est pas aussi claire que le laissent entendre les conversations de gymnase et de salon.

Malgré nos résistances morales, religieuses, ou tout simplement notre propre orientation sexuelle, il est plus réaliste sur le plan psychologique de considérer

1. Je dois ces idées sur l'identité sexuelle et sa construction à mes conversations avec les psychanalystes Tom Kelly et John Desteian. Ce dernier est l'auteur d'un livre sur le couple intitulé *Coming Together-Coming Apart, The Union of Opposites in Love Relationships*, Boston, Sigo Press, 1989.
2. Alfred Charles Kinsey et al., *Sexual Behavior in the Human Male*, Rapport Kinsey, 1953.

*l'identité sexuelle comme quelque chose de flexible.* Il s'agit en quelque sorte d'une construction où se mêlent des éléments pulsionnels, des éléments psychologiques, voire même des aspects politiques et idéologiques. Par exemple, une déception amoureuse ou une longue période de proximité avec des gens de même sexe que soi peuvent très bien entraîner un changement de cap de l'hétérosexualité vers l'homosexualité, ou le contraire. Dans les cultures de l'Afrique du Nord où les hommes vivent beaucoup entre eux, un homme peut très bien faire l'amour avec un autre homme sans penser pour autant qu'il est homosexuel.

On ignore à quel point notre culture et nos blessures psychologiques influencent notre façon même de regarder un pénis, une vulve, des seins et notre manière de faire l'amour. Notre sexualité exprime notre être entier, notre histoire psychologique y compris. Je peux être très centré sur mon propre plaisir si je suis fragile au niveau de l'amour-propre, ou au contraire je pourrai accorder plus d'attention à ma partenaire si je me sens en confiance.

## À quoi sert le parent de même sexe que soi ?

L'élaboration de notre sexualité assignera d'emblée des rôles différents à chacun de nos parents selon leur sexe. De façon générale, le parent de même sexe que soi est celui qui jouera un rôle fondamental dans la construction de notre identité sexuelle. Le parent de sexe opposé servira, lui, à nous différencier sexuellement. À travers ses yeux, nous apprendrons que nous sommes homme ou femme[1].

L'enfant se reconnaît d'emblée dans le parent du même sexe que lui. C'est le parent auquel il est sem-

1. Christiane Olivier, *Les Enfants de Jocaste. L'empreinte de la mère*, Paris, Denoël/Gonthier, 1980, pp. 53-72. Ce livre représente un classique sur ce thème.

blable, pareil, identique. C'est ce parent-là qu'il voudra imiter. Il le prendra pour modèle. La pierre angulaire de l'identité sexuelle se situe donc dans son rapport au père pour un garçon et se trouve dans le rapport à la mère pour une fille. On voit tout de suite les complications que peut entraîner une telle loi psychologique.

Si le parent de même sexe est absent ou s'il rejette l'enfant, s'il ne renvoie pas à l'enfant un miroir positif de son propre sexe, le petit garçon ou la petite fille ne parvient pas à aimer le fait d'être homme ou femme. Lorsqu'un enfant n'est pas confirmé par le parent du même sexe et que ce manque n'est pas compensé par une autre présence maternelle ou paternelle, il y a de fortes chances qu'il finisse même par se détester et avoir honte de lui-même et de son propre sexe. Ce manque d'amour de soi entraîne en fin de compte une difficulté à reconnaître ce qui est bon pour soi dans la vie.

À cet égard, il faut éviter de s'enfermer dans une vision psychologique réductrice exigeant la présence du père ou de la mère naturels auprès de l'enfant. Les enfants ont besoin de maternage et de *paternage*[1], ils ont besoin de la présence d'hommes et de femmes qui les traitent paternellement et maternellement pour modeler leur identité. Il faut que le besoin d'être en rapport avec du féminin et du masculin puisse être satisfait. Le véritable père de l'enfant et sa véritable mère ne sont pas obligatoirement son géniteur et sa génitrice, mais celui et celle qui en prennent soin.

---

1. Nous sommes si peu habitués à la réalité d'hommes qui prennent soin des enfants que le mot maternage qui désigne l'action de traiter maternellement n'a pas sa contrepartie masculine dans le dictionnaire. J'introduis donc le néologisme *paternage* pour désigner l'action de traiter paternellement.

# À quoi sert le parent de sexe opposé ?

Le parent de sexe opposé nous fait prendre conscience de la réalité sexuelle en révélant par sa simple présence notre différence fondamentale. C'est pour cela que la plupart du temps les fantaisies érotiques et les petites histoires d'amour naissent dans le rapport avec le père pour les filles et dans le rapport avec la mère pour les garçons. À trois ou quatre ans, presque tous les petits garçons veulent épouser leur maman et les petites filles veulent épouser leur papa.

Pour avoir une idée plus précise de l'influence que l'on peut attribuer au genre de chaque parent, il suffit de regarder les différences de blessure qui affectent les hommes et les femmes. Dans les cas de personnes issues de familles traditionnelles où la mère est présente et le père relativement absent, les garçons souffrent d'une blessure d'identité en raison du manque de modèle masculin, mais leurs rapports avec les femmes ont été facilités par la présence attentive de la mère. En caricaturant, nous pourrions affirmer qu'ils sont convaincus qu'il y aura toujours une femme pour eux dans le monde, alors que leurs relations avec les hommes demeurent empreintes de méfiance.

Pour les filles, c'est l'inverse. La blessure laissée par le père est une blessure relationnelle, affective. Elles ne sont pas certaines qu'il y a vraiment un homme pour elles dans l'univers et sa recherche devient primordiale. Cette conviction les entraîne parfois à tolérer des situations inacceptables dans l'intimité tellement elles sont convaincues qu'elles ne trouveront pas d'autre partenaire. Par contre, elles peuvent compter sur la présence des copines. La complicité maternelle a ouvert le rapport aux autres femmes. Parfois, cependant, le rapport avec la mère n'a pas été bon. En conséquence les liens d'amitié se nouent difficilement avec des femmes. Malgré le manque de soutien paternel, on se trouve plus à l'aise en compagnie des hommes.

## L'épreuve de la différenciation sexuelle

La différenciation sexuelle est nécessaire parce qu'elle sert l'éveil de soi mais elle représente une épreuve. Comme je le disais plus haut, l'enfant vit en unité profonde avec l'univers qui l'entoure, joyeusement, douloureusement, et surtout inconsciemment. Pour sortir de cette inconscience, une différenciation entre lui et le monde doit prendre place. Une des différences indéniables qu'il devra affronter, parce qu'elle est d'une évidence criante, est celle qui existe entre les mâles et les femelles. Cette expérience des dissemblances permettra par la suite un retour au monde de l'unité, mais avec la conscience cette fois.

Bien qu'il soit fasciné par elle, il faut bien dire que dans un premier temps l'enfant résiste de toutes ses forces à la différence sexuelle. En effet la prise de conscience de l'existence des deux sexes constitue une épreuve fondamentale pour le sentiment de toute-puissance du petit garçon ou de la petite fille. Prendre conscience de n'être à jamais qu'un homme ou qu'une femme le confronte avec le fait de ne pas être complet, donc d'être imparfait. Il s'agit d'une entrée dans le monde de l'interdépendance et de la complémentarité qui ne s'accepte pas d'emblée.

À partir de ce moment, se prouver qu'il est un garçon et pas une fille, ou vice versa, devient une activité intense pour l'enfant. Il essaiera de prouver que son sexe est supérieur à l'autre en force, en intelligence, en finesse. Il tente ainsi de maintenir intacte une partie de son fantasme de puissance ébranlé par la découverte de la différence sexuelle. Il se collera alors au parent de même sexe que lui pour se rassurer, principalement en l'imitant. Et quoi de mieux pour affirmer sa ressemblance avec le parent de même sexe et sa différence d'avec le parent de sexe opposé que de jouer aux rôles domestiques et sociaux qu'ils remplissent ?

Cela revient-il à dire que les parents devraient observer une stricte division des rôles à la maison pour aider l'enfant dans sa phase de différenciation ? Absolument pas. Il faut par contre respecter les styles naturellement différents du père et de la mère. Les pères ne changent pas les couches de la même façon que les mères et les enfants perçoivent ces différences, si minimes soient-elles. À l'âge de la différenciation l'enfant fait tout pour ressembler au parent du même sexe et pour se rassurer. Il est à l'affût des différences pour pouvoir y accrocher son identité sexuelle. Il a besoin de faire cela pour s'inventer homme ou femme.

Une bonne différenciation sexuelle sert de base à la reconnaissance ultérieure des similitudes profondes entre les sexes. Plus un être se sent sécurisé dans le sentiment d'appartenir à son propre sexe, plus il peut affronter les différences sans se sentir menacé. Un homme confiant en sa virilité peut accepter l'idée qu'il possède des qualités soi-disant féminines et une femme peut concevoir qu'elle porte du masculin en elle. Si la différenciation n'a pas été proprement établie, un individu risque de passer sa vie à prouver qu'il est différent du sexe opposé en marquant par un comportement ultraféminin ou ultramasculin sa différence.

En guise de remerciement pour une conférence, un professeur d'université me remit un jour un poème où il parlait de ses vieux jours à venir. Il y disait combien il prendrait plaisir alors à porter un anneau à son oreille sans avoir peur de passer pour *gay*. Ce geste lui paraissait impossible en pleine carrière parce qu'il le jugeait trop risqué pour son image de marque. C'eût été trahir sa grande sensibilité et se retrancher lui-même du groupe des hommes.

Pourtant, lorsqu'un homme est bien dans sa peau d'homme, quand il a été reconnu par suffisamment d'hommes qui avaient de l'importance à ses yeux, il peut exprimer sa sensibilité sans se sentir menacé. Il peut même relâcher sa rigidité et afficher des goûts ou des comportements qui paraissent féminins dans sa culture d'origine.

La différence sexuelle représente une collision avec l'incomplétude de base. Elle fait ressortir le fait qu'il nous manque irrémédiablement quelque chose. C'est d'ailleurs la réalité de ce manque qui stimulera chez l'être le désir de complétude et le lancera à la poursuite de sa partie manquante à travers l'amour romantique. Il remplacera pour ainsi dire son fantasme d'être l'univers à lui tout seul par celui de créer un univers complet avec une autre personne !

## L'animus et l'anima

### La douce moitié

Est-ce vraiment la blessure narcissique imposée par le fait de n'être à jamais qu'un homme ou qu'une femme qui nous pousse à vouloir être ensemble malgré les différences et les difficultés ? Vouloir être tout à deux explique-t-il que le couple nous semble si naturel ? Est-ce pour cela que nous regardons chaque homme et chaque femme en nous demandant secrètement : « Est-ce que c'est lui qui m'est destiné ? Est-ce que c'est elle ? » Ce serait là une vision très réductrice de l'existence.

En réalité *Elle* et *Lui* ne sont pas seuls sur le canapé du salon. Ils ont des compagnons intérieurs qui mènent le bal des attirances et des répulsions à leur insu. Il s'agit de l'animus et de l'anima. Nous pourrions dire que dès la puberté un archétype s'active en nous pour nous aider à nous séparer de nos parents et à poursuivre notre vie psychologique par nous-mêmes en pleine autonomie. Sa trace est visible dans le fait que chaque être humain porte en lui une représentation plus ou moins claire du partenaire idéal. Cette image le fait rêver, fantasmer et courir après l'amour pour former un couple.

Il y a une disposition innée dans l'inconscient à produire une telle représentation. Comme je le disais précédemment, Jung a donné le nom d'archétype à de telles tendances universelles. Dans le cas particulier qui nous occupe, il a donné le nom d'archétype de l'anima à la représentation fantasmée du féminin dans l'homme et d'archétype de l'animus à celle du masculin chez la femme [1].

C'est en observant les rêves de nombreux hommes et femmes que le psychanalyste suisse en est venu à de telles conclusions. Il a constaté que les hommes rêvaient souvent à des femmes mystérieuses et inconnues et que ces rêves leur inspiraient souvent du respect. Du côté des femmes, des groupes d'hommes les côtoyaient fréquemment en rêve et exerçaient la même fascination sur elles. Jung en est venu à la conclusion que notre contrepartie sexuelle, celle qui a été réprimée en raison de notre genre sexuel affiché, continuait à vivre en nous sous les traits d'une personne de sexe opposé.

Il s'agit là de notre véritable *douce moitié*. Il s'agit là de notre personnalité intérieure, mais comme nous ne la connaissons pas, nous la cherchons à l'extérieur de nous. Nous appelons de tous nos vœux cette âme-sœur ou cette âme-frère. Cela produit tout le jeu des attentes et des malentendus qui se forment en amour, car nous désirons ardemment que nos partenaires se plient à notre image idéale.

Tout se passe comme si l'animus et l'anima nous lançaient dans l'aventure de l'amour mais que leur véritable fonction était d'être reconnues comme des dimensions intérieures de nous-mêmes. Car en réalité

1. Pour être juste avec Jung, il faut dire que les archétypes ne sont jamais des représentations. Ils sont plutôt les structures psychiques qui organisent les représentations symboliques. Pour avoir une idée claire de la nature des archétypes, voir le texte théorique intitulé « Réflexions sur la nature du psychisme » que Jung leur consacre dans *Les Racines de la conscience. Études sur l'archétype*, Paris, Buchet/Chastel, 1975, pp. 465 et suiv.
Pour ce qui est de l'archétype de l'animus et de l'anima, l'ouvrage de Jung intitulé *Dialectique du Moi et de l'inconscient, op. cit.*, pp. 143 et suiv., demeure une excellente source d'informations.

nos partenaires ne pourront jamais incarner cette part manquante. Voilà ce que les échecs amoureux nous font comprendre peu à peu. Tant que nous exigeons de nos partenaires qu'ils changent, c'est que nous leur demandons d'incarner fidèlement notre animus ou notre anima. Ce qui leur est bien entendu impossible.

En réalité, l'animus et l'anima invitent tout aussi bien à l'aventure sentimentale extérieure qu'à l'aventure créatrice intérieure. Dans le premier temps de la vie, alors qu'il s'agit de connaître l'amour et de fonder une famille, ils nous tirent hors du giron familial vers la création de notre propre unité familiale. À partir de l'âge mûr, ils nous invitent à un retour sur nous-mêmes pour comprendre les dimensions plus profondes de notre inconscient qui veulent s'exprimer autrement qu'au moyen du couple, du travail et des enfants.

## À qui ressemblent l'animus et l'anima ?

Si le parent de même sexe que soi influence fortement la façon dont nous nous comporterons en tant qu'homme ou en tant que femme, l'image de l'homme ou de la femme que nous portons en nous sera marquée en retour par la personnalité du parent de sexe opposé. Tout simplement parce qu'il s'agit du premier homme ou de la première femme que nous avons connu intimement. C'est d'ailleurs parce que l'animus et l'anima sont influencés dans leur formation par les figures parentales que nous devenons souvent amoureux de quelqu'un dont les traits de caractère évoquent notre père ou notre mère.

Car s'il est vrai que l'animus et l'anima représentent au fond l'archétype même de la vie qui nous appelle à évoluer loin de nos parents, il faut dire également que ces figures qui inspirent l'élan amoureux peuvent demeurer prisonnières des complexes parentaux lorsque ces derniers sont puissants et négatifs. Ils inhibent alors la pulsion d'autonomie du jeune homme ou de la jeune femme. Ce thème est d'ailleurs souvent exploité dans les contes de fées où l'on voit une fille prisonnière de la tour du château de son père. Au niveau symbolique, le chevalier qui vient la délivrer représente aussi bien son animus qui s'éveille que l'amour qui l'amène à déserter le milieu parental.

Lorsque la pulsion d'autonomie n'arrive pas à faire son chemin en raison de complexes parentaux qui inhibent le moi et nuisent au développement naturel, l'animus et l'anima se changent en leur contraire. Alors la capacité d'une femme de prendre des initiatives devient attente passive. Si la situation perdure, son animus, emprisonné, s'énerve ou s'aigrit.

Si l'animus représente la capacité d'une femme à prendre des initiatives, l'anima pour sa part représente la capacité d'aimer d'un homme. S'il n'utilise pas sa sensibilité, celle-ci pourra devenir capricieuse et tumultueuse, réclamant son dû d'attention sous la forme d'humeurs irrationnelles qui s'emparent de lui à son insu. Il pourra alors se laisser aller à la dépression ou au désespoir sans opposer de résistance.

Lorsque l'animus et l'anima sont prisonniers des complexes parentaux, ils se retrouvent immanquablement projetés sur des figures qui ressemblent aux parents. Comme si la nature nous obligeait alors à régler ce problème pour dégager notre créativité et poursuivre notre développement.

Dans la réalité, rares sont les êtres dont l'animus et l'anima sont parfaitement dégagés des complexes parentaux. La plupart en sont au stade où leur créativité est encore prisonnière du complexe paternel ou maternel. Tant que tel est le cas, ils continuent à s'engager auprès de partenaires avec lesquels ils reproduisent en partie le drame de l'enfance. Et cela se produira tant que ce drame ne sera pas dépassé. En ce sens, la vie est parfaite puisqu'elle nous ressert toujours le même plat jusqu'à ce que nous prenions conscience de ce que nous sommes en train de manger.

## L'aspect collectif de l'archétype

Sur un plan plus large, l'animus et l'anima ne sont pas marqués uniquement par le père personnel ou la mère personnelle. La façon d'être homme ou femme depuis le début des temps agit également sur la formation de ces personnalités intérieures. Une couche de notre inconscient possède une dimension collective qui sert d'assise à l'inconscient personnel. Cet inconscient se manifeste en nous par des façons de réagir spécifiques aux hommes ou aux femmes de notre culture, et de l'espèce humaine en général. Par exemple, personne ne doit nous enseigner comment avoir de la peine ou tomber amoureux, pourtant nous suivons souvent en cela des schémas prédéterminés. L'inconscient collectif influence également nos façons de concevoir et de nous représenter le sexe opposé.

D'une façon positive et générale, l'animus représente le courage, l'initiative, la fermeté, l'action, le verbe et la spiritualité au sens large ; ses représentations sont l'homme de courage et d'action, l'artiste, le leader au verbe charismatique ou le maître spirituel. Et ce sont souvent ces qualités que les femmes recherchent chez les hommes. L'anima incarne les sentiments, les humeurs vagues, les intuitions, la capacité d'amour personnel, le sentiment de nature, et les relations avec l'inconscient [1]. Elle apparaît dans la culture sous les traits de la femme évanescente et mystérieuse, sous ceux de la terrienne sensuelle et sexuelle, de la femme poétique et cultivée, de l'initiatrice spirituelle ou de la prêtresse. Ce sont là également les types de femmes que les hommes recherchent.

Jung a noté que, chez un homme qui s'identifie fortement à sa raison et qui ne respecte pas ses besoins relationnels, l'anima s'exprimera sous la forme d'humeurs incontrôlables et irrationnelles qui s'emparent de lui dans des moments inattendus. Cette véritable

---

1. Marie-Louise von Franz, « Le processus d'individuation », dans *L'Homme et ses symboles*, Paris, Robert Laffont, 1964, p. 177.

*possession* par des humeurs irréfléchies, dans le sens d'être *possédé* par un esprit, survient dans la vie d'un homme tant qu'il n'établit pas un rapport conscient avec sa féminité intérieure. Cela le rend également sujet aux coups de foudre lorsqu'il reconnaît sans s'en rendre compte une partie de lui-même dans une autre personne.

Autrement dit, sa sensibilité inconsciente a le pouvoir de s'emparer de lui à son insu parce qu'il ne lui accorde pas de place dans sa vie consciente. Lors de ces crises, un féminin caricatural le tient sous son emprise. Quand un homme a la grippe par exemple et se plaint comme s'il allait mourir ou lorsqu'il déclare un amour fou à une femme qu'il vient de rencontrer, il se trouve sous l'influence de son anima. Il sera d'autant plus sensible à cette influence qu'il ne respecte pas sa vie intérieure et sentimentale. C'est le truc que l'inconscient a trouvé pour l'amener à rencontrer sa sensibilité.

La même chose vaut pour une femme identifiée à la féminité traditionnelle. Elle soutient mordicus des opinions indéfendables sur le plan de la raison sans aucune preuve pour soutenir ses dires. Elle *sait* et cela devrait suffire. Il s'agit là d'une attaque de son animus comparable à l'attaque de l'anima chez un homme. Elle ne pourra se débarrasser de ce monsieur qui prétend tout savoir que le jour où elle lui donnera une chance de s'exprimer plus justement et osera confronter ses opinions avec la réalité commune et objective.

Il est intéressant de noter aussi que dans les rêves l'animus se présente souvent sous les traits de plusieurs hommes, assemblées de juges, de professeurs, groupe d'enfants, etc., alors que l'anima s'incarne sous les traits d'une femme mystérieuse et singulière. Jung en concluait que l'homme cherche *la* femme à travers toutes les femmes alors que la femme cherche *tous* les hommes chez un seul homme. Cela explique non seulement que les femmes soient plus fidèles que les hommes en général, mais également le fait qu'une femme a fréquemment peur *des* hommes entrevus comme un groupe indifférencié alors que la présence d'un partenaire la rassure ; à l'opposé, un homme a peur de l'intimité avec *une* femme mais ne craint pas les femmes en général.

## La femme dans l'homme, l'homme dans la femme

Afin d'éviter toute confusion, j'aimerais profiter de cette discussion de l'animus et de l'anima pour préciser quelques points de langage. Lorsque je parle du *féminin* en général, j'entends par là les valeurs féminines présentes aussi bien dans l'homme que dans la femme, ou même dans la société. La même remarque vaut pour l'emploi du terme le masculin, il renvoie aux valeurs masculines chez *Elle* comme chez *Lui*. Personnellement, pour parler de la réceptivité féminine chez l'homme, je préfère employer le terme anima alors que, pour parler de l'énergie masculine chez la femme, je préfère le terme animus, tout simplement parce que la théorie de Jung a donné lieu à de nombreux abus.

En effet le *féminin* et le *masculin* que l'on entrevoit lorsqu'on parle de l'animus ou de l'anima possèdent toujours une allure typée et conventionnelle. Pourtant ce concept se veut plus sophistiqué. Pour Jung, ces figures intérieures sont en fait des représentations psychiques qui s'élaborent en compensation de l'attitude consciente extérieure. Un exemple nous le fera rapidement comprendre.

Dans la Légende du Graal, la femme du héros Perceval s'appelle Blanchefleur. Cette dernière incarne la figure féminine sur laquelle il a projeté son anima. On peut donc imaginer la féminité intérieure de Perceval portant des traits d'innocence, de naïveté et de délicatesse comme le nom Blanchefleur le suggère. En effet, Perceval est un chevalier gallois qui ne fait pas dans la dentelle. Son courage, sa force, mais aussi sa violence et sa brutalité le rendent redoutable. Voilà pourquoi son anima est si délicate. Elle vient compenser ce qui manque à l'attitude consciente pour être complète. Jung a pu vérifier qu'il en était ainsi la plupart du temps. Hitler avait des visions de la Vierge Marie et les gros machos apprécient les minettes.

Cette conception est mieux ajustée à la réalité psychique et nous permet de sortir des stéréotypes. Il devient alors aisé de comprendre qu'un garçon doucereux cache en lui une image de l'âme tranchante et peut-être même brutale. Pas étonnant qu'il se retrouve avec une femme très catégorique comme partenaire. La même chose vaut pour une fille très carrée, elle pourra fort bien tomber amoureuse d'un garçon doux puisqu'il représente l'image de son âme, à savoir les qualités qu'elle a besoin d'intégrer pour être plus près d'elle-même.

On comprendra du même coup que la projection à l'extérieur de soi d'une part si intime explique en grande partie nos attachements et les complications qui en résultent. Nous avons souvent besoin que l'autre se plie à notre âme inconsciente. Bon nombre de querelles et de ruptures surviennent lorsque notre partenaire ne répond plus à notre image intérieure d'homme ou de femme.

La loi de compensation entre l'image de l'âme et la personnalité extérieure, ce que Jung appelle la *persona* [1], nous invite donc à la prudence lorsque nous parlons du *féminin dans l'homme* et du *masculin dans la*

---

1. Le masque que nous portons en société ou dès que nous sommes en présence d'un autre constitue notre *persona*. Jung a emprunté ce terme au grec. Il y signifiait le masque que portait le comédien pour mieux faire résonner sa voix (*per sonare*) dans l'amphithéâtre. La *persona* sert donc de pont vers les autres. Elle consiste en une mesure d'adaptation entre notre moi véritable et la société. Elle peut devenir rigide et maladive lorsqu'elle ne traduit plus aucun trait de la personnalité de base. Lorsqu'il n'y a pas de congruence entre notre *je* fondamental et notre apparence, nous *sonnons* faux et la névrose nous guette. La *persona* est essentielle, elle sert la vie en société et le contrôle des pulsions, mais un être ne doit pas s'y identifier au point de penser que toute son individualité se trouve là représentée. Voir *Dialectique du Moi et de l'inconscient, op. cit.*, p. 81.

*femme*, car ce masculin et ce féminin varient passablement d'une culture à une autre et d'un individu à un autre. On peut bien entendu parler de tendances générales comme celles qui veulent qu'un homme soit plus éloigné de ses sentiments et qu'une femme possède un sens de l'action et du but moins aiguisé, mais il faut être conscient que les exceptions à ces règles sont loin d'être rares. Nombre de femmes ne sont pas très habiles à exprimer leurs véritables émotions dans le cadre d'une relation amoureuse, et bien des hommes n'ont pas un sens très développé de l'initiative. Il n'est pas juste non plus de dire que nous ne recherchons que le parent de sexe opposé sous le couvert de nos relations amoureuses. Un homme peut très bien se retrouver avec une femme qui incarne les traits de son père à lui et une femme peut aimer un homme qui porte les traits de sa mère à elle.

En résumé, nous pourrions dire que l'anima est cette force en l'homme qui inspire le besoin d'aimer et d'être aimé, de prendre soin et d'être apprécié. Elle est cette capacité d'amour et d'accueil, de tolérance au-delà de la raison et de compassion infinie. Pervertie, elle devient dépendance, soumission, servitude, esclavage et masochisme. Refusée, elle se fait froideur, rejet, dureté. Ce qui portera un homme à rechercher inconsciemment des partenaires qui incarnent l'un ou l'autre de ces aspects lui permettant la découverte de lui-même.

L'animus est cette énergie qui a besoin de s'accomplir en transformant la matière par sa volonté. Il est cette puissance d'action, de mouvement, d'impulsion. Perverti, il devient frénésie maniaque, autoritarisme, dictature, sadisme. Refusé, il se fait mollesse, manque de rigueur, autodestruction. Et une femme pourra elle aussi rechercher des partenaires qui incarnent ces dimensions inconscientes d'elle-même pour apprendre à se connaître.

L'animus et l'anima conjugués en chaque être forment ce miracle merveilleux et inexplicable de l'être humain et permettent l'expérience de l'amour sous toutes ses formes, des plus sordides aux plus sublimes.

## *Triangle familial ou triangle infernal ?*

### Le paysage familial

Notre discussion de l'identité sexuelle nous a fait séparer le rôle du parent de même sexe de celui du parent de sexe opposé. Nous avons parlé également des torts que peuvent causer les complexes parentaux lorsqu'ils sont négatifs. Avant de poursuivre et d'entrer encore plus profondément dans les relations parents-enfants, il nous faut maintenant relativiser cette influence des parents et montrer qu'ils sont rarement seuls en cause dans les déboires des enfants. C'est ce qui viendra clore cette partie théorique.

Commençons par dire que dans la réalité l'enfant ne se situe pas dans un axe père-fille ou mère-fils. Il vit d'abord et avant tout dans un triangle père-mère-enfant et participe de tout son être à la relation conjugale. Il est même très important qu'il en soit ainsi, car l'acceptation du troisième signifie l'acceptation de l'autre véritable. À trois, il y a déjà une mini-société.

L'enfant vit à ce point en symbiose avec le couple parental qu'il pourra très bien en arriver à penser qu'il est responsable par ses actions de la séparation des parents ou de l'harmonie de leur couple. L'enfant tient à l'unité du couple parental parce qu'elle symbolise pour lui la complémentarité des opposés qui assure le maintien du monde. C'est pour cela que les enfants du divorce gardent longtemps le fantasme de réunir à nouveau leurs parents, et éprouvent une grande satisfaction quand ils réussissent à le faire à l'occasion d'un événement heureux ou malheureux comme un anniversaire ou un accident.

De plus, même ce triangle apparaît lui-même

comme une division artificielle de ce qui se passe dans la réalité familiale. L'enfant ne se situe même pas dans un simple triangle, il se situe dans un système familial auquel participent tout autant les frères et les sœurs. Même des proches comme un grand-père, une grand-mère, ou toute autre personne qui occupe de l'espace sur le territoire familial peuvent devenir importants psychologiquement pour l'enfant. Autrement dit, les frontières de la réalité psychologique de l'enfant sont très poreuses.

Si on invite un enfant à dessiner un *paysage familial* en lui proposant de symboliser chaque personne sous la forme d'un objet et de représenter également les relations entre les différents personnages, on comprendra combien les frontières de la réalité psychologique de l'enfant sont floues. S'il est clair que le père et la mère occupent toujours des positions centrales dans de tels paysages, on se rend vite compte que la notion de père ou de mère ne peut pas rester fixée au père ou à la mère biologique. Tout naturellement, l'enfant accorde la même importance à un père de substitution ou à une mère de remplacement qu'au parent biologique.

Il en découle, comme je le disais plus haut, que toutes les figures qui ont participé de près ou de loin au paternage ou au maternage de l'enfant participent à la formation des complexes parentaux. Un grand-père chaleureux peut compenser la figure d'un père froid, et ainsi rééquilibrer la charge émotionnelle du complexe paternel.

En fait, l'enfant s'accommode très bien d'une mixité d'influences à condition qu'il sache qui est responsable en premier lieu de la relation avec lui. Le drame de plusieurs enfants contemporains vient de là. Ils manquent de points de repère. Lorsque les deux parents travaillent, ils ne passent pas assez de temps avec eux. Ils grandissent dans une sorte de vide et les images parentales positives n'ont même pas la chance de se mettre en place. Leur identité masculine ou féminine demeure indéfinie. La confiance en soi-même et la force d'affirmation de l'enfant s'en ressentent.

Plus on travaille avec des êtres jeunes, plus on se rend compte qu'une nounou, un gardien, une gardienne, ou même des voisins occupent une place prédominante dans le paysage familial. Cela vaut certainement mieux que le grand vide. Certains enfants n'ont pour leur part que les modèles télévisuels pour apprendre à se construire. Les parents ne sont pas suffisamment présents en termes de temps passé avec les enfants pour leur permettre d'humaniser ces modèles stéréotypés de la culture.

Il est clair que l'aventure familiale peut facilement se transformer en catastrophe en ce qui a trait à la construction de l'identité de l'enfant. En ce sens, le triangle familial peut facilement devenir un triangle infernal. Une enfance meurtrie aboutit presque immanquablement à l'enfermement sur soi-même. Des croyances négatives sur ses propres capacités isolent le moi dans la morosité et l'empêchent de s'affirmer au-dehors.

Les étalons de mesure d'une identité saine sont : la confiance en soi, la capacité de faire des choix, celle de suivre ses goûts et ses envies, la capacité de rapport avec ses sentiments et ses besoins, la capacité de créer des liens affectifs. La personne dont l'identité demeure fragile est remplie de doutes, vit dans un monde hostile qui la juge et la critique sans cesse, et se trouve en général coupée de ce qu'elle éprouve. Elle se sent souvent coupable d'avoir des besoins et ne se sent pas légitimée par rapport à leur expression. Une enfance réussie est une enfance où un être s'est senti soutenu dans l'exploration du monde qui l'entourait ainsi que dans l'affirmation et la manifestation de ses sentiments et besoins.

Tout dans l'expérience humaine semble chercher l'expression des talents et de l'originalité individuels. Les êtres les plus heureux semblent être ceux qui ont accès à un mode d'affirmation qui les satisfait, qu'il s'agisse de jardinage, de bricolage ou encore de manifestations artistiques. Ils ont trouvé une façon d'exprimer leur être véritable à travers la sexualité, le couple, la famille ou le travail. Ce pouvoir d'extériorisation permet la communion avec l'environnement humain et naturel.

La joie de vivre semble être la récompense de celui ou celle qui parvient à satisfaire ses besoins fondamentaux et à manifester son identité de base. Ce que l'on appelle l'amour semble être le produit de ce contentement. L'être qui a vaincu ses contraintes intérieures et qui a la chance de pouvoir s'exprimer librement vit dans un monde de plénitude et de gratitude au lieu d'un monde où tout manque sans cesse. La disette peut d'ailleurs régner autour de lui, quelque chose de fondamental continue à le nourrir et à le rendre heureux.

Le devoir parental consiste donc à soutenir les expérimentations de l'enfant ainsi qu'à encourager les expressions de son individualité. Bien qu'il s'agisse d'offrir un cadre sécurisant à l'enfant, si ce cadre devient trop protecteur ou trop rigide, il brimera sa créativité. Il le castrera de son outil le plus précieux : la capacité d'expression de soi.

À cet égard, il semble d'ailleurs que les meilleurs parents ne sont pas ceux qui s'attachent à être de parfaits modèles, mais ceux qui ont conservé une passion créatrice pour la vie. Il est rare de rencontrer des êtres qui ont vraiment suivi les conseils de leurs parents ou de leurs éducateurs. Par contre, ils sont nombreux ceux dont la force de vie a été éveillée par la présence d'un être passionné. En définitive, ce qui marque vraiment l'enfant est l'attitude de ses parents devant les revers de l'existence. L'humeur démissionnaire d'un parent entraîne souvent la même chose chez le petit garçon ou la petite fille. Lorsqu'ils seront devenus adultes, ils répondront aux épreuves de la vie par le défaitisme. Si au contraire les parents répondaient aux épreuves par un optimisme inébranlable, leur attitude a de bonnes chances de copier celle des parents. Ils aborderont les difficultés en disant : « Ce n'est pas la fin du monde ! Mes parents ont survécu, je survivrai à mon tour. Demain est un autre jour. »

## L'enfant n'est pas une feuille blanche

Il semble difficile de nier le caractère individuel de chaque enfant qui naît, tellement cette individualité est présente dès le début. L'enfant n'est pas une feuille blanche sur laquelle les parents écrivent un scénario. D'ailleurs, ces derniers ne cessent pas de s'étonner devant les différences individuelles marquées que manifestent les enfants dès la naissance.

À l'expérience, quelque chose de l'individualité d'un être échappe sans cesse à nos analyses. Bien qu'il soit juste d'affirmer que la présence et la qualité de présence des parents aident assurément la formation d'une identité saine chez l'enfant, une telle règle n'embrasse pas à elle seule la complexité du vivant. Certains facteurs demeurent incompréhensibles. Un garçon venu d'un milieu défavorisé sur le plan psychologique peut très bien réagir en développant une force d'affirmation exemplaire. Une fille ayant joui de toute l'attention et de toute la bienveillance souhaitée peut très bien sombrer dans la dépression.

En dernière analyse, on ne sait pas pourquoi un adolescent choisit de se suicider en réaction à sa première peine de cœur alors qu'il a eu de bons parents, qu'il était capable de s'exprimer et qu'il avait de bonnes notes à l'école. Même si l'on pouvait expliquer un tel geste par un manque de construction intérieure dû à un milieu qui ne lui permettait pas de prendre conscience de lui-même, peut-on vraiment incriminer des parents qui souvent ont fait de leur mieux ou ne savaient pas faire autrement ?

Il semble à propos de citer ici le sage et poète Khalil Gibran qui dans *Le Prophète* parle ainsi aux parents :

*Vos enfants ne sont pas vos enfants. Ils sont les fils et les filles de l'appel de la Vie à elle-même. Ils vien-*

*nent à travers vous mais non de vous. Et bien qu'ils
soient avec vous, ils ne vous appartiennent pas* [1].

À l'écoute du poète, il paraît souhaitable d'adopter
une psychologie qui remet à l'enfant son pouvoir personnel. Le rôle des parents ne s'en trouve pas changé
pour autant, mais il se trouve allégé de sa toute-puissance. S'ils doivent veiller à préserver et à stimuler
l'élan vital de l'enfant, ils ne sont pas responsables de
son destin. Toujours il s'agira pour eux d'être à
l'écoute de cette individualité en devenir en respectant
ses besoins d'expression, mais en étant conscient que
cet être va vers une existence dont il est lui-même l'artisan et dont il a toute la responsabilité.

On peut même se demander si les tensions problématiques qui se vivent entre parents et enfants ne sont
pas là pour amener tous les protagonistes à une meilleure connaissance d'eux-mêmes à travers la joie
comme à travers la peine. Vue sous cet angle, il n'y a
pas d'expérience négative. Tout sert en définitive à
mieux se connaître et à s'orienter dans le vaste champ
de la vie.

Confronté à toute la variété des destins individuels,
Jung concluait déjà que certains êtres avaient besoin
de s'exprimer à travers des expériences éminemment
noires, comme celles du meurtre par exemple, pour
arriver à réaliser le tréfonds de leur inconscient. Une
telle perspective fait frémir et invite à beaucoup de
tolérance dans les jugements posés sur les êtres.
Marie-Louise von Franz, disciple de Jung, parlait elle-
même des criminels comme de rédempteurs négatifs
qui portent pour nous les meurtrissures et les souffrances que nous cachons au fond de nous-mêmes. Si
chacun de nous osait assumer sa part d'ombre, peut-
être y aurait-il moins de conflits sanglants sur la planète. Notre fascination pour les grands criminels ne
peut que révéler combien nous participons intimement de leur nature, que nous le voulions ou non.

1. Khalil Gibran, *Le Prophète*, Casterman, 1986.

De toute façon, à voir les expériences négatives agir comme des révélateurs de la joie fondamentale d'exister, on finit par regarder les grandes crises individuelles comme de grandes occasions de changement. Il est indéniable qu'une enfance difficile, des années d'alcoolisme ou même un épisode de violence peuvent agir comme des stimulants qui aident un individu à trouver le chemin d'une vie plus satisfaisante. Il serait cynique de penser que des parents ont pu avoir le sadisme de souhaiter de tels épisodes à leurs enfants et de leur en imputer du même coup la responsabilité.

Nul ne peut éviter la souffrance et nous pouvons même la saluer, car elle nous confronte aux questions essentielles de l'existence. Elle constitue sans doute un facteur fondamental de la vie puisque personne n'y échappe. C'est l'aiguillon qui tire les êtres vers une attitude juste. Elle éveille tout autant qu'elle détruit et, devant une telle perspective, il devient mesquin d'accuser les parents de la souffrance de leurs enfants ou à l'inverse d'accuser les enfants de la souffrance de leurs parents. Les êtres ont tellement besoin de la souffrance pour grandir qu'il devient même parfois malsain que des parents essaient de l'épargner à tout prix à leurs enfants.

Ces quelques jalons en rapport avec l'identité étant posés, dirigeons-nous maintenant du côté des relations père-fille pour mieux saisir le drame que vivent *Elle* et *Lui* sur leur canapé.

## 3

PÈRES ET FILLES : L'AMOUR EN SILENCE

## Le père silencieux

### Prisonniers des stéréotypes

Si nous voulions stigmatiser la situation de *Elle* et *Lui* sur le canapé du salon, nous pourrions dire qu'*Elle* est *une femme qui aime trop*[1] alors que *Lui* est *un homme qui a peur d'aimer*[2]. Ces personnages bien connus de la psychologie populaire ont cependant une histoire. Ils ne sont pas des phénomènes spontanés. Ils prennent racine dans le triangle déséquilibré de la famille traditionnelle où le père est manquant et où la mère tente de compenser l'absence de ce dernier en jouant plusieurs rôles à la fois. Nous allons donc dans les prochains chapitres plonger dans la genèse de ces images préfabriquées en nous penchant sur les relations père-fille et mère-fils. Car c'est le silence du père qui crée *la femme qui aime trop*, et c'est la sollicitude maternelle qui produit *l'homme qui a peur d'aimer*.

---

1. J'emprunte cette appellation au best-seller international de Robin Norwood : *Ces femmes qui aiment trop, La radioscopie des amours excessifs*, Montréal, Stanké ; J'ai lu, coll. « Bien-être », n° 7020, Paris, 1986.
2. L'homme qui a peur d'aimer est aussi une image apparue dans la psychologie populaire, principalement grâce au livre de Julian Carter et Julia Sokol : *Ces hommes qui ont peur d'aimer. Ceux qui séduisent et ne s'engagent pas. Comprendre les hommes des amours impossibles*, J'ai lu, coll. « Bien-être », n° 7064, Paris, 1994.

Naturellement, il y a toujours le danger de sombrer dans les blâmes et les jugements lorsqu'on se permet de fouiller les relations entre parents et enfants comme ce livre le fait. En fait, comme nous ne pouvons pas changer le passé, un tel exercice n'a de sens que s'il permet de mieux comprendre nos comportements présents. Le passé pour le passé n'est pas intéressant. En revanche, le passé qui est encore actif dans notre vie quotidienne en ce qu'il motive nos choix à notre insu est du plus haut intérêt. Mais, là encore, uniquement si l'examen permet de comprendre les conditionnements néfastes et de nous en libérer.

Au seuil d'un travail sur la relation au père, une participante à un atelier donné en plein Sahara me demandait s'il était vraiment nécessaire de *vider son sac*. Je la priai de me dire si elle s'interrogerait ainsi devant un voyageur épuisé et assoiffé par de longues heures de marche dans le désert et qui traînerait dans son sac à dos quantité d'objets lourds et inutiles. Elle lui proposerait sans doute d'abandonner sur place quelques-unes de ces choses encombrantes, même si cela avait pour conséquence de faire perdre au voyageur le temps de la procédure. Immanquablement, il faudrait qu'il fasse l'inventaire des objets, prenne conscience de ceux qui ne servent à rien, accepte de les abandonner et finalement, dernière étape mais non des moindres, s'habitue à marcher avec une charge plus légère. Car la peur de la liberté et de la légèreté n'est-elle pas notre plus grand obstacle évolutif ?

Dans les prochains chapitres, nous allons passer en revue certains aspects des relations père-fille, car pour cesser de définir le couple à partir des plaies de l'enfance il est essentiel de reconnaître et de clarifier les dynamiques du passé. Encore une fois cette clarification n'a pas pour but d'identifier les *vrais coupables* de notre malheur et de jeter le blâme sur l'un ou l'autre. Elle a plutôt pour objet de comprendre les blessures qui nous ont liés à ces personnes dans un même drame, afin de les dépasser. Car, dans la pratique thérapeutique, on n'arrête pas de constater que, selon la formule de Freud, le passé qui n'est pas mis en conscience se répète, ou que, selon la formule de Jung, ce qui demeure inconscient nous *arrive* de l'extérieur comme un destin qui nous semble étranger alors qu'il reflète simplement notre condition de vie intérieure.

Nulle part cela ne se vérifie plus éloquemment que sur le terrain du couple. On ne cesse d'être surpris par le fait que les êtres choisissent des partenaires qui ressemblent à leur père ou à leur mère. On peut même dire que plus les relations d'intimité font mal, plus elles reflètent des dynamiques de l'enfance qui ne sont pas suffisamment clarifiées. Lorsque les liens entre parents et enfants ne sont pas nettement dénoués, les drames anciens viennent tout simplement se rejouer à l'avant-scène des relations affectives. Au point que ces conditionnements peuvent rendre le couple virtuellement impossible.

## L'amour en silence

Chaque fois que j'anime une rencontre ayant pour thème la relation au père, je suis ému et surpris par la grande tendresse que la plupart des femmes portent à leur père malgré la prison de silence qui a entouré leur relation. Je suis également témoin de la colère, et parfois de l'indignation d'avoir été abusée, mais il y a presque immanquablement, en arrière-plan, la douleur aigre-douce de cet amour qui n'a pas pu se dire. Des années d'amour en silence, un amour comme en pénitence. Cela ressemble à une peine d'amour qu'on a appris à apprivoiser avec le temps. Une peine d'amour à laquelle on ne peut se résoudre mais avec laquelle il faut bien vivre. Une peine d'amour où la rencontre profonde n'a pas eu lieu. Celle à laquelle on reste accroché parce que au fond de soi on se dit encore que ça aurait pu être différent. Et cet amour qui aurait pu être différent, on le cherche encore auprès d'autres hommes, presque désespérément.

Nous allons donc voir dans ce chapitre comment une partie du malaise qu'*Elle* vit sur le canapé vient de la déficience des rapports entre pères et filles.

## Un vide à remplir

Selon Christiane Olivier[1], la petite fille se trouve dans les premières années de sa vie dans une position plus difficile encore que le garçon, étant donné qu'elle ne peut se reconnaître ni dans son père ni dans sa mère. Ne possédant les attributs sexuels d'aucun de ses parents, sa vie débute dans un véritable vide d'identité.

C'est peut-être pourquoi la métaphore du vide joue un si grand rôle dans la vie de nombreuses femmes. Lorsqu'elles se sentent pleines, elles sont heureuses ; lorsqu'elles se sentent vides, elles sont malheureuses. Pleines lorsqu'elles ont de l'amour et de l'attention, vides lorsqu'elles n'en ont pas. Physiquement autant que psychologiquement, le vide et le trop-plein, le manque et l'excédent sont les pôles autour desquels leur vie semble condamnée à tourner : soit qu'on ait des kilos en trop, trop de buste, trop de fesses, soit qu'on soit trop maigre, trop plate, trop petite ou trop grande. Soit qu'on ait en même temps trop d'une chose et trop peu d'une autre : trop de fesses et pas assez de seins, trop de ventre et pas assez de fesses ; soit qu'un manque s'explique par l'autre : « Si j'avais plus de poitrine, il me semble que j'aurais plus d'audace. »

Ce sentiment de vide, on s'en doute, le silence du père ne fera que l'aggraver. La petite fille en vient à penser que son papa ne lui parle pas parce qu'elle n'est pas assez belle, pas assez intelligente, et plus le temps passe, plus le vide se remplit de toutes sortes

1. Christiane Olivier, *Les Enfants de Jocaste*, op. cit., p. 65.

de convictions négatives. Au bout du compte, l'enfant se sent coupable du silence paternel et commence à se déprécier elle-même : « Je n'en vaux pas la peine. Je ne suis pas intéressante. Je ne serai jamais à la hauteur. »

## L'idéalisation du père

On pourrait presque dire qu'à partir de ce moment-là la jeune fille commence à tisser son destin amoureux car, si d'un côté elle se déprécie, de l'autre elle idéalise l'homme et remplit le vide avec le fantasme du Prince Charmant. « Un jour, mon prince viendra » pourrait dans de nombreux cas se traduire par « un jour mon père viendra, un jour il me parlera, et enfin j'existerai comme femme ». Bien entendu, ce fantasme transformera les premiers contacts avec les hommes en catastrophe prévisible. Aucun homme ne peut supplanter cette figure parce qu'elle est idéale. Mais on maintient cet idéal et on l'impose aux hommes qui nous entourent, quitte à vivre plusieurs échecs, parce que le vide qu'il masque est encore plus difficile à affronter.

Pour une jeune fille, le manque de père exacerbe son rêve d'être choisie par un homme qu'elle pourra rendre heureux et combler. Lorsque le père a été absent, l'aspect mythique de ce fantasme n'est jamais humanisé. La jeune fille demeure prisonnière de son romantisme : elle est une pauvresse qui attend son sauveur, ou encore une princesse enfermée dans sa tour qui attend son chevalier. Sur le plan psychique, cette prison de fantasmes s'exprime dans des rêves où elle est victime d'un vampire ou séquestrée par une figure digne de Barbe-Bleue. Le filet des fantasmes a en effet le pouvoir de vampiriser notre force de vie. Dans ces cas-là, la libido se dilue en rêveries romantiques au lieu d'être canalisée dans un amour réel et possible. On peut vraiment dire alors que la force de l'animus est prisonnière d'un complexe paternel négatif.

Lorsqu'une jeune fille a manqué de père, son désir d'attention la laisse à la merci de sa fantasmagorie. J'ai connu plusieurs jeunes filles qui ne rêvaient que d'aller à Hollywood afin d'être remarquées par un producteur qui reconnaîtrait leur talent et les entraînerait au sommet de la gloire. Ces fantasmes mythiques sont stimulés par le fait que la beauté féminine est divinisée dans notre société. Certains grands modèles ont uniquement besoin d'être belles pour être projetées à l'avant de la scène mondiale.

## Le destin noir

Il faut dire que le vide et les idées noires qui l'accompagnent ne sont pas faciles à maîtriser. Pendant plusieurs années, j'ai eu en analyse une femme qui avait vécu dans une famille où il y avait plusieurs filles. La mère souffrait d'une sorte de jalousie maladive qui s'exprimait tout autant par rapport à l'attention que son mari apportait à leurs filles qu'aux regards éventuels qu'il aurait pu échanger avec des voisines. Elle lui inventait des histoires extraconjugales et éclatait en crise à l'heure du repas. Dans un tel contexte, le pauvre homme se retrouvait pour ainsi dire castré. Il se tenait coi au bout de la table et distribuait regards et paroles avec parcimonie. De leur côté, les filles rivalisaient pour attirer son attention.

Je ne fus pas surpris d'entendre de la bouche de mon analysante qu'elle s'était mariée avec un homme aussi silencieux que son père. Au moment de commencer la thérapie, elle vivait avec son mari depuis une dizaine d'années. Le couple avait une petite fille dont le père s'occupait peu. Depuis trois ans, ils n'avaient pas fait l'amour et monsieur passait la plupart de ses soirées en dehors de la maison ou réfugié dans un livre de science-fiction. Malgré son insatisfaction, cette femme me déclara, inquiète, à la fin de notre première séance : « Je ne veux pas me séparer ! »

Elle n'avait pas assez confiance en elle pour rompre

cette relation qui l'enfermait dans la morosité. En réaction au silence du père, un doute constant s'était installé en elle. Une voix lui soupirait sans cesse à l'oreille : « Tu n'en trouveras jamais d'autre ! » Toute sa créativité était employée à imaginer les scénarios les plus noirs et les plus néfastes s'ils en venaient au divorce. Sa fille occupait bien sûr le centre de ces récits imaginaires. Elle la voyait déjà à l'adolescence, obligée de consulter un psychothérapeute parce que ses parents s'étaient séparés. Jusqu'au jour où elle commença à comprendre que sa fille aimerait mieux suivre l'exemple d'une mère courageuse qui avait risqué la séparation plutôt que celui d'une femme qui s'était résignée.

Le silence du père avait provoqué chez cette femme la formation d'un complexe qui avait fini par saper sa confiance en elle-même. La voix qui lui traçait sans cesse ce destin noir et incontournable était celle d'un animus négatif prisonnier du complexe paternel. Ce n'est qu'après la séparation qu'elle retrouva sa créativité et que ces voix noires se calmèrent. Il lui a fallu beaucoup de courage pour finalement reprendre le contrôle de sa destinée parce que symboliquement la difficulté de la relation au père avait fini par lui couper les mains.

## La femme blessée

### La jeune fille sans mains

Voici pour illustrer cet exemple un conte dont l'héroïne s'est fait trancher les poignets par son propre père. Le conte a été recueilli par les frères Grimm et il s'intitule *La Jeune Fille sans mains* [1]. Il nous parle de la mutilation psychologique infligée par l'indifférence paternelle.

1. Jacob et Wilhelm Grimm, coll. *Contes I*, « Grand Format », Paris, Flammarion, 1986, p. 184.

*Un meunier tombé dans la pauvreté accepte de ven-*
*dre au diable* ce qui se trouve derrière son moulin.
*Il n'y a là qu'un vieux pommier auquel il ne tient*
*pas. En échange, Satan lui promet toutes les riches-*
*ses qu'il désire. Rentré à la maison, le meunier cons-*
*tate son heureuse fortune mais apprend avec horreur*
*que sa fille balayait la cour* derrière le moulin *au*
*moment de la transaction. Comme il a peur de perdre*
*sa propre vie, il se résigne à donner sa fille au malin.*
*Il demande à celle-ci de se préparer pour que le*
*démon vienne la chercher dans trois ans.*
*Le temps convenu étant écoulé, le diable revient pour*
*prendre son butin, mais la jeune fille s'est lavée et*
*elle est si pure de piété qu'il ne peut la prendre. Il*
*demande au père de ne pas permettre à sa fille de se*
*purifier par l'eau. Il revient une deuxième fois sans*
*plus de succès, car cette fois-ci la jeune fille a versé*
*une grande quantité de larmes pures sur ses mains.*
*Il ordonne alors au père de trancher les mains de sa*
*fille, sinon il devra l'emporter à la place de son*
*enfant. Le père exécute par lâcheté le vœu de Satan,*
*mais la jeune fille pure pleure à nouveau tant et tant*
*sur ses poignets que le malin ne peut pas davantage*
*l'emporter. Il perd alors ses droits sur elle. Le père*
*soulagé promet à sa fille tout le luxe voulu jusqu'à*
*la fin de ses jours mais elle, dégoûtée par son atti-*
*tude, décide de quitter la maison parentale et de trou-*
*ver refuge dans l'exil malgré son infirmité.*
*Bientôt, elle se retrouve dans un pays où un bon roi*
*pris d'amour et de compassion l'épouse et lui fait*
*fabriquer des mains en argent. Hélas, il doit peu de*
*temps après partir pour la guerre alors que sa femme*
*est enceinte. Le diable, qui n'a pas digéré sa défaite,*
*en profite pour s'acharner sur elle et veiller à ce*
*qu'elle soit répudiée et expatriée avec son enfant en*
*l'absence de son bien-aimé. Elle se réfugie en forêt*
*sous la tutelle d'un ange. Au fond de sa retraite, ses*
*véritables mains repoussent grâce à sa piété. Revenu*
*de guerre, le roi part à sa recherche et la retrouve.*
*Finalement leur union peut se prolonger dans la paix*
*de l'amour.*

Je ne vous raconte pas les péripéties en détail car je veux m'en tenir au début. La psychanalyste Marie-Louise von Franz aborde l'interprétation de ce conte sur deux plans. Le premier concerne le sort du féminin et des femmes dans la société patriarcale. Le second concerne les processus psychologiques en jeu chez le meunier et chez la jeune fille.

Commençons en parlant de la psychologie de l'homme représentée par le meunier. Marie-Louise von Franz souligne d'abord l'inconscience de ce père qui vend sa fille par inadvertance afin de se procurer des richesses[1]. Elle compare son attitude à celle des pères contemporains qui, trop préoccupés par leurs affaires, négligent le lien affectif avec leur partenaire et avec leurs enfants. Métaphoriquement, c'est comme s'ils *vendaient leur fille au diable*, c'est-à-dire qu'ils tentaient de se débarrasser de leur anima. Autrement dit, cet homme a trahi son propre inconscient pour réussir dans la vie professionnelle et sociale. Il a délaissé sa capacité de relation et esquivé le conflit intérieur lié à l'expression de sa propre sensibilité. C'est pour cela que sa fille se retrouvera victime de l'ombre de son père faite de cupidité et d'insensibilité.

Avec finesse, Marie-Louise von Franz souligne aussi comment le conte lie la jeune fille au vieux pommier, comment il associe la femme et la nature. En se débarrassant du vieil arbre auquel il ne tient plus, le meunier rompt symboliquement le contact avec la nature. Il rompt du même coup le contact avec sa féminité intérieure représentée par sa fille. Le résultat en est qu'il peut nouer des relations impersonnelles et abstraites, mais il ne peut pas s'engager dans des relations concrètes et individuelles.

Sur un plan plus large, l'analyste remarque que dans les contes de fées ce sont toujours les héroïnes qui se font couper les mains et jamais les héros parce

---

1. Marie-Louise von Franz, *La Femme dans les contes de fées*, Paris, La Fontaine de Pierre, 1979, p. 147.

que c'est la créativité au féminin qui a été réprimée par la culture patriarcale. Dans son essence, la créativité féminine produit en laissant croître et germer, à l'opposé de la créativité masculine qui s'accomplit en agissant et en s'activant. Pour la créativité féminine, il s'agit de porter en soi et de laisser venir à terme en faisant chaque chose au bon moment selon le rythme de la nature. Le motif de la mutilation de la jeune fille signifie que la société patriarcale n'accorde aucune valeur à ce genre de créativité. D'ailleurs plusieurs d'entre nous sont concernés par cette mutilation : nous connaissons la production qui répond à la volonté, mais nous avons perdu contact avec la créativité qui vient des entrailles et dont les produits ne naissent que lorsqu'ils sont mûrs.

Plus spécifiquement, les contes de ce type symbolisent la perte d'autonomie des femmes au sein de la société des patriarches. Mutilées, elles ne peuvent plus *prendre en main* leur propre destinée. Un tel conte nous permet de constater comment la critique de la civilisation patriarcale se faisait autrefois par le biais des contes populaires. Comme des rêves, ils disaient par images ce qui se tramait dans le fond de l'inconscient et avertissaient les pères de ne pas délaisser leur famille pour courir après la richesse. Dans le conte précis qui nous occupe, ce n'est pas pour rien que le père de la jeune fille est un meunier, un des premiers hommes à vivre de la transformation de ce que les autres produisent, un des premiers industriels. Les contes pressentaient déjà que l'industrialisation pouvait engendrer un fossé entre l'homme et la nature ainsi qu'entre l'homme et la femme.

Venons-en maintenant à la psychologie de la jeune fille. La négligence du père et sa lâcheté symbolisent à coup sûr un complexe paternel négatif dont le moi est victime. Mais que peut bien signifier le fait d'être *vendue au diable* ? Psychologiquement parlant, cela veut dire entrer dans un état de *possession* où l'on ne s'appartient plus. Bien des femmes, *vendues au diable* par l'indifférence de leur père, tombent dans de tels états. Leur créativité blessée se retourne contre elles et leur entourage. Elles deviennent incompréhensibles aux yeux des leurs. Crises, caprices, discipline pointilleuse, tentatives de contrôle à tout prix, manipulations, soupirs et culpabilisation font alors partie du tableau. L'animus qui ne peut trouver son expression adéquate au-dehors devient franchement diabolique parce qu'il est enfermé à l'intérieur. Il fait les cent pas dans sa prison et effraie tous ceux qui tentent d'approcher.

Comme je l'ai expliqué plus haut, lorsque la force créatrice demeure prisonnière du complexe paternel négatif, c'est comme si la pulsion d'autonomie se retournait contre l'individu et voulait entraîner le reste de la personnalité avec elle. De telles femmes ont un nuage noir en permanence au-dessus de la tête. Même dans les événements heureux, elles trouvent à redire. Leur vie se tisse au fil des crises et des souffrances. Ayant manqué de la chaleur du père, le malheur constitue leur façon de mériter l'attention de leur entourage. On se demande parfois si elles ne s'y complaisent pas. En réalité, elles souffrent de l'empire de ce sombre animus qui ne relâchera pas son emprise tant que la force de vie n'aura pas repris son cours normal.

Marie-Louise von Franz précise encore plus la signification de cet animus diabolique qui tente de s'emparer de la jeune fille en ajoutant :

> Qu'elle s'essaie à quelque chose dans le domaine intellectuel ou qu'elle s'affirme en tant que personne autonome, elle risque d'être possédée par son propre animus négatif ou par un accès de volonté de puissance et de devenir aussi froide, impitoyable et brutale que l'était son père [1].

Selon la psychanalyste, une fille qui n'a pas été nourrie par le sentiment paternel, une fille demeurée

---

1. Marie-Louise von Franz, *op. cit.*, p. 147.

insatisfaite sur le plan affectif, risque d'être possédée par un intellectualisme destructeur qui cherche à prendre possession d'elle. Si elle cède à cet animus diabolique, elle risque de devenir ambitieuse et froide. Elle prendra la relève de son père en reproduisant ses comportements le plus difficilement tolérables. Elle deviendra efficace et calculatrice et, à l'instar de son papa, elle refoulera sa propre qualité d'éros.

La fille de notre conte ne suit pas ce développement. Pour se défendre d'un tel sort, elle n'a pour ressource que de se laisser couper les mains, c'est-à-dire renoncer à sa créativité et à sa capacité de prendre des initiatives. Elle part donc dans la vie en se sentant orpheline et handicapée sur le plan psychologique. Elle accepte d'être mutilée pour se soustraire au démon et de s'exiler pour échapper à son père.

Au niveau symbolique, la main s'avère d'une importance capitale dans l'évolution de l'espèce humaine. La dextérité de sa main a affranchi l'humain de nombreux déterminismes et lui a permis de fabriquer des outils pour transformer la matière. Mais les mains ont aussi une dimension affective. La mutilation ne symbolise pas seulement une perte de pouvoir sur son environnement, mais aussi une perte de contact avec celui-ci. On peut encore voir et entendre, mais on ne peut plus toucher ni marcher *la main dans la main* avec son enfant ou son partenaire. L'acceptation de la mutilation par le moi signifie une mise en veilleuse des capacités d'action au profit d'une vie végétative ainsi qu'une perte de contact avec les autres. C'est comme si on se retrouvait étrangère dans son propre monde et qu'on renonçait à tout effort d'autonomie. Heureusement, dans ce cas-ci, ce sacrifice, parce qu'il est volontaire, permettra à la jeune fille de refaire ses forces au sein de la nature et de voir ressusciter sa capacité d'action.

# Le père incestueux

Avec son complexe paternel cruel et cet animus diabolique, ce conte pourrait très bien décrire le drame
intérieur d'une fille qui devient victime d'une autre
sorte de mutilation exercée par le père : l'inceste. L'inceste est l'un de ces crimes qui se passent dans le
silence, un silence qui cache des mensonges meurtriers. Dans une conférence qu'il livrait à un congrès
international en analyse bioénergétique, le psychologue Réjean Simard faisait les réflexions suivantes à
propos d'un cas d'inceste qu'il a suivi pendant douze
ans. Il note que « ce n'est pas tant dans son identité
sexuelle que dans le fait d'exister que la personne victime d'abus sexuels importants est le plus affectée [1] ».
Ces personnes ont de la difficulté à rester en contact
avec leur propre vécu et à entretenir des relations
d'intimité avec leurs proches. Cette difficulté éprou-
vée à simplement « exister » trahit une estime de soi
qui a complètement été percutée par le geste du père.
Nous le verrons bien à travers l'exemple qui suit. Il
donne un visage atroce au conte de *La Jeune Fille sans
mains*.

Dans un livre publié il y a quelques années,
Gabrielle Lavallée relate l'aventure qu'elle a vécue au
sein d'une secte dénommée L'Alliance de la brebis [2].
Roch Thériault, rebaptisé Moïse, dominait ce grou-
puscule. Il attendait la fin du monde avec ses trois
femmes, ses enfants et deux autres couples en vivant
retiré dans une région éloignée du Québec.

Elle nous raconte comment cet homme fou et sadi-
que lui a amputé froidement un bras parce qu'un de
ses doigts risquait de s'infecter. Elle nous parle de la
douleur intenable qu'elle a vécue à ce moment-là. Elle

---

1. Réjean Simard, « Au delà de l'inceste. À la recherche de son
identité », conférence présentée dans le cadre du 11e Congrès en analyse bioénergétique, Miami, mai 1992.
2. Lire le témoignage de Gabrielle Lavallée dans *L'Alliance de la
brebis*, coll. « Victime », éditions JCL, 1993.

nous parle aussi de ses visions. D'abord, elle a vu cet être qu'elle adorait devenir à ses yeux l'incarnation même de Satan, puis une sorte de grâce est descendue sur elle et l'a délivrée de la douleur, comme le racontent de nombreux martyrs. Les yeux de son bourreau sont alors devenus le regard même de Dieu. Elle a cru que la justice divine était enfin rendue parce que ce bras qu'on venait de lui arracher était le même qui avait servi à accomplir des actes sexuels avec son père. Ce dernier avait abusé d'elle alors qu'elle était jeune. Elle a cru qu'elle serait enfin délivrée de la culpabilité qui l'accablait depuis lors.

Comme de nombreuses victimes d'inceste, elle se sentait responsable des agressions de son père. Depuis son adolescence, elle recherchait une figure paternelle qui, par son amour, la rendrait capable de se pardonner et de s'accorder un peu de valeur. Elle pensait l'avoir trouvée chez Moïse. Mais celui-ci ne l'a pas aidée à rehausser son estime d'elle-même, il l'a mutilée. La culpabilité intense qu'elle ressentait l'a poussée à se considérer comme une victime sacrificielle dans le but de se purger de son enfance.

Lorsqu'une fille est victime d'inceste, la blessure infligée à son intégrité corporelle peut même la conduire à prêter à « tous les hommes » son corps souillé par le père. Elle se réfugie dans une toute petite partie d'elle-même qu'elle conserve vierge et qu'elle offrira à un amant ou à un souteneur. La majorité des prostituées seraient des victimes d'inceste[1]. L'émergence de leur personnalité a été blessée. Parce qu'elles n'ont pas été respectées, elles n'arrivent pas à se respecter elles-mêmes. Elles haïssent souvent leur père et tous les hommes qui les fréquentent.

1. Il n'y a pas de statistiques officielles sur l'inceste. Michel Dorais, un travailleur social qui intervient beaucoup dans le domaine de la prostitution et qui a écrit plusieurs livres sur le sujet, croit qu'il y aurait jusqu'à 80 % des prostituées qui auraient été victimes d'inceste. Il est coauteur de plusieurs recherches sur la prostitution dont *Les Enfants de la prostitution* (Montréal, VLB Éditeur, 1987) et *Une enfance trahie. Sans famille, battu, violé* (Montréal, VLB Éditeur et Le Jour, 1993).

L'une d'elles racontait à la radio[1] qu'elle était maintenant mère d'un petit garçon de quatre ans. Elle avait vingt-huit ans et venait de quitter la prostitution. La travailleuse sociale qui l'accompagnait pendant l'entrevue lui faisait remarquer que, pour une mère qui avouait détester son père et la « maudite race des hommes », elle prenait très bien soin de son enfant. La mère répondit que pour le moment ça allait, mais qu'elle craignait le jour où la sexualité de son fils s'éveillerait et qu'il deviendrait un homme lui aussi comme tous ceux qu'elle haïssait.

À des degrés moindres, on voit les mêmes problèmes de mépris des hommes et de faible estime de soi apparaître chez une fille qui sans avoir connu l'inceste a eu un père « collant » qui la désirait trop manifestement. Un tel comportement provoque en général du dégoût chez l'enfant et peut inciter la fille à se barricader de sorte qu'elle devient froide et déserte son corps. Elle doit en effet maintenir elle-même la barrière contre l'inceste. Puisque le père ne le fait pas, et que bien souvent la mère n'intervient pas, il lui revient à elle de se défendre en se construisant une armure de rejet.

Elle pourra aussi devenir exhibitionniste, une autre façon de se défendre. En effet, pour ne pas appartenir au père, elle décide de s'offrir au regard de tous. La vedette d'un film érotique européen m'a raconté qu'à l'adolescence elle avait été chercher son père dans un bistrot où il buvait avec ses copains. Devant la beauté de cette jeune femme plantureuse, l'un d'eux esquissa un geste indécent. Le père se leva alors et, pour la protéger, il mit son bras en travers de sa poitrine et déclara au grand dam de sa fille qui ne l'avait jamais entendu parler de la sorte : « Bas les pattes ! Ceci m'appartient ! » À compter de ce jour, elle se méfia de son père et décida de lui prouver qu'elle ne lui appartiendrait jamais sexuellement.

Les pères incestueux ne sont pas toujours ceux

1. « En direct », Société Radio-Canada, émission animée par Christiane Charette.

qu'on pense. Les études nous apprennent que les pères qui commettent l'inceste sont ceux qui n'entretenaient pas de rapports affectifs avec leur fille jusqu'à ce que celle-ci atteigne la puberté ; ou encore il s'agit de beaux-pères qui, dans des familles reconstituées, abusent de jeunes filles avec lesquelles ils n'ont pas de lien de sang [1]. En réalité, le rapport affectueux entre une fille et son père commencé le plus tôt possible constitue la meilleure protection contre l'inceste. Qui désire en effet que la plante dont il a longtemps pris soin soit abîmée par inconscience et négligence ?

## Le désir d'inceste

Parce qu'il répugne naturellement aux êtres, pour éviter les désastres liés à la consanguinité et parce que les mâles des hordes primitives ne voulaient pas que des querelles éclatent entre eux à propos des femmes qui avaient appartenu au père, l'inceste est devenu l'un des tabous les plus universels [2]. Ces millénaires

1. Certains travailleurs sociaux suggèrent une résurgence de la problématique de l'inceste dans le cadre des familles reconstituées, mais aucune statistique n'est encore disponible à ce sujet. Par contre, une répartition en pourcentage des cas d'agression physique et d'agression sexuelle contre des enfants enregistrés par la police en 1992 montre qu'elles sont à 45 % produites par le père ou la mère, à 27 % par un membre de la famille immédiate et à 26 % par un membre de la famille élargie. (Source : Statistique Canada, *La Violence familiale au Canada*, produit n° 89-5 410XPF au catalogue.)
2. C'est la thèse que Freud développe dans *Totem et tabou*. Un patriarche cruel contrôle les femmes et exile les fils. Ceux-ci finissent par se révolter et par tuer le père primordial. Ils décident par la suite d'établir l'interdit de l'inceste pour qu'il n'y ait pas de rivalité qui éclate entre eux pour le contrôle des femmes qui appartenaient au père. Ils décident aussi de porter allégeance au plus fort et de ne pas le tuer. Là résiderait l'origine de deux tabous fondamentaux de l'humanité : l'inceste et le parricide. Les ethnologues actuels mettent en doute cette histoire des tabous établie par Freud, mais elle n'en demeure pas moins un mythe psychologique intéressant. Voir Henri Ellenberger, *op. cit.*, p. 526.

d'interdit ont eu pour résultat de donner à cet acte un pouvoir d'attraction immense. Ce potentiel énergétique se décharge sous forme de fantasmes intenses. Parce qu'elle ne peut trouver une issue du côté de la réalité concrète, l'émotion refoulée alimente l'imagination. Le meurtre, un autre interdit universel, exerce la même sorte d'attrait. Voilà pourquoi nous sommes fascinés par les grands procès criminels et les romans noirs.

L'envie de faire l'amour avec sa fille ou avec son fils, ou celle de faire l'amour avec sa mère ou avec son père se révèle en analyse dès que l'on questionne les êtres en profondeur. Elle est exacerbée par l'insatisfaction sexuelle d'un parent ou carrément par la privation de sexualité. La plupart du temps elle trouve sa satisfaction sur le plan imaginaire et se transforme en fantasme de faire l'amour avec une personne plus jeune ou plus vieille. Les revues pornographiques adressées aux hommes exploitent ce créneau en présentant de jeunes modèles en tenue d'écolières ou des femmes plus âgées avec de gros seins.

Puisqu'il est essentiel que l'interdit soit maintenu pour des raisons sociales et morales autant que psychologiques, une manière de satisfaire le désir incestueux est de le vivre de façon détournée dans une union avec un partenaire plus vieux ou plus jeune. Il s'agit là d'une manière de vivre l'interdit, mais sous une forme qui n'entraîne pas la condamnation prévue. Au Moyen Âge, par exemple, les mariages dits traditionnels entre jeunes filles et messieurs plus âgés légitimaient ce déplacement du désir incestueux.

L'éclatement des codes classiques dans notre société facilite ces unions entre hommes d'âge mûr et femmes plus jeunes ainsi qu'entre femmes mûres et jeunes hommes. Le phénomène joue aussi entre partenaires homosexuels. Ces amours permettent d'explorer des sentiments qui sont demeurés longtemps défendus. Même s'il ne s'agit en rien d'un inceste proprement dit, on se retrouve dans une métaphore de la situation incestueuse qui peut renforcer l'intensité émotive de ces associations[1].

Je pense aussi que l'éclatement des familles et les abandons en bas âge des enfants par le père ou par la mère obligent, pratiquement parlant, à reprendre sur le plan de l'amour les relations déficientes de l'enfance. On tente de guérir une estime de soi défaillante en cherchant une reconnaissance auprès d'une figure qui rappelle le parent manquant. Il peut alors être salutaire pour une jeune femme ou un jeune homme de fréquenter une personne plus expérimentée et bienveillante. Il ou elle trouve ainsi une figure parentale de transition qui soutient son autonomie. Mais il va sans dire que l'entreprise est parfois périlleuse.

## L'inceste affectif

La question de l'inceste fait ressortir le thème de la distance juste entre un père et sa fille. Car parfois l'inceste n'est pas sexuel, il se déroule sur le plan affectif. Le père parasite alors la vie affective de sa fille en étant incapable de lui laisser vivre sa vie. Une jeune femme dans le début de la vingtaine m'a parlé ainsi de la situation qu'elle vivait avec son père.

Elle m'explique d'abord que celui-ci a quitté la maison familiale très tôt pour suivre une carrière artistique. Il boit beaucoup, pour ne pas dire qu'il est franchement alcoolique. Avec verve, elle me raconte que lorsqu'elle a atteint l'adolescence son père s'est tout à coup réveillé et s'est rendu compte qu'elle existait. Il s'est alors remis en contact avec elle, tout repentant. Mais, au lieu d'obtenir enfin l'affection qui lui avait manqué, elle assista à un drôle de renversement des rôles. Son père se mit simplement en posi-

---

1. Je renvoie le lecteur à l'excellent ouvrage de Jan Bauer, *Impossible Love, Why the Heart Must Go Wrong, op. cit.*, où elle explore le sens psychologique de ces passions condamnées à l'avance par les tabous sociaux.

tion de fils vis-à-vis d'elle, mettant son sort entre ses mains comme si elle était sa mère. Elle se révoltait contre cette façon de faire. Cette charge était plus difficile à porter que le poids du vide qui l'avait précédée.

Elle se révoltait mais elle taisait sa révolte. Le père était incapable de vivre en solitaire et rendait sa fille coupable de sa misère. Il la faisait chanter en lui disant : « Tu m'abandonnes dans mon coin de pays, tu me laisses tout seul. » Lorsque je lui demandai pourquoi elle acceptait un tel chantage, elle me répondit tout simplement : « Je ne veux pas avoir le poids de sa mort sur la conscience. Je veux entendre de sa part : "T'es pas responsable de moi." » Le père n'arrivait pas à maintenir une distance juste vis-à-vis de sa fille et cette dernière n'arrivait pas davantage à définir son propre territoire. L'inconscience du père et la culpabilité de la fille constituaient les ingrédients majeurs de cet inceste affectif.

Cette femme vit une situation commune à beaucoup d'enfants « parentifiés », c'est-à-dire qui ont dû devenir les parents de leurs propres parents. Ils n'arrivent pas à se séparer d'eux parce qu'ils sont pris dans les filets de la culpabilité. La plupart du temps, ils entretiennent des relations affectives avec des personnes extrêmement dépendantes qui sont exactement à l'image des parents. Ainsi, la jeune femme dont je vous parle rédigeait les travaux universitaires de son ami et n'arrivait pas à le quitter. Elle devait se convaincre sans cesse qu'il était un être autonome qui pourrait survivre à la séparation. Elle tentait de résoudre le problème avec son père dans la relation avec son copain.

## Le père prude

Au père incestueux, on peut opposer le père prude. Cette pudeur extrême est motivée au fond par le même désir d'inceste. Chez le père incestueux, il y a passage à l'acte ; chez le père prude, il y a inhibition de l'acte. La plupart du temps, le père souhaite par sa réserve protéger sa fille contre ses désirs éventuels, voire même contre ses réactions physiologiques spontanées. Mais cette réserve et surtout le silence qui l'entoure peuvent aussi avoir des effets négatifs. Elles empêchent beaucoup de pères d'entretenir des relations affectueuses avec leurs filles et celles-ci ne comprennent pas toujours le comportement de retrait du père.

En effet, dans la grande majorité des cas, le père ne touche pas à sa fille adolescente et ne lui parle pas. À partir du moment où elle atteint la puberté, il ne sait plus ou n'arrive plus à lui dire : « Tu es belle et je veux que tu saches que je t'aime », sans ressentir un profond malaise devant l'ambiguïté de ces paroles — d'autant plus qu'il a lui-même souvent tendance à sexualiser toute marque d'affection ou de tendresse envers les femmes. Pour ce père-là la sensibilité est un monde si étrange et si inquiétant qu'il a tendance à confondre tendresse et sexualité, chaleur humaine et fièvre amoureuse. Par son silence, il s'apprête à infliger à sa fille adolescente sa première et sa plus grande peine d'amour.

De nombreuses femmes racontent qu'elles entretenaient avec leur père des rapports tout à fait normaux et chaleureux jusqu'au moment où tout à coup, vers l'âge de treize ou quatorze ans, leur monde a basculé. Dans un texte publié dans un magazine féministe, la poétesse québécoise Hélène Pednault raconte son enfance auprès d'un père qui l'a emmenée à la pêche et à la chasse[1]. Elle était fière de cette relation particulière. Elle se sentait confiante et aimée. Mais du jour au lendemain ce même père lui interdit de monter sur ses genoux et de l'embrasser. L'écrivain nous confie son désarroi d'alors ; elle ne comprit absolument rien à cette attitude de la part de son père. Celui-ci, en tentant de la protéger, venait de blesser l'éros naissant de sa fille pubère.

1. Hélène Pednault, « Mon père à moi », *La Vie en rose*, Montréal, mars 1985.

S'il avait peur de ses propres réactions, le père était bien entendu en droit d'interdire à sa fille de monter sur ses genoux. Cependant, s'il avait su qu'une explication peut transformer une blessure potentielle en son contraire, il aurait pu adopter une attitude différente. La thérapeute française Dominique Hautreux affirme que bien des heurts pourraient être évités si un père prenait simplement la peine de dire à sa fille : « Tu es belle et tu es en train de devenir femme. Tu es en train de devenir désirable aux yeux d'un homme et je suis un homme. Je préférerais que nous respections une certaine distance [1]. » Ces paroles auraient pour effet de lui confirmer qu'elle peut entrer de plain-pied dans le monde du désir parce qu'elle peut plaire à un homme. Dans ces mots se trouve la confirmation de la différence sexuelle qu'elle attend. Il ne faut jamais oublier combien les silences peuvent agir comme de véritables violences qui peuvent blesser le développement de la jeune fille en train de devenir femme.

Lorsque les mots ne sont pas dits, lorsque le père prude n'explique pas son comportement, sa fille souffre. Alors qu'elle est en train de devenir femme, que ses seins prennent forme, que ses rondeurs s'accentuent, alors qu'elle en est toute fière parce que enfin elle peut ressembler à maman, un homme, par son silence, est en train de lui dire qu'il trouve ses attributs dangereux. La jeune fille pubère a alors deux types de réaction. Ou bien elle mettra ses atouts en évidence afin de séduire et d'attirer l'attention ou, au contraire, elle tentera de fuir la différence sexuelle en portant des vêtements amples pour cacher ses seins et ses fesses.

À l'évidence beaucoup d'hommes confondent désir d'inceste et ce que nous pourrions appeler *éros paternel*. J'entends par là une capacité de relation, une capacité d'amour personnalisé, une capacité de chaleur et

1. Propos recueillis lors d'une rencontre avec la psychologue Dominique Hautreux.

d'affection venant du père. Il ne s'agit pas de sexualité, il s'agit d'affection. J'entends encore le psychanalyste zurichois Adolf Guggenbühl[1] professer dans ses cours qu'un petit flirt entre le père et sa fille n'est pas mauvais si le père sait bien marquer les limites.

Lorsque le père n'est pas complètement absorbé par son travail, lorsqu'il a suffisamment développé sa sensibilité pour reconnaître l'importance des relations individuelles, et lorsqu'il sait faire la différence entre *éros* et désir d'inceste, il n'a pas de difficulté à nouer avec sa fille des relations chaleureuses et affectueuses. Lorsque l'enfant est toute jeune, c'est cet éros qui fera naître en elle le désir d'épouser son papa ; la petite fille veut rendre à son père un peu de l'amour et de l'affection qu'il lui donne. Plus tard, c'est encore sur son père que la jeune fille fera ses premières tentatives de séduction. Arrivée à ce stade, elle sait que son père ne sera pas l'homme de sa vie, mais elle a encore besoin de lui, de ses sentiments et de son affection, pour se donner le droit à ses propres désirs et à sa propre vie sentimentale.

On peut facilement comprendre que l'éros paternel adéquatement manifesté soit l'un des facteurs déterminants dans l'évolution d'une fille. Il sert le développement d'un animus positif qui soutient la confiance en soi et la prise d'initiative. Et, heureusement, il semble y avoir de plus en plus de pères conscients de leur rôle. Pourtant ils demeurent une minorité. Rares sont ceux qui sont en mesure d'offrir le cadeau d'une présence chaleureuse et soutenue à leurs filles. Comme nous venons de le voir, nous assistons plutôt au règne du père manquant. Qu'il soit absent physiquement, absent d'esprit, distant ou carrément abuseur, la relation qu'il offre à la fille la blesse et elle réagira par la suite en adoptant des comportements qui seront en réaction à l'écorchure, mais qui ne la guériront pas.

1. Adolf Guggenbühl-Craig est l'auteur d'un livre sur le couple où il traite de ces questions : *Marriage Dead or Alive*, Dallas, Texas, Spring Publications, 1981.

# Filles du silence

Dans son très beau livre intitulé *La Fille de son père*[1], la psychanalyste américaine Linda Shierse-Leonard décrit de brillante façon les différentes attitudes qu'adoptent les femmes en réaction à la blessure causée par le père. Il s'agit d'autant de manières de chercher l'attention de l'homme lorsque la relation père-fille a laissé un grand vide. Classées par types psychologiques, il y a celles qui demeurent d'éternelles adolescentes et celles qui deviennent des amazones. Il ne faut pas voir des catégories fixes et immuables dans ces portraits, on peut même jouer à se reconnaître dans plusieurs, avec des traits dominants dans un des aspects mineurs dans d'autres. Je vous invite donc à suivre la pensée de Linda Shierse-Leonard au cours des prochaines pages.

## Les éternelles adolescentes

Les filles qui ont manqué de père pour les soutenir dans leur développement psychologique demeurent prisonnières du besoin de plaire ou se cantonnent dans la révolte. Elles s'enferment dans leur monde intérieur ou bien, comme des garçons, elles se construisent une armure. Elles refusent toute coquetterie ou tentent de ressembler aux filles évanescentes des magazines, laissant de côté la femme réelle, celle qui naît et qui vieillit, qui aime et qui meurt. Leur véritable personnalité ne s'actualise pas.

À l'instar de la Belle au bois dormant, qui fait de passivité vertu, ou de Cendrillon, qui se contente d'un rôle subalterne en rêvant au prince charmant, les *éternelles adolescentes* abdiquent leurs pouvoirs dans le but de plaire aux hommes. Qu'elles soient femmes

1. Linda Shierse-Leonard, *La Fille de son père. Guérir la blessure dans la relation père-fille*, Le Jour, 1990, p. 63.

mariées ou femmes fatales, qu'elles deviennent de parfaites maîtresses de maison ou des muses au destin tragique, elles ont en commun le point suivant : l'éternelle adolescente se trahit elle-même et fabrique son identité à partir des images que les autres, en particulier les hommes, projettent sur elle.

L'*éternelle adolescente* exprime son refus de grandir en laissant à d'autres le soin de tracer les grandes lignes de sa vie et de son destin. Elle éprouve de grandes difficultés à prendre des initiatives et des décisions. Au lieu d'agir dans son propre intérêt, elle préfère s'adapter aux changements que la vie ou les hommes de sa vie lui commandent, et elle se réfugie dans un monde de fantasmes lorsque la situation devient trop difficile à gérer.

Linda Shierse-Leonard distingue quatre types d'*éternelles adolescentes*. On retrouve le plus souvent la *petite poupée chérie*[1], « petite chose adorable à regarder », au bras d'un homme qui a du succès. Elle paraît fière et confiante, qualités qui peuvent même susciter l'envie des autres femmes, mais elle-même *sait* que c'est une façade. Aux mains de cet homme, elle est devenue une sorte de marionnette qui continue à plaire malgré les remous intérieurs.

À mesure qu'elle avance dans la vie, la *petite chérie* a de plus en plus de difficulté à masquer sa rancœur et son amertume. Une colère dont elle est souvent inconsciente l'amène à blâmer son partenaire tout en restant dans la passivité et la dépendance. Parfois, elle finit au contraire par prendre le dessus et c'est elle qui manipule son mari avec force douceur et séduction. Les grandes séries américaines comme *Dynasty* ou *Dallas* sont pleines de ces poupées charmantes qui nous fascinent par leur froideur et leur duplicité.

Ces comportements reflètent la plupart du temps la détresse d'une femme qui a été négligée par son père. Il n'a apprécié sa fille que pour son charme et sa beauté, alors que ses talents et ses qualités l'ont laissé

1. Linda Shierse-Leonard, *op. cit.*, p. 63.

indifférent. Pour sortir du cercle de la dépendance et acquérir son propre pouvoir, elle devra accepter de briser son image de petite fille charmante et risquer de déplaire en affirmant ses idées et ses talents.

Les autres types d'éternelles adolescentes suivent à peu près le même schéma. La *fille de verre* prend prétexte de sa fragilité et de son hypersensibilité pour se réfugier dans les livres ou dans des mondes de sa propre imagination, devenant ainsi une sorte de fantôme d'elle-même [1].

La *séductrice* vit dans le monde de l'imprévu et dans la joie du moment présent. Ses plans s'évanouissent d'heure en heure. Elle veut vivre de manière instinctive et sans aucune contrainte. Carburant à l'amour, elle refuse toute forme de responsabilités et d'obligations et, tout comme le don Juan masculin, éprouve énormément de difficulté à s'engager dans une relation durable. Cette existence improvisée, c'est la révolte d'une femme qui a été asservie par sa mère et négligée par son père. Mais elle n'a pas acquis le sens de sa propre valeur et sa révolte l'empêche d'« établir une relation véritable avec l'homme qu'elle aime [2] ».

Finalement, la *marginale* [3] s'identifie à un père devenu objet de honte, un père qui s'est révolté contre la société ou en a été rejeté. La mère, dans son bon droit, a pris en charge l'organisation familiale, mais la petite fille a été émue par le drame de son papa. Parce qu'elle a souvent le même caractère autodestructeur, son destin et celui de son père se ressembleront. En toute occasion, elle a besoin de critiquer et d'affirmer sa différence. Elle a de la difficulté à changer quand elle ne refuse pas carrément de le faire. Elle ne veut pas agir non plus pour changer la société et les maux dont elle souffre. Ce qui équivaut à une sorte d'inertie qui la voue à l'alcoolisme, à la drogue, à la prostitution ou au suicide. Elle sombre souvent dans

---

1. Linda Shierse-Leonard, *op. cit.*, p. 66.
2. *Id., ibid.*
3. *Id.*, p. 75.

la dépression et le masochisme, pleurant ses vies ratées et ses relations avortées. Ayant la conviction profonde qu'elle n'est rien et ne vaut rien, elle cherche un dieu qui sera tout pour elle.

Dans la pratique, j'ai constaté que les *marginales* avaient souvent été agressées sexuellement par le père ou le beau-père. Par suite de ces agressions, elles n'arrivent pas à s'aimer et à se respecter. Dans un documentaire sur le suicide des jeunes diffusé il y a quelques années sur les ondes de Radio-Québec[1], une adolescente nous racontait le drame de Linda, sa meilleure amie. Linda, qui avait été violée par son beau-père entre l'âge de douze et quatorze ans, lui disait fréquemment que « le fond du sac de poubelle méritait plus d'amour et de considération qu'elle ». Elle était devenue une prostituée qui se spécialisait dans les fantasmes de domination. Elle battait ses clients, les inondait de bêtises et de vulgarités. Deux semaines avant son suicide, elle avait appelé sa mère pour obtenir son pardon et celle-ci lui avait répondu : « En tant que mère je peux te pardonner, mais en tant que femme, jamais ! » La mère ne comprenait pas le drame intérieur de sa fille. Linda avait besoin du pardon maternel pour continuer sa vie car, comme nous l'avons vu dans le cas de Gabrielle Lavallée, la victime d'inceste se sent souvent coupable du geste dont elle a été victime.

*L'éternelle adolescente* a besoin de plaire à tout prix. Sa stratégie de survie est d'attirer le regard des hommes par tous les moyens. À moins qu'il ne s'agisse d'une marginale désespérée qui ne s'accroche même plus à une telle illusion, sa stratégie se résume à peu près ainsi : se faire voir, se faire valoir, se faire vouloir et... se faire avoir !

J'ai connu en thérapie des femmes qui s'étaient pliées aux désirs des hommes en tentant de répondre à leurs images fantasmées de la femme. L'une d'entre

---

1. Richard Boutet, « Le spasme de vivre », documentaire sur le suicide des jeunes, prod. Vent d'Est, septembre 1991.

elles rêva un jour qu'elle se retrouvait dans une pièce complètement décorée de colliers et de bracelets. Son inconscient tentait de lui donner un portrait de sa réalité où, pour se convaincre de sa valeur, elle ajoutait bijou après bijou, pierre précieuse après pierre précieuse à sa collection. Lorsqu'un homme lui offrait un cadeau, elle croyait vraiment qu'il s'agissait d'un gage d'amour éternel. Elle répondait aux avances, s'engageait et se retrouvait immanquablement le bec dans l'eau. Pour un temps elle blâmait ses partenaires et se blâmait elle-même d'être toujours à leur merci mais, aussitôt que le vide intérieur et le désespoir la talonnaient, elle cherchait à nouveau une relation pour cesser de souffrir.

Souvent, l'*éternelle adolescente* vient en thérapie chez un homme pour avoir enfin ce regard qui la particularise. On voit ainsi combien elle a manqué du regard du père pour la différencier de la mère et pour lui confirmer qu'elle était un être de valeur. Il y a alors le risque qu'elle tombe amoureuse de son thérapeute. J'ai longtemps jugé dramatique qu'une femme découvre l'amour et la compréhension dans un cabinet d'analyste. Avec le temps j'ai fini par comprendre que pour certains êtres il n'y a que là que l'amour pouvait naître, dans cette sécurité, dans cette absence de jugement et dans cette impossibilité. À la stricte condition que le thérapeute maintienne la barrière de l'inceste et qu'il n'y ait pas de passage à l'acte sexuel, la relation thérapeutique prépare le terrain au véritable amour qui se vivra avec un autre homme. Le thérapeute aura été une figure paternelle de transition.

## Les amazones

Pour survivre à la blessure laissée par le père, les *amazones* procèdent exactement à l'inverse des *éternelles adolescentes*. Au lieu de dire : « Je vais le charmer et quand il posera son regard sur moi je saurai que je vaux quelque chose », les amazones pensent :

« Je vais lui prouver que j'ai de la valeur sur son propre terrain. » Une femme qui a vécu sous la coupe d'un père tyrannique tentera de percer dans le monde avec la même autorité despotique ; elle fera aux autres ce que son père lui a fait, leur imposera ce qui lui était imposé. Et c'est ainsi que les amazones perpétuent la blessure du père au lieu d'essayer d'en guérir. N'est-ce pas ce que les Amazones de la légende faisaient, qui dans un même élan rejetaient les hommes et s'amputaient un sein ? Symboliquement, les amazones modernes se coupent aussi un sein ; en épousant les habits et les comportements des hommes, elles se coupent de leur propre féminité.

Les *éternelles adolescentes* souffrent de passivité et les *amazones* d'hyperactivité ; les unes semblent incapables d'agir dans leur propre intérêt, les autres d'être simplement réceptives. Alors que les *éternelles adolescentes* aimeraient faire de la vie une longue suite de jours joyeux et sereins où elles seraient libérées de toute responsabilité, les *amazones* deviennent des femmes de devoir et de principe. Au lieu de rechercher le regard de l'homme comme le font les séductrices, elles rejettent les séductions masculines et vont parfois jusqu'à mépriser la race des mâles en entier.

La psychanalyste June Singer, dans un livre intitulé *Androgyny*, décrit ainsi l'*amazone* moderne : « L'amazone est une femme qui a adopté les caractéristiques qui sont généralement associées au tempérament masculin et qui, plutôt que d'intégrer les aspects masculins qui pourraient la renforcer en tant que femme, s'identifie au pouvoir masculin. Simultanément, elle renonce à sa capacité d'établir des relations aimantes, capacité qui, traditionnellement, a été associée au féminin. En conséquence, l'amazone qui prend le pouvoir tout en niant sa capacité de se lier affectivement à d'autres êtres demeure unidimensionnelle et devient la victime des caractéristiques qu'elle a voulu accaparer[1]. »

---

1. June Singer, *Androgyny*, New York, Anchor Books, 1977, citée par Linda Shierse-Leonard, *op. cit.*, p. 87.

Parmi les *amazones*, celle que Linda Shierse-Leo-nard appelle la *superstar*[1] (au Québec, on l'appellerait plutôt la *superwoman*) est le genre de femme qui tente de réussir en tout. Véritable bourreau de travail, elle voudrait aussi être la parfaite maîtresse de maison et la femme idéale. Elle tente de réussir là où son père a échoué. Pourtant, à ce rythme, elle se dessèche rapidement. Croulant sous le poids des responsabilités, fatiguée, la *superstar* perd tout contact avec ses émotions et bientôt plus rien ne peut l'atteindre, ni en elle-même ni dans le monde. Même ses succès et ses réalisations, au bout d'un certain temps, ne suffisent plus à donner un sens à son existence. À ce stade, comme revenue de tout, la *superstar* devient froide et cynique, mais une profonde dépression la guette. Car sous cette froideur et ce cynisme se cache en fait la peur d'être rejetée. C'est comme si elle se disait : « Le meil-leur moyen de ne jamais être déçue, c'est de ne rien attendre de personne[2]. »

Selon Linda Shierse-Leonard, il arrive souvent que la *superstar* ait eu un père qui la traitait comme un garçon en qui il aurait placé ses propres ambitions déçues. Au lieu de respecter sa différence sexuelle, le père a tracé pour elle une vie et un destin masculins.

Le problème vient du fait qu'elle s'affirme entière-ment du côté du *faire* sans respect pour le fait d'*être* simplement. En général, le *faire* et le *produire* sont des exigences de nature masculine alors qu'*être pour le plaisir d'être* appartient plus au monde féminin. Bien sûr, chaque sexe doit intégrer sa partie complémen-taire, son animus ou son anima, mais pour cela il faut qu'il soit ancré dans sa propre identité. Ainsi, l'homme qui s'identifie totalement à ses réalisations doit cultiver sa capacité d'être et de recevoir s'il veut devenir un être complet. De la même façon, une femme dont la capacité d'être et de recevoir est bien développée doit intégrer l'aspect dynamique masculin

1. Linda Shierse-Leonard, *op. cit.*, p. 91.
2. *Id.*, p. 92.

pour devenir complète. Si l'on procède à l'inverse, par exemple si un homme encore jeune s'installe complètement dans la réceptivité au lieu d'accomplir quelque chose, il risque de sombrer dans une passivité et de souffrir d'un faux développement. La même chose vaut pour la femme qui se construit une armure masculine en négligeant sa capacité d'être. Elle se développe faussement et la souffrance s'ensuit.

Le second type d'*amazone* concerne la femme de devoir et de principes : la *fille obéissante*[1]. Ce sens du devoir et des principes lui a été imposé par une structure familiale et religieuse très rigide. La tyrannie du modèle n'a pas été reconnue par cette femme et elle l'a incorporée. Lorsqu'elle ne répond pas à son sens des responsabilités, elle se sent profondément coupable. C'est du moins le tableau que plusieurs de ces femmes présentent en thérapie. Elles ont perdu contact avec leur spontanéité vivante et leur originalité. Certaines religieuses strictes de notre enfance représentent bien ce type de femmes qui sont prisonnières du complexe paternel.

J'ai connu une femme qui avait eu un père autoritaire dont elle avait fait un dieu. Ayant eu à prendre soin de lui très tôt en raison du décès de sa mère, elle s'était donné comme mission de le sauver des griffes de la mélancolie. Dans son for intérieur elle était mariée avec son papa. Elle a gardé très longtemps des traits de petite fille, car elle n'avait pas accès à sa propre autorité. Elle se sentait toute petite, mariée à un idéal qui l'écrasait.

La femme de devoir et de principes a donné naissance à un autre type d'*amazone* que nous connaissons fort bien. Ainsi la *femme martyre*[2], qui élève le dévouement et le sacrifice de soi au rang des beaux-arts, correspond tout à fait à l'image que nous nous faisons de nos propres mères. Cette femme qui se dévoue complètement à son mari et à ses enfants, au

1. Linda Shierse-Leonard, *op. cit.*, p. 96.
2. *Id.*, p. 100.

service d'une cause ou d'une religion, c'est comme si elle n'avait pas le droit de penser à elle-même. Mais tous ses besoins refoulés trouvent à s'exprimer par des moyens détournés : soupirs, sautes d'humeur, silences et reproches dont elle souffre, et dont ses enfants et son entourage finissent par faire les frais. Linda Shierse-Leonard déclare à ce sujet :

> *Il faut que la martyre éprouve de la colère envers le sacrifice qu'elle fait d'elle-même et qu'elle découvre que l'aspect caché de ce sacrifice vertueux et rigide est l'enfant abandonnée, l'inadaptée qui se sent comme une victime rejetée et qui veut qu'on la prenne en pitié[1].*

Finalement, l'*amazone* culmine dans la figure de la *reine-guerrière*, qui s'oppose avec force et détermination à l'irrationalité de son père[2]. Elle le considère comme un dégénéré et prend les armes contre lui. Une citation du poète C.S. Lewis décrivant la révolte de la déesse Oural contre son père — qui avait décidé de tuer Psyché, sa sœur bien-aimée — définit bien l'attitude de la *reine-guerrière* : « La meilleure chose que nous puissions faire pour nous défendre contre eux (mais ce n'est pas vraiment une défense) est de rester éveillées et de travailler dur, sans écouter de musique, sans regarder ni le ciel ni la terre et (d'abord et avant tout) sans aimer[3]. »

Ces paroles terribles dénotent un endurcissement radical. Elles me rappellent le credo de ces femmes extrémistes qui finissent par considérer que faire l'amour avec un homme constitue un « travail non rémunéré ». Une telle rigidité est aussi irrationnelle que l'attitude du père qui l'a engendrée. Qu'il s'agisse d'un père fou, irresponsable ou dégénéré, la réaction

1. Linda Shierse-Leonard, *op. cit.*, p. 100.
2. *Id.*, p. 104.
3. C.S. Lewis, *Till We Have Faces*, Grand Rapids, W.B. Eerdman's Publishing Co., 1956, cité par Linda Shierse-Leonard, *op. cit.*, p. 105.

trahit finalement la même folie et le même débordement. Il s'agit de la culture d'une force dure et sans joie, où tout devient corvée, une sorte de « marche ou crève » où tous les pas de la vie deviennent des batailles à gagner. Il n'y a plus de moments à savourer, la réceptivité elle-même passe pour de la passivité, et c'est ainsi que la femme profonde est évacuée.

## Le féminin veut s'épanouir

Jusqu'à présent les femmes ont été élevées pour être des séductrices qui, une fois mariées, doivent devenir des femmes de devoir et de principe pour incarner l'esprit de responsabilité et de sérieux qui sied à une bonne famille. L'ombre de ces séductrices qui ont renoncé à leur pouvoir personnel s'incarne dans la femme contrôlante et castratrice. Cette dernière tente de prendre le contrôle sur l'autre parce qu'elle manque de contrôle sur elle-même et qu'elle a abdiqué son propre pouvoir.

D'autre part, celle qui a épousé le sort de l'amazone a gagné un contrôle sur elle-même, mais elle juge inacceptables ses besoins de dépendance. Elle tient pour faiblesse le moindre geste de service à l'égard d'un homme. Elle a raison de ne plus vouloir faire sienne cette ombre de dépendance qui a fait le malheur des femmes jusqu'à maintenant, pourtant chaque être a besoin des autres pour exister.

Le travail sur soi permet de sortir de ces positions rigides. À la longue, il donne naissance à la femme créatrice, qui peut être tantôt séductrice, tantôt amazone. Cette femme garde le contact avec ses impulsions fondamentales et avec ses besoins d'affirmation. Son dévouement pour les autres ne va pas jusqu'au reniement de ses besoins personnels. Elle connaît suffisamment son pouvoir pour ne plus avoir à se le prouver sans cesse, et elle peut prendre des initiatives tout en acceptant de négocier avec son partenaire.

Avant de quitter l'ouvrage de Linda Shierse-

Leonard, je veux encourager les hommes à le lire. Ils comprendront mieux, après cette descente en profondeur dans la psyché féminine, les combats de leurs propres compagnes. Il est difficile pour nous autres, hommes, qui jouissons sans nous en rendre compte de tous les privilèges de la société patriarcale, de comprendre à quel point le moi féminin a été opprimé, bafoué, déprécié, et combien les femmes qui partagent nos vies peuvent en souffrir.

Le féminin veut naître également en nous, qui sommes les fils des différents types de femmes que je viens de décrire. En tâchant d'imaginer à tour de rôle que chacune de ces femmes existe en soi, on voit peu à peu émerger l'image de sa propre féminité. Certains hommes ont une anima marginale alors qu'une anima fragile et capricieuse en habite d'autres. Quant à la femme de devoir et de principes, il n'est pas rare de la rencontrer chez de nombreux fils à maman qui vont jusqu'au martyre pour ne pas déplaire à leur entourage.

## Mère-fille

### Une relation haine-amour

Ce livre est consacré à la compréhension des relations hommes-femmes et j'ai limité ma réflexion aux relations père-fille et mère-fils. Pourtant, comme je l'ai dit dans le chapitre précédent, l'enfant vit dans un espace triangulaire père-mère-enfant plutôt que dans des axes limités tels que père-fille ou mère-fils. Je me permets donc ici de digresser un peu et d'ajouter quelques considérations sur les rapports mère-fille[1].

Comme je l'ai dit, l'attention du père confirme la

1. J'invite le lecteur et la lectrice intéressés à poursuivre l'exploration de ce thème dans le livre que lui consacre la psychanalyste Christiane Olivier : *Filles d'Ève*, Paris, Denoël, 1990.

fille dans sa différence sexuelle. Sa présence lui permet de se séparer et de se différencier de sa mère. Le père lui permet de gagner son individualité de femme. Or nous constatons dans la pratique que lorsque les relations père-fille ne sont pas soutenues, elles imputent souvent une charge imméritée aux relations mère-fille, de telle sorte qu'il n'est pas rare en thérapie de rencontrer des femmes qui entretiennent une relation extrêmement ambivalente envers la figure maternelle. Nous pourrions dire qu'elles aiment et haïssent leur mère en même temps. Cette haine-amour pourrait se formuler de la façon suivante : « J'aime ma mère parce que c'est la seule qui m'a fourni de l'attention, mais je la déteste parce qu'elle m'en a trop demandé. Elle a contrôlé mes notes en classe tout aussi bien que la longueur de mes jupes et la couleur de mes pinces à cheveux. Elle se mêlait de tout et se mêle encore de tout. J'en ai plein le dos de ma mère ! »

Comment comprendre de telles paroles ? Disons d'abord qu'il est fréquent de constater que le parent de même sexe a souvent de fortes exigences envers son enfant. Ce dernier lui tend un miroir où il est tentant de chercher le visage de ses désirs et de ses ambitions déçues. Mais cela risque de devenir un carcan pour l'enfant. Car s'il est vrai que les enfants ont besoin d'être rêvés par leurs parents, comme si on tissait leur destin, il faut ajouter que si les mailles du tissu deviennent trop serrées, les rêves des parents peuvent devenir des prisons étouffantes.

Or, le contexte patriarcal qui a imposé tant de limites à la liberté des femmes a créé un contexte idéal pour que les rêves frustrés des mères viennent bloquer l'émergence de l'individualité des filles. L'attitude d'ambivalence de la fille est donc provoquée en partie par le fait que la mère désire inconsciemment que sa fille soit *tout* pour elle.

En contrepartie la mère va tenter d'*être tout* pour sa fille. Elle désire être à la fois la meilleure mère et un modèle de femme évoluée. C'est comme ça qu'elle finit par prendre trop de place auprès d'elle. Elle exige beaucoup d'elle-même et en retour elle demande trop à son enfant. Elle finira par reprocher à sa fille de ne pas lui confier assez de choses et de n'être pas assez proche d'elle. Elle voudrait être une amie pour son enfant, oubliant qu'elle est d'abord et avant tout une mère et qu'un enfant ne peut pas se montrer vraiment tel qu'il est à son parent.

Le problème réside en partie dans l'éducation féminine qui a entraîné les femmes à se donner complètement aux autres. Elles ont appris à s'oublier et à se sacrifier. Une telle centration sur l'autre a pourtant sa contrepartie d'ombre dont une mère ne se doute pas puisqu'elle agit pour le bien de l'enfant. Elle peut ainsi fonctionner sur un mode contrôlant sans en prendre conscience et en se plaignant de l'ingratitude des siens. Mais ce sort est réversible si une mère est prête à entendre de la bouche de sa fille sa version des événements familiaux. Elle pourra comprendre alors comment elle a pu devenir intrusive malgré sa bienveillance.

Un moment crucial des rapports mère-fille se déroule lorsque les filles atteignent l'âge fatidique de quatorze ans. C'est à ce moment-là que de nombreuses mères constatent avec effroi le fossé qui est né entre elles et leur progéniture. Au moment où les filles commencent à signifier à leurs parents que leur groupe d'amis est plus important qu'eux, les mères n'arrivent pas à s'écarter du chemin. Elles accusent rejet sur rejet, frustration sur frustration, sans comprendre que leur devoir de mère est en train de se terminer et qu'il est temps de renouer avec la femme oubliée en elles. La puberté des enfants présente en effet une occasion rêvée de revenir à soi-même et de reprendre contact avec son individualité délaissée. L'épreuve que représente l'adolescence d'une fille pour la mère ne peut avoir d'issue positive tant que cette dernière n'apprend pas à lâcher prise et à faire confiance à ce qu'elle a déjà donné à son enfant.

## L'absent est idéalisé

Destin ingrat s'il en est, il n'est pas rare dans un tel contexte de rencontrer des femmes qui, bien que n'ayant à peu près pas connu leur père, entretiennent avec lui une relation intérieure plus positive qu'avec la mère qui s'est occupée d'elles. L'absent a été idéalisé et demeure un point d'appui central dans la psyché de ces femmes.

Enfant, une analysante ne voyait son père qu'à des mois d'intervalle en raison du travail de ce dernier. Des années durant, elle insista pour que sa mère lui mette la même robe rapiécée, raccommodée et devenue trop petite, toutes les fois que son père arrivait à la maison. Elle faisait des crises si sa mère refusait. La raison en était simple. Cette dernière lui avait dit que son père l'aimait dans cette robe et cela s'était inscrit dans son esprit d'une façon indélébile. Elle avait tellement besoin du regard approbateur de son père qu'elle voulait mettre toutes les chances de son côté. Parvenue à l'âge adulte, elle entretenait une relation typiquement ambivalente envers sa mère dont elle avait toutes les peines du monde à se démarquer, et elle idéalisait son père qui ne lui demandait rien.

Il faut ajouter à cela le fait que beaucoup de jeunes femmes ont reçu un message maternel selon lequel elles devaient gagner leur indépendance par elles-mêmes et ne pas compter sur les hommes. Elles ont l'impression qu'elles doivent gagner leur indépendance *contre les hommes* pour respecter les combats de celles qui ont précédé. Secrètement, elles soupirent après l'amour d'un homme et désirent s'abandonner dans ses bras, mais en même temps le conditionnement leur dit qu'il n'est pas juste de se comporter ainsi. Elles se retrouvent souvent en porte à faux avec l'idéal maternel et coupables envers leur mère, cherchant dans son comportement des failles qui puissent légitimer un assouplissement d'une règle intérieure trop dure.

Comme je l'ai dit plus tôt dans ce chapitre, il existe

un rapport particulier de séduction entre père et fille qui doit être respecté. Car si le père influence la formation de l'animus de la fille, il ne faut pas oublier qu'à l'inverse la fille tente d'incarner l'anima du père pour se rapprocher de lui. Ainsi se tisse un lien privilégié d'inconscient à inconscient. La fille cultive cette complicité secrète et mystérieuse qui appartient au monde de l'anima et qui la repose de l'animus exigeant de la mère. Elle s'attache à *deviner* son père et devient parfois la seule qui puisse pénétrer son monde intérieur, ce qui peut donner lieu à des attachements dramatiques qui vont opposer la fille à sa mère.

Les rapports entre une mère et sa fille peuvent également se compliquer quand cette dernière aime chez son père ce qui irrite la première. Une femme dans la vingtaine m'a raconté que sa mère reprochait à son père d'être faible et sensible alors que c'est précisément ce qu'elle aimait chez lui. Elle appréciait cette vulnérabilité qui faisait partie d'elle aussi. Une autre m'a raconté qu'elle s'était mise à aimer le sport parce que son père d'ordinaire réservé s'exprimait spontanément devant le téléviseur lors des joutes de hockey. Elle les suivait avec lui pour participer à ce débordement d'émotion. Je connais aussi des filles qui incarnent dans leur vie un talent caché du père. Il s'agit là d'une façon de rester liée à lui et d'honorer sa présence positive.

Un rapport de rivalité inconscient de la fille envers la mère se développe lorsque la première sent qu'elle saisit mieux la sensibilité de son père que sa mère ne comprend son époux. Chez certaines femmes, j'ai vu que cette compétition cachée montait à la surface dans le jeune âge adulte et s'exprimait dans le fait d'avoir des amants qui ont l'âge du père pour prouver à la mère qu'on vaut autant qu'elle et qu'on comprend mieux les hommes. Dans les cas de divorce, c'est parfois une façon de dire à la mère qu'on aurait su comment garder son mari et éviter un si grand déchirement. Les reproches non dits des filles envers leurs mères s'expriment parfois ainsi.

118

Dans un tel contexte, la mère se retrouve vite dans une situation impossible pour laquelle j'ai beaucoup de compassion. Si la relation avec sa fille est positive et chaleureuse, cette dernière développe un complexe de mère positif, gagne beaucoup de confiance en elle-même mais éprouve de la difficulté à s'affranchir de cet amour qui finit par la brimer. Si, au contraire, la relation avec la mère est mauvaise, la fille qui ne peut s'appuyer sur son père pour compenser se sentira délaissée et abandonnée. Elle cultivera en elle le sentiment qu'elle n'a pas le droit d'exister[1].

J'admire ces mères qui ont réussi à réaliser la quadrature du cercle. Les rapports avec leurs filles ne semblent pas entachés de ces sourdes oppositions. Le fait que les femmes ont des voies d'épanouissement autres que la maternité dans notre société y contribue sûrement. Elles ont moins de rêves non réalisés à déposer chez leurs filles. Ce qui a pour conséquence que nous voyons de plus en plus de relations mère-fille se déroulant dans la complicité et le respect mutuel.

J'arrête là ces quelques considérations que nous reprendrons en détail lorsque nous aborderons les rapports mère-fils. Pour le moment, voyons si ce que nous avons développé dans ce chapitre nous aide à mieux comprendre ce qui se passe entre *Elle* et *Lui* sur le canapé.

## *Elle* et *Lui* au salon

*Elle* a tellement manqué d'attention de la part de son père qu'elle a maintenant besoin du regard d'un homme pour confirmer sa propre existence. La négligence paternelle l'a laissée dans un vide intérieur et un manque de confiance en elle-même qui la rendent esclave de son besoin de plaire et d'être désirée. La

1. Marie-Louise von Franz, *La Femme dans les contes de fées*, op. cit., p. 66.

carence qu'*Elle* porte fait peur à son partenaire, car il ne sait pas comment remplir ce trou sans fond. Lorsqu'un être porte un tel vide, il passe sa vie à demander aux autres de lui confirmer son existence. Dans la relation amoureuse, ces lacunes s'expriment par une possessivité qui se traduirait ainsi si on leur laissait la parole : « Regarde-moi ! Ne regarde que moi ! Dis-moi que j'existe et que les autres n'existent pas ! »

*Elle* rêve d'une situation où l'affection de son compagnon lui ouvrirait les portes de l'amour. Elle tente par tous les moyens de le deviner comme elle devinait son père. Elle veut le rendre heureux afin qu'il lui réponde en termes romantiques et qu'ainsi il trouve le chemin de sa liberté à elle. Mais il s'effarouche toujours dès les premières approches. Elle demeure frustrée, seule avec la parole d'un animus négatif triomphant qui lui répète : « Je te l'avais bien dit ! Ce n'est pas un homme pour toi ! » Elle rejette ces paroles car elle croit entendre sa mère. Elle achète du temps et cache son insatisfaction en se réfugiant dans des espoirs de changement.

Voilà comment se fabrique la *femme qui aime trop*. Nous verrons comment se fabrique l'*homme qui a peur d'aimer*. Au préalable, voyons comment une femme peut jeter un baume sur la blessure ouverte en elle par la négligence du père.

4

GUÉRIR DU PÈRE

## *Le drame de la bonne fille*

J'entends ici suggérer quelques attitudes qui permettent de guérir la blessure infligée par le père et sortir de l'attente du prince charmant qu'elle engendre. J'aborderai principalement le thème de l'agressivité et celui de l'estime de soi. Commençons par le drame de la *bonne fille*, celle qui est toujours gentille.

Dans un livre intitulé *Le Drame de l'enfant doué*[1], la psychanalyste allemande Alice Miller explique très bien comment un problème narcissique se forme chez l'enfant aux mains de parents qui ne lui accordent pas assez de valeur. Cet enfant ne s'adapte pas, il se suradapte. Il développe des antennes pour comprendre les demandes de son entourage avant même qu'elles ne soient formulées. Cette hypersensibilité aux attentes des autres a pour but de rehausser son amour-propre en méritant l'approbation d'autrui. On comprendra facilement que cet être devient vite l'esclave d'une attitude qui finit par le faire renoncer à son pouvoir personnel et trahir tous les aspects originaux de sa personnalité parce qu'ils risquent de déplaire aux autres. Il peut même finir par développer une fausse personnalité qui est en contradiction totale avec son moi véritable.

1. Alice Miller, *Le Drame de l'enfant doué. À la recherche du vrai soi*, coll. « Le Fil rouge », Paris, Presses universitaires de France, 1990, p. 24.

C'est le cas de la bonne fille qui est prisonnière d'un complexe paternel si imposant que sa créativité ne peut plus s'exprimer. Elle est gentille et agréable mais elle ne se respecte pas elle-même.

## Une Belle au bois dormant

Le cas d'une jeune femme dans la trentaine qui m'a consulté alors que j'étais encore en formation à Zurich me revient à l'esprit. Il s'agissait d'une enseignante universitaire qui avait décidé de prendre un repos sabbatique. Elle s'était cloisonnée dans son appartement, le temps de réfléchir à une nouvelle orientation professionnelle et de développer ses talents artistiques. Mais la pause prenait de plus en plus les allures d'une dépression et elle n'arrivait pas à se remettre au travail. Elle choisit alors de consulter. Elle était grande, de belle apparence et d'une intelligence marquée. Mais quelque chose en elle n'arrivait pas à prendre la parole. Elle passait parfois l'heure de la séance dans un silence complet. Souvent un genre de somnolence régnait dans la pièce et, intérieurement, je l'appelais « ma Belle au bois dormant ».

À la longue, la situation devenait de plus en plus inconfortable. Je me heurtais sans cesse à la haie d'épines qui protégeait la belle dans son sommeil. Toutes mes interprétations semblaient passer à côté. Elle ne ratait d'ailleurs jamais l'occasion de me le faire remarquer avec une pointe d'ironie.

Elle racontait avoir passé beaucoup de temps isolée dans sa chambre et même dans la garde-robe de sa chambre lors de son enfance. L'invariable réponse de son père à ses demandes d'attention déguisées en caprices et en incartades était : « Va dans ta chambre ! » Maintenant que son père était mort, elle reproduisait le même comportement en s'isolant dans son logement, cette fois sous les injonctions du complexe paternel négatif.

Le père, lui-même un intellectuel, avait eu peine à nouer une relation de proximité avec ses deux filles. Leur présence le menaçait. Il avait d'ailleurs un comportement très ambigu par rapport à la sexualité. Il se promenait en sous-vêtements dans la maison, mais ne tolérait pas que ses filles s'affichent en chemise de nuit. Il frappait même à coups de manche à balai sur le plafond de l'appartement familial lorsqu'il entendait le couple qui vivait au-dessus faire l'amour. Le moins qu'on puisse dire est que de telles démonstrations prédisposent mal une fille à l'éveil de son éros.

L'histoire amoureuse de ma patiente confirmait d'ailleurs cette interprétation. Elle avait connu quelques hommes, mais il s'agissait d'êtres dépendants, victimes de problèmes d'alcool ou de drogue. Son manque d'amour-propre l'amenait à choisir sans cesse de telles relations. Elle croyait en général que les hommes ne la désiraient que pour les relations sexuelles, que « pour son cul », comme on dit en langage populaire. Elle attendait celui qui découvrirait sa valeur véritable et nouerait avec elle une relation affectueuse. Ses idées créatrices en jachère, elle attendait. Son sens de l'initiative, sa fermeté, ce qui lui aurait permis de pénétrer dans le monde et de s'affirmer restait inactivé. Elle attendait. Tout en ayant suffisamment d'intelligence pour savoir qu'il n'y avait rien à attendre et qu'elle devait passer à l'action. Comme c'est souvent le cas lorsqu'une situation est si difficile, un rêve vint l'éclairer :

*Elle se trouve dans une petite boutique de lingerie féminine et hésite sur le choix d'un bikini. La vendeuse lui en conseille un, osé, sexy, fort coloré et qui lui va à ravir. Enthousiaste et toute contente, elle décide de l'acheter. Elle sort du magasin, descend les marches qui y mènent, se retourne et voit son père en haut de l'escalier. Elle comprend alors qu'il est le propriétaire de la boutique. Il tire une brouette de ciment frais et la déverse sur les marches. Le rêve se termine alors qu'elle a les pieds pris dans le ciment.*

Ce rêve démontre de façon très claire l'action du complexe paternel négatif chez une femme. Un véritable conflit était né en elle opposant, d'une part, sa spontanéité et son besoin d'exhiber ses talents et, d'autre part, le complexe qui lui interdisait d'être autre chose qu'une intellectuelle réservée.

La fantaisie et la joie de vivre de cette femme étaient enfermées dans cette boutique dont le père était rien de moins que propriétaire. Si intérieurement elle possédait la capacité de sentir ce qui était bon pour elle, aussitôt qu'elle désirait l'afficher au-dehors, le complexe négatif intervenait pour l'en empêcher. Elle se retrouvait alors paralysée comme si ses pieds étaient pris dans le ciment, ne pouvant plus ni reculer ni avancer.

La même chose vaut pour ce qui a trait à sa sensualité. Elle aurait bien aimé provoquer et stimuler le désir des hommes avec son petit maillot, pour gagner enfin une confirmation de son identité de femme, mais son père intérieur lui interdisait d'exhiber ses atouts comme il lui défendait de se promener en combinaison dans la maison lorsqu'elle était jeune. Au fond, elle obéissait encore à l'injonction « Va dans ta chambre ! » que son père avait formulée.

Mais que faisait-elle isolée dans son appartement comme elle l'était bien des années plus tôt dans sa chambre d'enfant ? Pour le comprendre, il nous faut regarder ce qui se passe du côté de l'animus, sa force de vie active, qui était elle aussi prisonnière du complexe paternel. Ne pouvant s'exprimer au-dehors, cet animus était devenu une sorte de « cocon de rêves ». La psychanalyste Marie-Louise von Franz dit qu'il s'agit là d'une autre forme que peut prendre l'animus négatif. Il devient une sorte de cocon de désirs et de jugements définissant le monde *tel qu'il devrait être*. Il coupe ainsi la femme de la réalité et de la vie active [1].

Donc, elle était dans son appartement, et elle

---

1. Marie-Louise von Franz, « Le processus d'individuation », dans *L'Homme et ses symboles*, op. cit., p. 191.

rêvait ! Elle rêvait d'être une grande musicienne mais elle ne faisait pas de musique. J'avais beau tenter de la stimuler à l'occasion par une interprétation, rien n'y faisait. Tout glissait sur elle. Il manquait définitivement un ingrédient à ce processus et c'était l'agressivité. Où était donc passée sa colère contre son père et son propre destin ? Elle ne semblait pas en avoir, pas consciemment du moins. Où était passée l'ombre de cette femme gentille ?

Me vinrent alors à l'esprit quelques événements qu'elle m'avait racontés autour du thème de la séduction. Elle m'avait dit comment elle ressentait souvent le désir des hommes comme l'expression d'un véritable mépris à son égard. En explorant ce thème avec elle, je compris qu'elle prêtait aux hommes une hostilité générale à l'égard des femmes. Elle avait donc peur de s'approcher d'eux et surtout de ceux qui auraient pu être à sa hauteur, car ils risquaient de détruire par leurs jugements le peu d'estime qu'elle s'accordait. Voilà pourquoi elle choisissait des perdants.

Cela expliquait aussi l'absence presque totale d'agressivité qu'elle affichait. Elle projetait sur les hommes sa rage de femme ignorée par son père. Cette rage était tellement profonde et menaçante pour le moi que le seul moyen de survivre dans un tel contexte était d'agir ainsi. Le mépris masculin qu'elle ressentait à son égard était en fait le mépris qu'elle éprouvait à l'égard de son père et des hommes qui la désiraient. Il s'agissait en somme d'un véritable déni de l'agressivité. Pour ne pas avoir affaire à la « méchante » en elle, elle s'accrochait à la fille gentille.

Elle avait besoin de cette énergie agressive pour sortir de la dépression et récupérer sa créativité. Néanmoins, elle ne pouvait pas s'approprier cette colère. Son estime d'elle-même n'était pas suffisante pour le faire. Il n'est pas facile d'intégrer une telle ombre et de vivre plusieurs mois avec une enragée en soi. Elle était venue chercher en analyse le soutien nécessaire à une telle intégration, car le peu d'affection qu'elle avait reçue de son père lui interdisait de le trahir en faisant de lui l'objet de sa rage.

Je voyais ainsi apparaître devant moi le drame d'une femme cantonnée dans la douceur sur un fond d'amertume dépressive. Elle tentait de toutes ses forces d'échapper au complexe paternel négatif et de rompre avec la fausse personnalité qu'elle avait développée pour survivre. Elle avait déjà courageusement arrêté d'exercer une profession qui la cantonnait dans le conformisme intellectuel du père pour aller vers sa créativité. Mais, pour continuer son chemin, elle avait maintenant besoin de récupérer son agressivité. Elle devait percer sa bulle de rêves et mettre un terme à l'action du complexe paternel. Il fallait donc qu'elle affronte son ombre menaçante si elle voulait jouir un jour de sa force d'expression et d'autonomie.

Je n'ai jamais connu la fin de cette histoire. Ayant terminé mes études, j'annonçai à tous mes patients que je quitterais la Suisse au cours de l'année. Ma Belle au bois dormant choisit alors de quitter la thérapie bien avant mon départ. Elle préférait sans doute m'abandonner plutôt que d'être abandonnée par moi. Sa décision me surprit, mais je me dis dans mon for intérieur qu'il s'agissait peut-être là d'un des premiers balbutiements de sa force d'affirmation. Elle osait déplaire à une figure paternelle pour protéger ses propres sentiments.

## La bonne colère

Continuons à discuter de la colère féminine et de sa transformation. Je pense pour ma part qu'il n'y a pas de processus de guérison qui ne passe en bonne partie par la colère. Lorsqu'une femme se rend compte de l'imposture qu'a été sa vie, il faut dans un premier temps qu'elle se fâche contre ceux qui ont abusé d'elle, et deuxièmement qu'elle comprenne qu'elle continue à se faire à elle-même ce qu'elle accuse les autres de lui imposer en se manquant de respect. Elle peut être touchée jusqu'à en pleurer par son propre drame, mais il faut aussi qu'elle crie et qu'elle frappe...

Or, comme je l'ai constaté dans mes ateliers sur « La relation au père », les femmes qui ont manqué de père ont en commun d'avoir beaucoup de difficulté à exprimer de l'agressivité verbalement. En fait elles ont honte de cette agressivité. Justement parce que le père les a négligées, dépréciées ou maltraitées, elles ont dû s'habituer très jeunes à refouler dans l'ombre les sentiments hostiles qu'elles ressentaient à son égard. Petites, elles étaient bien obligées de le faire si elles voulaient lui plaire et ne pas perdre le peu d'attention dont elles étaient l'objet. Devenues grandes, elles n'osent pas plus l'exprimer pour la bonne raison qu'une ombre nourrie depuis si longtemps de tant de rancœurs est devenue trop menaçante pour la personnalité. Elles savent d'instinct que la marmite exploserait si elles osaient soulever le couvercle et regarder à l'intérieur... Pourtant, il faudra bien qu'elles le fassent un jour si elles veulent guérir la blessure engendrée par la négligence du père.

Exprimer sa colère et sa rage contre autrui sans jugements et de préférence dans un environnement sécuritaire comme un groupe de thérapie est une étape essentielle. Ce n'est qu'une étape mais on ne peut pas en faire l'économie. En frappant, en criant, en dansant, une femme laisse libre cours à ce formidable potentiel énergétique. Elle libère les mauvaises toxines pour ainsi dire et purifie son système psychologique.

Il s'agit de ressentir pleinement la rage, dans toute sa sauvagerie, pour la déverser non pas sur quelqu'un mais plutôt dans un contenant symbolique. Un dessin ou un écrit peuvent faire aussi bien l'affaire. Mais il ne faut pas oublier que, pour entrer en relation avec l'inconscient et recevoir les informations qu'il nous transmet, il est nécessaire de se prêter à l'émotion, et même de fusionner avec elle de temps à autre. Le cadre symbolique que l'on met en place, seul ou en groupe, permet alors à une partie du moi de rester émergée et d'agir comme témoin de l'expérience. Ensuite il s'agit de demeurer fidèle à cette impulsion dans notre vie de tous les jours, non pas en agissant sur le coup de la colère — ce qui est parfois inévitable quand on n'est jamais entré en contact avec cette partie-là de soi-même —, mais en y puisant une fermeté et une combativité nouvelles.

En passant par la colère, cette dernière s'en trouve démystifiée. Elle est simplement un signal d'alarme sur le tableau de bord de la personnalité qui dit qu'un besoin fondamental a été nié. La colère renvoie généralement à un besoin d'expression et d'expansion. Toute la créativité qu'on avait négligé de développer par peur d'être rejetée ou blessée par les autres va trouver dans cette ouverture une source d'espoir et de lumière. Pour la femme qui avait tendance à se réfugier dans l'attente et la passivité, cette colère peut se transformer en combativité, fermeté, détermination, et lui permettre de prendre en main sa propre destinée. Pour la femme habituée à combattre les hommes sur leur propre terrain, elle peut faire naître un pouvoir d'affirmation intime et personnel, grâce auquel elle n'aura plus à disperser ses forces contre les hommes.

Le véritable travail sur la colère consiste à répondre aux besoins qu'elle révèle en nous. Lorsque la rage ne cesse de s'exprimer par des blâmes et des reproches de toutes sortes à l'endroit des bourreaux du passé, c'est qu'elle n'a pas été intégrée psychologiquement. Elle n'a pas été transformée. Elle est devenue une prison. Pour résoudre le problème intérieur, il faut aller plus loin. C'est pourquoi le fait de comprendre que l'on manque de respect envers soi-même en tolérant l'abus et en se réfugiant dans une position de victime constitue la deuxième étape du processus de transformation. Il s'agit de reconnaître cette fois que l'on se fait à soi-même ce que l'on accuse son père ou son partenaire de faire ou d'avoir fait. Ce passage est difficile et constitue la véritable rencontre avec l'ombre, car on ne sera pas sans se rendre compte que l'on est tout aussi négligente envers soi que nos parents ont pu l'être.

Dans la pratique, comment cela se passe-t-il ? Dans un article où elle relate son propre processus, la journaliste Paule Lebrun nous donne un bon exemple d'intégration de l'ombre par le moyen de la colère. Participant à un atelier de groupe, elle commence par réagir très vivement à la présence d'une femme perturbée qui détruit tout « avec ses sarcasmes, son venin et ses crachats ». Elle éprouve de la compassion pour celle qui souffre d'un désespoir aussi cru, mais le lendemain c'est elle-même qui se réveille avec « un couteau entre les dents » :

> J'étais en contact avec ma propre poche de venin, vous savez, celle que toute femme ou presque porte au fond d'elle ; la Serpente en nous, ksss, ksss, ksss, viens mon chéri que je te kiiiiissssse, celle qui n'a pas digéré la blessure psychique faite aux femmes depuis deux mille ans, l'incroyable colère collective qui s'est aplatie en rage puis en ressentiment, qui a disparu sous l'édifice et qui attend son heure[1].

Elle se met à danser dans l'espoir que cette présence en elle va se dissiper, mais rien n'y fait : elle est prise par l'énergie, la force et l'agilité de ce serpent, « douce jusqu'à l'écœurement » :

> Je pouvais sentir sa puissance cachée, son indifférence animale, sa dangereuse capacité d'étouffer l'autre. Savez-vous que vous portez en vous tous les meurtres, toutes les violences possibles, comme autant de potentialités non éveillées ? Ce jour-là, je sus que tout était en moi. Le meilleur mais aussi le pire. [...] J'étranglai avec mes anneaux de serpent plusieurs hommes, des images meurtrières affluèrent. Un nœud énergétique se défit sous mes yeux,

1. Paule Lebrun, « La rage au cœur », magazine *Guide Ressources*, vol. 11, n° 8, mai 1996, Montréal, p. 35.

*se dispersa légèrement comme des cendres. Passé le moment initial de terreur, je m'abandonnai voluptueusement au mouvement, et ce qui, quelques secondes plus tôt, m'apparaissait horrible se transforma en une danse exquise* [1].

Quand elle tente par la suite de reprendre contact avec cette force nouvelle, elle se rend compte qu'il s'agissait de la sorcière en elle, de la *bitch*, cette femme « vitriolique et amère, capable de détruire avec des mots ». Lorsqu'une femme reconnaît en elle-même un tel pouvoir, elle sait qu'elle ne se cantonnera plus jamais dans le rôle de victime. S'approprier ce pouvoir au niveau conscient est la troisième étape de ce processus de transformation de l'agressivité en combativité et en force intérieure. Le serpent lui servira désormais à protéger son territoire intime, à s'affirmer dans le monde et à devenir créatrice de sa propre vie. Et le complexe paternel n'a qu'à bien se tenir !

Il s'agit à toutes fins utiles d'accepter que l'on incarne aussi l'aspect le plus noir de l'humanité. Paradoxalement, cette acceptation s'accompagne d'une détente dans tout le système nerveux, car on n'a plus à se défendre d'être ceci ou cela. On est ce que l'on est, tout simplement, et on se reconnaît dans la grande sagesse de la nature qui a fait toute chose à la fois sombre et lumineuse.

Quoi qu'il en soit, entre la première et la dernière étape, il faudra faire preuve de patience et d'acharnement pour trouver chaque fois l'attitude juste et toujours s'accrocher à ce fragile pouvoir intérieur qui n'a pas été soutenu par le père. À la longue, cependant, on trouve en soi-même et dans les progrès accomplis la force de persévérer. La satisfaction d'avoir une vie qui reflète de plus en plus ce que l'on est vraiment remplace le désespoir, la morosité et la rancœur. La colère sourde et profonde qui ne pouvait s'exprimer

1. *Id., ibid.*

que par des moyens détournés trouve un exutoire de plus en plus sain dans la créativité et l'affirmation de soi.

Quand cette colère est pleinement reconnue et intégrée, elle devient un pouvoir qui génère initiatives et décisions. Alors la vie devient beaucoup plus agréable, plus intense, plus lumineuse et plus joyeuse.

## La guérison de l'amour-propre

Le besoin qu'ont de nombreuses femmes d'être sans arrêt le centre d'attention de leur entourage trahit la blessure infligée par un père distant ou négligent. Ces femmes se situent toujours en *face à face* avec leur partenaire. Elles ne savent pas déguster le monde *côte à côte* avec ceux qu'elles aiment. Elles éprouvent un besoin constant d'être soutenues par le regard de l'homme. Leur équilibre psychologique finit par en dépendre. Elles récriminent par rapport aux hommes et réclament un partenaire sans prendre conscience que le poids de leur attente est précisément ce qui le fait fuir. Il ne perçoit pas une invitation à l'amour dans l'attente de sa partenaire mais une blessure d'amour-propre qu'il devra sans cesse s'occuper à guérir pour avoir un peu de paix.

Tant qu'une femme ne prend pas conscience du manque d'estime personnelle laissée en elle par le père manquant, elle arrive dans le couple alourdie par le poids d'une attente qui risque de tout faire échouer. On ne peut pas charger une autre personne de régler un tel problème pour nous. Sur le plan de l'évolution psychologique, il n'est même pas souhaitable de trouver un partenaire qui nous flatte à ce point. En acceptant de *porter attention* à la souffrance laissée en elle par l'attitude du père, une femme peut comprendre peu à peu l'influence de celle-ci sur sa vie de relation. Ainsi elle s'affranchit en grande partie de l'attente du chevalier. Cela ne signifie pas que la sécurité et l'estime qu'un amour peut apporter ne soient pas bienvenues. Mais pour apprécier à leur juste valeur de tels cadeaux de la vie, il faut souvent avoir développé l'autonomie suffisante pour vivre heureux sans eux.

Voici donc quelques remarques générales sur la guérison de l'estime de soi défaillante qui viendront compléter ce que nous disions plus haut de l'intégration de l'ombre colérique.

## Sortir de la misogynie

La *fille du silence* est l'héritière du silence paternel. Elle peut facilement devenir une femme silencieuse et soumise. Il lui est difficile de démontrer une confiance et une sécurité en elle-même lorsqu'un homme ne tient pas à elle. Lorsqu'elle se sent mal aimée, elle se retrouve menacée et défensive. Même lorsqu'elle s'affirme plus facilement et ose exprimer ambitions et désirs, une partie d'elle continue à se taire, dévalorisée par des siècles de patriarcat. Ce qui fait le jeu des complexes négatifs qui ne demandent pas mieux que d'isoler leur proie. Pour arriver à transformer une estime de soi dépendante du regard masculin, il y a certaines attitudes à développer. Ainsi on arrive à guérir ce qui a été corrompu dans le rapport avec le monde paternel.

La première consiste à récupérer sa part d'ombre au lieu de tenir les hommes pour responsables de son malheur personnel. Une partie de cette ombre concerne la colère interdite, mais sa partie la plus ignorée et la plus difficile à affronter concerne la misogynie des femmes elles-mêmes à l'égard du féminin.

Une consultante en développement organisationnel auprès de cadres supérieurs masculins m'a confié que pendant plusieurs années elle avait essayé de faire oublier aux hommes qu'elle était une femme. Pendant ses séminaires, elle portait des habits d'homme et tentait de réprimer sa sexualité et sa sensualité. Jusqu'au jour où elle constata qu'elle était en train d'étouffer le féminin en elle.

Cette prise de conscience lui vint à l'occasion d'un stage qu'elle effectuait en Californie. Le soleil, la mer et la liberté qu'elle éprouvait réveillèrent en elle toute sa sensualité méprisée. Elle se rendit compte d'un seul coup que pour être reconnue de la part des hommes elle surdéveloppait son côté masculin et négligeait la femme profonde. Elle continuait par elle-même le travail de sape qui avait commencé dans sa famille, à l'école et au travail. Ses modèles avaient toujours été des femmes de pouvoir au masculin très développé. Pour réussir, elle n'avait pas seulement nié une partie d'elle-même comme les hommes le font, elle avait renié le cœur de son identité féminine.

La psychologue montréalaise Linda Lagacé a long-temps travaillé sur cette problématique. Dans ses cours à l'université, elle a développé des questionnaires pour aider les femmes à comprendre comment elles continuaient à donner aux hommes le pouvoir de les évaluer. Un aspect original de son travail touche à la façon dont les femmes dévalorisent tout ce qui est féminin à l'intérieur d'elles, perpétuant la misogynie des hommes. Elle soutient que plus une femme prend conscience de sa propre misogynie, plus elle peut résister à la misogynie masculine[1].

Aussi longtemps qu'une femme place la responsabilité de la dévalorisation du féminin uniquement à l'extérieur, elle accentue sa position de victime. Pour en sortir, elle doit finir par s'avouer en son for intérieur qu'elle renforce elle aussi les stéréotypes patriarcaux : si c'est féminin, ça ne vaut rien ; si c'est masculin, c'est valorisé. Quand elle reconnaît son propre mépris, elle cesse d'attendre que les hommes changent et amorce elle-même le changement.

1. L'exposé qui suit est basé sur les remarques de Linda Lagacé dans son cours intitulé « Femmes et relations humaines ». Ce cours était offert dans le cadre du certificat en psychologie des relations humaines de l'université de Sherbrooke.

Ce changement repose sur la prise de conscience du double jeu proposé à une femme par la société patriarcale. On lui demande d'être douce, compatissante, soumise et docile, mais en même temps ces comportements ne sont pas valorisés dans notre société où ce qui compte c'est d'être fort, affirmé et gagnant. Si elle nie son pôle masculin, elle devient *féminine*, mais se sent inadéquate parce que sa valeur n'est pas confirmée par son environnement. Si au contraire elle nie son pôle féminin, elle présente une image de force mais son féminin profond reste écrasé et elle a peur des autres femmes. Ce qui fait qu'elle n'arrive pas à s'apprécier en raison de cette trahison de soi.

Tant qu'une femme dévalorise inconsciemment le féminin, elle reste fragile aux jugements misogynes et elle vit la différence qu'elle représente comme un moins. Sa conception de l'égalité tendra vers la similitude des sexes. Si elle était fière de sa féminité, elle pourrait tolérer que les hommes soient fiers de leur masculinité et différents. Il est essentiel pour les femmes de retrouver en elles-mêmes la beauté du féminin dans sa façon particulière d'être au monde. Au lieu d'attendre que les hommes le valorisent, elles doivent elles-mêmes incarner cette valeur.

Plusieurs femmes ont une estime d'elles-mêmes si faible qu'elles ne veulent pas être entre elles. Aussitôt qu'elles se retrouvent dans un groupe où il n'y a que des femmes, elles ont l'impression d'être dans un groupe de perdantes. La compétition, la jalousie, l'envie et la revanche risquent alors de prendre le dessus. Elles éprouvent en somme les difficultés que tout groupe minoritaire expérimente. Ces difficultés sont liées à la haine inconsciente de soi et de son propre groupe.

L'intégration de l'ombre permet ainsi de débarrasser les relations avec les hommes de leur aspect accusateur. L'attitude envers eux devient moins hostile parce que l'on comprend mieux le fonctionnement des stéréotypes qu'ils perpétuent. En cessant de déprécier ses désirs réels, on peut mieux les exprimer et prendre sa place dans la relation. Lorsqu'on ne prend pas sa place, on devient victime et on attend que l'autre change. Lorsqu'on la prend, on devient responsable et on découvre l'amour de soi et parfois, à notre grande surprise, le respect des hommes.

## Donner une expression à l'animus

La prise de conscience de l'ombre misogyne oblige à un retour fondamental sur soi. Cela est difficile pour la *fille du silence* qui a été éduquée à s'oublier pour se centrer sur les autres et sur ce qui a une valeur reconnue : le monde masculin. Pour elle, l'amour romantique prend donc une importance démesurée puisque, si l'on est reconnue par celui qui a une valeur officielle, c'est qu'on vaut quelque chose. Cela explique d'ailleurs pourquoi les hommes qui ont du succès jouissent de tant de popularité auprès des femmes. Plus la valeur d'un homme est célébrée, plus elle a de chances de rebondir sur sa compagne. On voit comment le problème d'une faible estime de soi se répercute dans l'univers amoureux et stimule des attentes auxquelles nul partenaire ne saurait répondre.

La projection de l'animus jette les bases de l'amour romantique, et tant mieux si l'on trouve une relation où l'on se sent en sécurité pour s'épanouir. Mais la relation ne sert vraiment la connaissance de soi que si on fait l'effort de mettre en conscience sa propre masculinité. Tant que cette masculinité inconsciente demeure portée par des hommes à l'extérieur de soi, on ne trouve pas sa propre valeur. En faisant l'effort d'intégrer son propre animus positif, c'est-à-dire en éveillant et en incarnant ce que l'on reconnaît chez l'autre qui nous plaît tant, on s'affranchit de l'importance démesurée de l'amour dans sa vie et on rehausse son estime de soi.

Il s'agit en fait de cultiver une attitude symbolique et de regarder les liens que nous tissons comme autant de facettes de soi-même qui veulent venir à la conscience. L'intégration de l'animus apporte un contentement et une confirmation de son propre pouvoir qui donnent des ailes à l'amour-propre. Il n'y a pas à craindre qu'un jour toutes les projections soient retirées et que l'on se désintéresse de l'amour. Et même si cela était, où serait la catastrophe ? Au contraire, le véritable amour peut commencer lorsque l'on commence à comprendre ce qui est en jeu de part et d'autre. On peut alors véritablement apprendre de l'autre qui nous sert d'initiateur à une dimension de soi.

À ce propos, les filles qui ont manqué de père se trouvent souvent attirées par des hommes plus âgés. Parfois le père a quitté le foyer alors qu'elles étaient en bas âge et elles se sont senties mises de côté. Attirer un homme plus vieux leur permet de rétablir l'estime de soi blessée par l'abandon. Dans plusieurs cas, ce sont elles qui finissent par laisser leur amoureux, infligeant à l'inverse le rejet. Bien entendu, une relation avec un homme plus vieux peut soutenir la formation d'un nouvel aspect de l'animus à travers l'expérience de l'amour. Mais, si cet amour ne sert qu'à nous remettre en position de petite fille silencieuse, tous ces sentiments s'éprouvent en vain. On est retombé sans le vouloir dans le piège patriarcal.

De la même façon, à mesure que les femmes prennent de la valeur sur le plan collectif, elles cultivent elles aussi des relations avec des hommes plus jeunes. Elles y trouvent une revitalisation de leur masculinité intérieure qui peut être mieux reçue par des hommes moins conservateurs et qui ont moins peur d'exprimer leur tendresse.

Faire l'effort de prendre conscience de la projection de l'animus aide à sortir d'une position de faire-valoir du monde masculin. Au lieu d'attendre des hommes qu'ils incarnent le chevalier de nos rêves, on peut se mettre à cultiver ces valeurs. On sort ainsi de la déception perpétuelle et de l'attente passive. L'audace, le courage, la fermeté et l'intégrité du Prince charmant deviennent alors nôtres, peu importe le terrain où ces valeurs s'expriment. Au lieu d'attendre que les hommes changent, on amorce son propre changement, abandonnant du même coup les attitudes liées à la frustration.

L'animus a besoin d'apprendre à se dire et à s'exprimer. Il doit apprendre à parler. Voilà pourquoi il ne doit pas demeurer sur le plan littéral de la projection amoureuse. La thérapie et les groupes d'entraide entre femmes ou avec des hommes sont d'excellents lieux d'apprentissage parce qu'on s'y confronte à l'ombre dont je parlais plus haut. Trouver un endroit où l'on se sent suffisamment respectée et sécurisée pour dire tout haut ses rêves et ses difficultés en se les avouant à soi-même constitue une étape importante du développement. Qu'il s'agisse de thérapie individuelle ou d'un travail de groupe, il est essentiel d'avoir un lieu pour se mettre en contact avec ce que l'on ressent. Prendre conscience de ses désirs réels accélère leur réalisation concrète.

Je voudrais terminer ces propos sur l'animus en ajoutant qu'il possède souvent des ressources insoupçonnées. Il est capable de s'appliquer à des tâches fort complexes. Il peut y exercer ses talents de façon moins dérangeante qu'en émettant des opinions et des jugements non fondés. Il faut donc l'éduquer et le discipliner. Il faut lui donner une tâche d'intelligence dont il saura venir à bout par la ténacité. Il faut le confronter à la réalité objective par des études ou des informations appropriées ou en faisant une tâche qui exige beaucoup de sagacité. Ce n'est pas pour rien que dans les contes de fées ce sont les héroïnes qui trouvent des aiguilles dans les bottes de foin !

## Imaginer la beauté du féminin

Pour corriger une estime de soi déficiente, le recours à l'imagination peut être d'un secours insoupçonné. Puisque des fantasmes négatifs nous rendent la vie misérable, il s'agit de prendre leur contre-pied.

Il faut combattre le feu par le feu. Calme et détendue, après un bon bain ou en écoutant une musique que l'on aime, à la lumière d'une chandelle ou même dans l'agitation du quotidien, il suffit de s'imaginer en accord avec soi-même, aimant son corps, ses sentiments et son esprit, incarnant dans le monde une force qui existe par elle-même et qui n'a pas besoin de l'approbation des autres pour s'épanouir.

On doit tenter de pénétrer le plus concrètement possible dans l'imagerie et la laisser par la suite imprégner chacune de nos cellules. Il faut laisser les images, les sentiments et les sensations du féminin profond se présenter à nous et les explorer. On peut ainsi dialoguer avec des figures féminines qui se présentent spontanément à l'esprit ou les dessiner. En somme, il s'agit de se permettre de se rêver et de laisser ce rêve nous émouvoir et nous influencer.

Le pouvoir de l'imagination est fort mal connu. Assurément, il représente une voie possible vers l'archétype féminin positif qui réside en chaque femme. L'imagination positive constitue une façon de nourrir la femme qui est en germe et qui veut venir au monde. Par la suite, il faut habiller cette nouvelle âme à la mesure de sa fantaisie. Les différents séminaires intensifs qui offrent une rencontre avec les déesses amérindiennes ou antiques font état de cette revalorisation en profondeur du féminin dans son lien avec la nature. Le culte de la déesse devient un chemin vers l'éveil de cette qualité en soi pour peu que l'on ne demeure pas dans une attitude littérale qui aboutit à l'idolâtrie.

Prendre confiance en sa capacité d'exprimer la femme sans céder aux injonctions d'une société misogyne, s'appuyer sur une force aimante et sûre d'elle-même représentent les objectifs à réaliser. Il s'agit d'ouvrir un chemin aux nouvelles valeurs. Honorer le féminin profond et le revaloriser est la tâche léguée par l'histoire aux *filles du silence*.

# 5

## MÈRE ET FILS : LE COUPLE IMPOSSIBLE

## *Le couple mère-fils*

### Un drame psychologique

Après avoir discuté des rapports père-fille, nous allons maintenant aborder le deuxième grand thème de cet ouvrage en poursuivant notre réflexion du côté des rapports mère-fils. Toujours guidés par la scène du canapé, nous allons essayer de comprendre pourquoi *Lui* a peur d'aimer. Nous découvrirons que, contrairement à toute attente, des fils élevés près de leur mère ne deviennent pas des hommes qui sont proches des femmes mais des hommes qui bien souvent ont peur des femmes.

Je suis conscient qu'en tant qu'homme je ne saurai jamais ce que veut dire donner naissance à travers son corps après avoir porté un enfant pendant neuf mois pour devoir par la suite encourager son autonomie complète. Je sais aussi que la tâche n'est pas facile et qu'une mère ne sait jamais si elle en fait trop ou si elle n'en fait pas assez.

Il est clair aussi que lorsqu'on est le parent le plus présent, on a de fortes chances d'être également celui qui fait le plus d'erreurs et celui auquel les enfants auront le plus de reproches à adresser. D'autant plus qu'une femme arrive dans cette relation avec ses propres blessures, ses propres manques d'attention de la part de son père et ses propres besoins d'affirmation.

Elle aspire à exister près d'un homme et de ses enfants. Ce qui est bien légitime.

Je sais cela mais je sais aussi la souffrance des fils mal séparés de leur mère. Des hommes qui passent leur vie prisonniers des filets de la culpabilité et qui ne sont pas capables de faire face ni à leur maman, ni à leur complexe maternel. Ce qui n'arrange en rien les relations de couple.

Mon intention dans ce chapitre et les suivants est donc d'exposer un drame historique et psychologique. Il n'est pas question d'accabler les mères et les fils mais d'explorer la nature de leur lien, lien qui a ses bons et ses mauvais côtés. Je crois qu'en parler ouvertement peut dégager une nouvelle voie et je souhaite que ces réflexions puissent inspirer ce dégagement.

Les propos de ce chapitre concernent particulièrement les fils qui ont vécu ou qui vivent avec leur mère une relation intense. Je parle peu des enfants qui n'ont pas eu la chance de connaître la présence d'une mère, ce qui est un sort encore moins enviable que d'en avoir « eu trop », si l'on peut parler ainsi. En conséquence, ceux qui, pour une raison quelconque — grande famille, rang dans la famille, foyer d'accueil —, ont eu peu de contacts avec leur mère pourront également se sentir moins concernés par mes propos.

Par contre, en traitant de l'intimité entre une mère et son enfant, je n'ai pas uniquement à l'esprit la mère bienveillante et attentive. Je considère qu'il y a autant de phénomènes de fusion qui opèrent par exemple entre une mère alcoolique ou anxieuse et son enfant. Ainsi, les chercheurs relatent que 30 à 40 % des mères sont tellement inquiètes du développement de leur bébé qu'elles réagissent à son premier sourire en se disant intérieurement : « Mon Dieu, il ne sait pas ce qui l'attend[1] ! » Elles craignent déjà pour ce petit être

1. Boris Cyrulnik, *Sous le signe du lien. Une histoire naturelle de l'attachement*, coll. « Histoire et philosophie des sciences », Paris, Hachette, 1989, p. 64.

et cette inquiétude va marquer la qualité d'intimité qu'ils auront entre eux. L'enfant d'une telle mère a de bonnes chances de boire de l'angoisse à même le lait maternel.

Il faut dire aussi que les relations mère-enfant sont en profonde mutation. L'accès au travail des femmes change considérablement les données par rapport à l'intimité des mères avec leur progéniture. On pourrait même dire qu'aujourd'hui bien des enfants ne souffrent pas d'une fusion excessive avec la mère, ils ont même souvent trop manqué de cette nourriture affective essentielle pour sentir qu'ils sont bienvenus dans le monde. Étrangement pourtant, le nombre accru de familles monoparentales nous renvoie à la situation d'antan où les familles n'étaient pas monoparentales de fait mais l'étaient pour ainsi dire symboliquement, tellement les pères étaient manquants [1].

Enfin le fait que je suis un homme et par conséquent un fils n'est sans doute pas étranger au fait que les pages dévolues aux rapports mère-fils est plus grand que celui consacré aux rapports père-fille. Ces dernières pourront tout de même se consoler en constatant de nombreuses similarités entre le sort des fils et le leur. Quant à ceux ou à celles qui trouvent que je mets trop d'emphase sur la mère et pas assez sur le père, je les renvoie à mon livre *Père manquant, fils manqué*.

Ces considérations étant faites, les questions qui guident ma réflexion pourraient se formuler ainsi :

> *Comment se fait-il que les rapports de proximité entre mère et enfant finissent par heurter le développement de l'une et de l'autre au niveau de leur individualité ? Comment arrivent-ils à inhiber le développement naturel du fils vers l'autonomie et*

1. Guy Corneau, *Père manquant, fils manqué, op. cit.*, p. 18. Au Canada, au moins 20 % des enfants vivent en situation monoparentale ; 80 % de ces familles à parent unique sont dirigées par une femme, et 10 % de ces enfants n'ont jamais connu la présence du père.

*l'indépendance et le développement personnel de la femme devenue mère ? Comment se fait-il qu'une relation qui commence généralement dans l'amour réciproque se termine pitoyablement avec une grande attente déçue du côté d'une mère solitaire et une rage inavouable chez un enfant qui fait tout pour tenir sa mère à distance ?*

*La relation mère-enfant se doit-elle d'être un drame d'amour qui finit mal ?*

## Devenir mère

Si le Père nous introduit au monde social de la loi humaine, la Mère au sens symbolique, mythique, archétypal, nous introduit au monde du Vivant. En nous donnant la vie, notre mère personnelle incarne la Mère. La loi dans le monde de la Mère est celle de l'accueil, du dévouement, du don de soi et de l'ouverture. Qui ne se rappelle pas la sollicitude d'une mère ou d'une grand-mère à l'occasion d'une maladie ? Pour paraphraser Victor Hugo, le miracle de l'amour maternel consiste en ce que chacun en a sa part et que tous l'ont tout entier.

Pourtant la guerre naît aussi sur ce terrain. Les mères les plus dévouées se retrouvent régulièrement avec un conflit sur les bras en rapport avec un enfant. Surtout lorsque, à force de solitude affective, on a laissé un fils se glisser dans la position de partenaire.

Une partie de ce drame est conditionnée par l'organisation même de notre société. De tout le registre d'expression de la féminité, seul le fait d'être épouse ou mère a trouvé grâce aux yeux du patriarcat. On s'attendait tout naturellement qu'une femme sacrifie sa personne, au profit de quelqu'un d'autre, un homme la plupart du temps ou un enfant. Le statut de mère était valorisé, alors que celui de femme n'était pas suffisamment reconnu.

Il en est ainsi depuis fort longtemps. Dans l'Empire romain, par exemple, on se débarrassait des filles sans sourciller. Dans le Moyen Âge chrétien, on a brûlé des milliers de femmes comme sorcières parce qu'elles faisaient preuve d'un peu d'originalité. Il n'y a pas si longtemps, en Chine, on tuait encore des filles à la naissance. Au Japon, un médecin qui travaille dans une clinique d'avortement a témoigné du fait que la reconnaissance du sexe de l'enfant permise par le test d'amniocentèse a favorisé une hécatombe d'arrêts de grossesse qui concerne en grande majorité des fœtus féminins. Comme le fils aîné représente le bâton de vieillesse des parents dans ce pays, les mères veulent consacrer leur énergie à éduquer un mâle. Même chez nous la naissance d'un garçon a longtemps été plus prisée que celle d'une fille. Une mère m'a confié qu'une infirmière lui avait dit en lui présentant sa fille : « J'espère que vous n'êtes pas trop déçue ! »

Dans le contexte social qui, il y a à peine quelques décennies, conférait à l'homme toute l'autorité, une femme apprenait très vite quel territoire s'approprier pour exercer son pouvoir : la maternité et l'éducation des enfants. Elle devenait ainsi la reine du foyer... un règne fort solitaire. D'autant plus que la reine en question ne pouvait ignorer que son royaume était subordonné à celui d'un roi dont elle était à proprement parler la servante.

Il n'en reste pas moins que, sur le strict plan social, devenir mère s'accompagne dans un premier temps d'une valorisation que la femme n'a pas connue jusque-là. Quand une femme est enceinte, tout le monde lui adresse soudain des regards et des paroles complices dans la rue et au supermarché. Sa propre famille qui la négligeait se souvient tout à coup qu'elle existe et s'informe régulièrement de son état de santé et de la progression de la grossesse. Même les craintes habituelles des hommes s'évanouissent devant un ventre rond pour faire place à une fascination enfantine — sauf pour le nouveau papa qui, lui, y trouve encore plus de raisons de s'angoisser.

« Quand vous êtes enceinte, plus personne ne peut nier votre existence. Ça se voit que vous existez, c'est physique ! » s'écriait une maman lors d'une conférence. Dans une société de production où il faut montrer aux autres ce que l'on sait faire pour prouver son existence, devenir mère constitue une preuve irréfutable de sa valeur, sans parler de celle que représente un enfant aux yeux de la société.

Mais il est aussi compréhensible que dans un contexte d'inégalité des sexes, la maternité puisse facilement devenir un lieu d'investissement des besoins de reconnaissance et des désirs brimés de la femme, un lieu de revanche même contre les frustrations liées à la négation de la valeur féminine. Une femme peut ainsi en arriver à enfanter pour remplir un vide, à enfanter par manque de vie, plutôt que par un trop-plein qui cherche son expression naturelle dans la création d'un enfant. Tout cela aboutira à une charge d'attentes extrêmement lourdes pour l'enfant. Celui-ci naît avec un programme préétabli : satisfaire les lacunes affectives d'une femme qui a manqué de père et qui maintenant manque de partenaire.

Car si dans un premier temps la femme peut se sentir valorisée par sa maternité, elle découvre peu à peu qu'elle se trouve en même temps défavorisée sur le plan personnel. « On s'intéresse tant à votre ventre, on favorise tellement la mère qu'on est poussé automatiquement à oublier la femme. » La mère prend toute la place alors que, dans bien des cas, la femme n'a pas encore eu la chance de naître.


## Ne pas savoir où l'un commence et où l'autre finit

L'enfant vient au monde et il n'est pas facile dans les premiers mois de savoir où l'un commence et où l'autre finit. Mère et fils sont mêlés l'un à l'autre dans l'amour. Cette confusion bienheureuse devra pourtant se défaire peu à peu pour permettre à chacun de poursuivre son développement. Sinon, elle laissera des empreintes psychiques importantes dans la vie de l'enfant.

À cet égard, le rapport mère-fils est un terrain particulièrement délicat en raison du fait que, contrairement aux filles, les fils auront, devenus adultes, à entrer en relation amoureuse et sexuelle avec une personne de même sexe que leur mère. Pour qu'une distinction psychologique se fasse bien entre leur partenaire potentielle et leur propre mère, il faudra qu'il y ait séparation. Sinon, les territoires demeureront confondus et les fils prêteront à leur femme les attributs que portait leur mère. Ils se retrouveront vite en position de tout-petits sans défense devant une partenaire désemparée qui ne saura trop que faire de la toute-puissance qui lui est accordée. Ou encore, elle aura à essuyer des coups et des colères qui ne lui sont manifestement pas adressés.

Cette difficulté particulière aux garçons et les conséquences qu'elle produit sont souvent difficiles à comprendre pour les mères. Mais si une femme tente d'imaginer, à l'inverse de la réalité, qu'elle est née du ventre de son père, qu'elle a été abreuvée à son sein pendant de nombreux mois, qu'elle a été cajolée par lui et qu'elle s'est baignée dans son odeur, elle pourra avoir un aperçu de ce qui se passe du côté du garçon.

À l'idée qu'elles devraient entrer dans un rapport amoureux et sexuel avec une personne de même sexe que celle qui leur avait donné la vie, plusieurs femmes qui se sont prêtées à cet exercice ont réagi en disant : « Il me semble que j'aurais absolument besoin de la présence d'une femme pour me tirer du côté du féminin avant de pouvoir faire l'amour avec un homme. »

Voilà précisément ce qui n'arrive pas du côté du garçon, trop souvent il n'y a personne du même sexe que lui pour le tirer du côté du masculin. Pourtant, pour que la confusion entre mère et fils s'éclaircisse, il doit y avoir séparation et une figure paternelle a été de tout temps l'artisan naturel de cette séparation. Voilà pourquoi le père doit être présent. Voilà aussi pourquoi la mère doit lui faire de la place chaque fois que possible. Voilà pourquoi on doit faire circuler du masculin dans la famille quand le père a déserté ou qu'il est mort.

Cette séparation mère-fils est tellement importante sur le plan psychologique que, dans certaines peuplades, on a remarqué que la phase de séparation entre la mère et son enfant peut durer quinze ans. Par exemple, dans certaines tribus, le garçon qui vient d'être arraché au monde maternel à l'aube de sa puberté ne peut revoir sa mère que lorsqu'il a pris une épouse. On a remarqué également que plus les symbioses étaient longues et profondes entre mère et fils, plus les rites initiatiques s'avéraient cruels et violents. Cela concerne en particulier ces peuples où l'enfant partage longtemps le lit conjugal et où on le sépare très progressivement de la mère.

> *L'enfant a accès au sein de la mère à volonté, parfois jusque dans sa troisième année. Il vit dans ses bras, peau à peau, et dort nu avec elle jusqu'au sevrage. Après, garçons et filles dorment à part de leur mère, mais à trente ou soixante centimètres d'elle. Avec le temps, les garçons sont incités par leurs parents à dormir un peu plus loin de leur mère mais pas encore dans l'« espace mâle » de la maison. En dépit d'un contact grandissant avec leur père, les garçons continuent cependant à vivre avec leur mère et leurs frères et sœurs jusqu'à sept ou dix ans. Les tribus de Nouvelle-Guinée, conscientes du danger de féminisation du garçon, procèdent à des rites d'initiation généralement très longs et traumatisants, à la mesure du lien extrême mère-fils qu'il s'agit de dénouer*[1].

Les primitifs avaient déjà saisi qu'il s'agissait de bien séparer le fils de la mère pour prévenir les conflits et encourager une saine relation d'amour. Ils avaient aussi compris que l'officiant par excellence de cette séparation est le père. Il s'agit en somme de

1. Ces détails sont extraits du livre d'Élisabeth Badinter, *XY*, *De l'identité masculine*, Paris, Odile Jacob, 1992, p. 83.

créer l'importante triangulation père-mère-enfant. Ainsi ce dernier fait l'apprentissage nécessaire des limites et de la frustration. Et, du même coup, il gagne une relation au père.

## Le hic ! c'est que le père n'est pas là

La véritable semence du conflit qui s'élaborera à travers les années entre une mère et son fils et qui les conduira du mariage d'amour au divorce amer est un triangle père-mère-enfant *dysfonctionnel*, pour employer un mot de la psychologie moderne. Il y a un déséquilibre fondamental dans ce triangle parce que la plupart du temps la mère est présente sur le plan affectif et physique alors que le père l'est peu. Ce triangle défectueux résulte de la famille nucléaire qui a été fondée avec un membre manquant, le père, qui devait travailler à l'extérieur.

Certains hommes éprouvent des difficultés à assumer une paternité engagée. Ils n'arrivent pas à céder la place d'enfant à l'enfant. Ils tolèrent mal que leur femme devienne mère parce qu'ils se sentent abandonnés. Ils se sentent tellement extérieurs à la naissance de l'enfant que l'attention accordée à ce dernier par la mère menace leur équilibre narcissique. En perdant l'attention de leur partenaire, ils perdent du même coup le soutien affectif qui les tenait en équilibre. Nous pouvons penser que ces hommes ne peuvent pas supporter de voir leur femme devenir mère, parce que alors le problème non résolu avec leur propre maman remonte des profondeurs. Les fantasmes se mêlent à la réalité et leur partenaire devient bientôt aussi menaçante que leur mère a pu l'être en l'absence d'un père pour les aider à se séparer. Cela explique peut-être le fait que 7 % des mères soient victimes de violence pendant leur grossesse et que, d'autre part, les jeunes femmes soient quatre fois plus souvent soumises à des agressions que les autres, au moment où

leurs conjoints n'ont pas encore suffisamment diffé-
rencié la mère de la partenaire[1].

Ce triangle défectueux commence tout juste à se
rééquilibrer grâce à l'entrée du père personnel sur la
scène de l'histoire. La famille nucléaire n'est pas en
train d'éclater, elle est en train de prendre forme sous
nos yeux avec beaucoup de difficultés. Elle est encore
à créer. On peut même se demander si elle représente
une stratégie de survie acceptable pour l'espèce
humaine. Sans doute verrons-nous dans les prochaines années la naissance de nouvelles formes familia-
les, peut-être plus collectives, qui permettront aux
enfants qui n'ont pas la chance d'avoir leur père ou
leur mère naturelle de recevoir malgré tout un paternage et un maternage adéquats.

## Le mariage mère-fils

Mais qu'arrive-t-il lorsque le triangle est défectueux ? Le lien puissant qui unit la mère à son fils ne
sera pas défait, au contraire il sera renforcé par la
fascination naturelle d'un sexe envers l'autre. Il y aura
mariage symbolique entre la mère et le fils parce que
le père qui est l'accoucheur de l'enfant sur le plan psychique ne remplit pas sa fonction naturelle.

D'autant plus que dans les faits le père manquant
s'avère souvent un partenaire tout aussi manquant
pour sa conjointe. La femme-devenue-mère se
retrouve ainsi délaissée sur le plan affectif alors

---

1. Selon l'enquête sur la violence envers les femmes menée en
1993 au Canada, « les femmes étant mariées ou qui vivaient en union
libre depuis deux ans ou moins au moment de l'enquête étaient pro-
portionnellement plus nombreuses à avoir été victimes d'actes de violence commis par leur conjoint dans les douze mois ayant précédé
l'interview (8 %). En comparaison, 1 % seulement des femmes dont
l'union libre durait depuis plus de 20 ans ont déclaré des actes de
violence. » Extrait de « La violence conjugale au Canada » par Karen
Rodgers, dans *Tendances sociales canadiennes*, automne 1994, n° 11-
008F au catalogue, Statistique Canada, pp. 3-9.

qu'elle a plus que jamais besoin du rapport avec son partenaire pour rester présente au fait qu'elle est encore femme. En effet, se sentir encore désirée malgré les transformations de son corps peut être un élément déterminant pour garder la femme vivante en elle et l'empêcher de disparaître dans la tâche maternelle. Au mieux, le désir mutuel des conjoints permet qu'ils ne sombrent pas complètement dans leur fonction de père et de mère. Cela est même primordial pour conserver l'équilibre lors de l'épanouissement de l'identité parentale.

Le ciment de l'union entre la mère et le fils sera la déception affective d'une femme qui, manquant d'attention de la part de son conjoint, fait de son fils un partenaire de remplacement. Peu à peu, elle passe de *mon petit chou à mon homme*, marquant ainsi l'instauration du fils à la place du mari. Ainsi, la contrepartie du père manquant sera la mère-amante, une mère qui deviendra peu à peu trop présente auprès d'un enfant parce que son sens des responsabilités et sa conscience des besoins du tout-petit vont l'amener à remplir les deux rôles parentaux.

Cela conduira la mère et le fils à une sorte de mariage symbolique qui constitue un véritable inceste ne se déroulant pas sur le plan sexuel mais sur le plan affectif. Les conséquences sur les fils, notamment en ce qui a trait à la faiblesse de l'estime de soi, seront dans certains cas comparables à celles de l'inceste père-enfant.

On le voit bien au Japon où l'inceste mère-fils avec relations sexuelles est plus fréquent que chez nous. Un contexte où les femmes ne travaillent pas en dehors du foyer après le mariage et où les hommes travaillent six jours par semaine, ne rentrant à la maison que pour y dormir, semble favoriser cette pratique. Cela fait que même mariés les fils dépendent encore de leur mère pour prendre des décisions qui concernent leur vie conjugale.

## Le fils dévoré

Pour résumer de façon simpliste le drame d'amour qui se déroule entre mères et fils, j'ai envie de paraphraser la formule de Shakespeare : manger ou être mangé, voilà la question ! D'ailleurs, l'amour intense ne s'exprime-t-il pas par des réflexions familières telles que « Je l'aime tellement, j'aurais envie de le manger tout cru ! » Le rêve qui suit met cette vérité symbolique en évidence. Il appartient à un homme de quarante ans qui participait à un atelier sur les relations mère-fils.

> *Je suis dans mon appartement qui s'est transformé en un immense aquarium. Deux poissons s'y trouvent, un gros et un petit. Le gros poisson est en train de mordre à pleines dents dans le petit. Je vois son arête alors qu'il continue de nager et de se débattre.*

En d'autres mots, cet homme se trouve encore aux prises avec un complexe maternel qui le mange « jusqu'à l'arête ». Il souffre d'une blessure d'identité parce que non seulement son père ne l'a pas séparé adéquatement de la mère mais qu'en outre il a demandé à ses enfants de la prendre en charge. L'union symbolique avec cette dernière s'en est trouvée intensifiée. Pour ce fils, le pareil à lui n'a pas été suffisamment présent pour lui permettre de se différencier. Il a dû se défendre tout seul contre la mère pour arriver à affirmer son identité d'homme et, de son côté, la mère n'a eu personne pour lui rappeler qu'elle était femme.

Une telle situation empêche la résolution favorable du complexe d'Œdipe, résolution qui voudrait que le fils cède sa prétention au rôle de conjoint à son propre père pour s'orienter vers la recherche d'une autre femme. Lorsque le père n'est pas là pour barrer la route du fils vers la mère, ces derniers restent prisonniers l'un de l'autre, souvent pour le reste de leur existence. Si « le devoir de toute vie est de ne pas être dévoré ! », comme le dit si bien la poétesse brésilienne Clarisse Lispector, force est de convenir qu'entre mère et fils ce devoir premier est souvent oublié[1].

## La mère dévorée !

Le rêve que j'ai relaté ci-dessus ne symbolise pas seulement l'histoire d'un fils qui se fait dévorer par sa mère. Le petit poisson dévoré par le gros correspond tout autant à l'individualité d'une femme mangée par la fonction maternelle. La femme se retrouve dévorée par l'archétype maternel. La mère est mangée par la Mère. Dans ce drame issu d'un triangle défectueux entre le père, la mère et l'enfant, il y a bien deux victimes : la mère et le fils. On peut même en compter une troisième si l'on considère que l'homme devenu père demeure expatrié de sa famille et dépossédé de sa réalité affective en raison d'un contexte historique qui l'a aliéné de sa sensibilité.

Quel avantage y a-t-il à se laisser submerger par l'archétype maternel ? Disons d'abord que devenir parent constitue une épreuve fondamentale pour l'identité personnelle. Il s'agit vraiment d'une initiation où il y a mort à un état de vie et naissance à un autre. Dans une telle situation il est toujours dangereux que le moi fusionne avec la nouvelle identité et n'arrive pas, pour un temps du moins, à conserver ses caractéristiques individuelles. Il est difficile pour un individu de ne pas se laisser fasciner par la force archétypale étant donné qu'il s'agit d'une expérience émotive et sensitive difficile à réprimer parce qu'elle sort tout droit des tripes. Il s'agit d'une révélation qui remplit tout l'être d'une force nouvelle.

La femme qui devient mère se découvre de nou-

1. Cela est également vrai pour les pères qui élèvent leurs enfants seuls. Ce sont alors eux qui sont en danger de créer un lien *fusionnel* avec leurs enfants, et c'est la femme venue de l'extérieur qui devient l'élément séparateur et salvateur.

veaux talents, de nouvelles émotions, de nouvelles préoccupations. Elle sent s'installer en elle des états de conscience auxquels elle n'a jamais touché auparavant. Cette vitalité intérieure va lui permettre de se préparer à accueillir l'enfant. Il ne faut donc pas sous-estimer une telle expérience puisqu'il s'agit d'une aide naturelle à l'enfantement. En sacrifiant son identité personnelle, la femme trouve soudain une nouvelle valeur. Du jour au lendemain, sa vie prend un sens qu'elle n'avait pas auparavant. Elle sent qu'elle peut répondre aux questions troublantes de l'existence. Elle n'est plus aux prises avec la petitesse de son individualité et avec les problèmes qu'elle avait avant d'être enceinte. En devenant la Mère, elle se sent enfin pleine et elle peut faire échec au vide. Elle connaît l'état de grâce.

La poussée et la fascination exercées par l'archétype de la Mère sont tellement profondes qu'il est impossible et même néfaste de ne pas y succomber. Il faut passer dans le ventre de la baleine pour en ressortir, comme Jonas, transformé. Mais si on perd de vue la femme trop longtemps, l'individualité commence alors à souffrir parce que le rôle de Mère est en quelque sorte collectif. Pour pouvoir intégrer cette expérience archétypale et se laisser nourrir par elle, il faut en quelque sorte qu'une partie de la personnalité consciente reste à la surface et ne s'abandonne pas complètement au pouvoir intérieur. Il faut se battre pour affirmer la femme et ne pas la sacrifier à la tâche que l'on a devant soi, aussi sacrée puisse-t-elle être. Idéalement, il s'agirait d'être en relation avec la force du dedans plutôt que d'être submergée par elle.

À quels signes une femme peut-elle reconnaître que son individualité est mangée par l'archétype maternel ? Allez-vous bien quand votre fils va bien et mal quand il va mal ? Si oui, vous êtes submergée par votre fonction, en partie du moins. Le tourment intérieur ou la délivrance qui naissent en vous devant ses humeurs à lui indiquent le déclenchement automatique de l'archétype, le passage de la femme à la Mère.

Cette fusion de la femme avec l'archétype de la Mère consacre en même temps la fusion entre mère et fils.

Une mère m'a raconté, par exemple, que, toutes les fois qu'il éprouvait un problème à l'école, son fils s'empressait de lui téléphoner. Elle pouvait recevoir un appel au travail au beau milieu de la matinée pour se faire annoncer qu'il avait encore une fois raté son examen de mathématiques. Elle regagnait la maison atterrée après une journée misérable, inquiète pour son petit. Alors que lui rentrait de l'école à son heure, souriant et détendu, il s'était débarrassé de son problème à 10 heures le matin même en le léguant à sa mère.

Cet exemple met en lumière un autre aspect lié au danger de s'abandonner sans résistance à l'archétype maternel qui fait que toute mère voit son enfant comme un dieu. La double responsabilité de la mère risque d'engendrer la divine irresponsabilité du fils. Si la mère prend soin de tout, de l'hygiène corporelle à la nourriture en passant par les vêtements, le fils ne prendra soin de rien. Mais attention ! Lavé, logé, nourri et habillé, la petite divinité aura tendance à exiger la même chose de la part de ses partenaires futures. La sollicitude des mères tisse inconsciemment le destin des belles-filles.


## Tout mariage a son contrat

Tout mariage a son contrat. La convention qui s'établit entre une mère et son fils en est une de *codépendance*. La codépendance est un concept qui explique les liens inconscients qui enchaînent par exemple un conjoint ou une conjointe à son partenaire alcoolique. Un tel lien est dit de *codépendance* parce que chaque partenaire a besoin de la dépendance de l'autre pour s'assurer un certain équilibre psychologique. Bien entendu ce lien enchaîne plutôt qu'il ne libère. Chacun des partenaires juge trop menaçant de remettre en question cette dépendance mutuelle parce qu'elle assure une certaine stabilité de l'identité, même si cette dernière est pathologique. De tels contrats pourraient se résumer ainsi : « Toi, tu peux boire si tu ne remets pas en question notre union ; moi je peux jouer la salvatrice et la martyre si je ne t'empêche pas de boire. » Dans le couple mère-fils, le garçon peut demeurer irresponsable tant qu'il permet à sa mère de jouer à la mère.

Puisque tout mariage a son contrat, celui qui lie la mère et le fils pourrait se lire comme suit :

> Le fils restera dépendant de sa mère moyennant quoi celle-ci ne l'abandonnera jamais, en prendra toujours soin, lui pardonnera tout. En échange de ces menus services le fils pourra grandir mais... sans grandir. Il pourra devenir un homme mais à la condition expresse de toujours rester un petit garçon.

Et la clause écrite en tout petits caractères illisibles tout en bas du contrat, celle qu'on ne lit jamais et qui fait foi de tout, dirait ceci :

> Les deux parties ne pourront jamais se séparer. La présente décharge le fils et la mère de toute responsabilité quant aux problèmes qui pourront survenir dans les relations du fils avec d'autres femmes. Difficultés d'engagement garanties.

## L'interdiction de se séparer

Reprenons maintenant sur un plan théorique ce que nous venons d'élaborer. Nous le ferons à l'aide des formulations traditionnelles de la psychanalyse relatives au complexe d'Œdipe.

Un élément important de la formulation freudienne veut que le garçon abandonne son désir incestueux envers sa mère sous la menace, fantasmatique et rarement formulée telle quelle, d'une castration qui serait perpétrée par le père. Comme le fils a peur de perdre son pénis, il obéit à la loi paternelle. Même en l'absence du père, l'angoisse de castration agit tout de même car elle est représentée alors par d'autres figures personnelles (oncles, grands-pères) ou institutionnelles (l'Église, l'État, l'École), qui viennent bloquer le désir de l'enfant. Cette acceptation de la loi sous peine de punition construit le psychisme de l'enfant car elle sert à mettre en place le *surmoi*, l'instance qui formule les interdits chez un être humain.

Cette formulation classique ne recouvre cependant pas toute la réalité clinique. Elle occulte le fait qu'il y ait aussi le désir de proximité de la mère qui doit être barré et non seulement celui de l'enfant[1]. C'est elle que l'on doit séparer de son petit aussi bien que l'inverse. Le désir maternel ne s'élabore pas sur le plan sexuel mais plutôt sur le plan affectif ; c'est ce que j'ai appelé le mariage symbolique entre mère et fils. Bien souvent ce n'est pas *l'obligation de se séparer* de la mère sous la menace de castration paternelle qui prend place dans la famille mais bien son contraire, à savoir *l'interdiction de se séparer* de la figure maternelle. Cela donne un couple impossible entre mère et fils ; une union qui ne peut ni être consommée parce qu'elle ne suit pas la voie naturelle, ni être défaite psychologiquement.

En fait la pression de l'amour maternel oblige le fils à maintenir lui-même la barrière de l'inceste et imprime chez lui une peur du désir féminin qui vient se rejouer par la suite dans ses relations avec les femmes. Cette angoisse face à la demande maternelle explique en grande partie l'ambivalence traditionnelle des hommes par rapport à l'engagement amoureux. Ils craignent de se retrouver à nouveau dans les mains d'une femme sans avoir la capacité de poser leurs limites. Cette situation prévaut tant qu'un homme n'a pas résolu la situation œdipienne.

1. Je ne suis pas le seul de cet avis. La psychanalyste Christiane Olivier en parle dans tous ses livres, dont le dernier, *Les Fils d'Oreste. Ou la question du père*, Paris, Flammarion, 1994, p. 117.

En raison du manque de présence paternelle, physique ou symbolique, presque généralisé, le principal dilemme d'un homme se déroulera dans un rapport duel avec sa mère et non dans un rapport triangulaire où le père serait inclus. L'odieux de la séparation, avec son cortège de culpabilité, reviendra donc au fils parce qu'il ne peut pas compter sur l'aide de son père. À mesure que le patriarcat s'effrite, on ne peut même plus compter sur les représentations fantasmatiques des institutions paternelles pour agir comme instance posant l'interdit. Elles ont dans de nombreux cas perdu la crédibilité nécessaire pour le faire.

Idéalement, la présence du père agit non seulement pour barrer l'accès direct de l'enfant à sa mère mais également dans le sens de limiter la fusion de la mère avec sa progéniture en lui rappelant qu'elle est femme. Voilà pourquoi une soirée en tête à tête avec son conjoint ou une fin de semaine sans les enfants peut être si bénéfique pour une mère possédée par l'archétype maternel. Du coup sa relation avec les enfants s'allège. C'est comme si son amoureux venait lui dire : « Rappelle-toi que tu es une femme avant d'être une mère. Ce n'est pas lui l'homme de ta vie, c'est moi ! Et puis tu n'es pas seule avec ce petit, il a sa vie à vivre en dehors de toi. Tu ne peux pas être tout pour lui, il a ses expériences à faire [1]. » C'est parce que sa présence permet le détachement par rapport à la famille qu'on dit que le père est celui qui fait entrer l'enfant dans le monde social.

Car l'enfant ne connaît pas seulement en lui le désir d'inceste avec sa mère. En raison du processus d'individuation qui le motive, il porte aussi le désir de se séparer d'elle pour suivre son évolution. Le père est là pour faciliter ce processus de séparation. L'attachement incestueux est nécessaire dans les premières années pour permettre au rejeton de se lier naturellement à ses parents mais, à mesure qu'il grandit, ce

---

1. Cette formulation me vient d'une conversation avec la psychologue Lucie Richer.

sont d'autres nécessités qui s'imposent à lui de l'extérieur comme de l'intérieur.

D'ailleurs Jung a proposé que la peur de castration qui apparaît chez le fils pourrait très bien être un facteur naturel qui aide la séparation d'avec la mère[1]. Cette peur s'élabore plus en rapport avec la figure maternelle omnipotente qu'en rapport avec le père ou une instance paternelle. C'est pourquoi la mère apparaîtrait de plus en plus dans la psyché de l'enfant sous des traits menaçants. L'inconscient produit des figures de sorcières repoussantes car il réagit au danger que représente la fusion avec la mère pour la croissance de l'enfant. Quelque chose en lui sait qu'il ne fera pas sa vie avec elle et qu'il doit refuser cette séduction pour poursuivre sa croissance.

Lorsqu'une mère accepte de barrer son désir envers l'enfant parce que le père est présent, qu'elle a un partenaire satisfaisant, ou pour tout autre motif, elle facilite le passage de ses enfants à l'âge adulte. Ils n'auront pas à porter l'odieux de la séparation avec une mère devenue dépendante d'eux. Le poids de culpabilité et la dette qu'ils auront accumulés envers elle en seront d'autant allégés. Ils n'auront pas à rejouer dans leurs premières unions, sous la forme bien connue de l'ambivalence, le drame d'une séparation interdite.

Lorsque le désir maternel n'est pas refréné et celui de l'enfant non plus, cela aura pour conséquence une faiblesse de la construction psychique chez ce dernier. Les instances prohibitives du surmoi ne sont pas mises en place et cet être éprouvera des difficultés à poser ses limites et à s'affirmer. Il aura autant de difficultés à s'engager en disant « oui » qu'à refuser en disant « non ». Par-dessus tout, il craindra de causer de la souffrance à une autre personne car il n'aura jamais osé affronter son complexe maternel et faire

1. Jung en parle abondamment dans son livre *Métamorphose de l'âme et ses symboles*, Genève, Librairie de l'Université, 1967, pp. 677-721.

de la peine à sa maman en lui signifiant qu'il n'était pas marié avec elle.

Je me demande d'ailleurs si cette situation ne contribue pas à renforcer chez un homme la division entre sexualité et sentiments. Dans cet inceste affectif, l'acte sexuel proprement dit n'est pas accompli, mais il y a quand même interdiction d'appartenir à une autre femme sur le plan amoureux. La sexualité d'un homme peut ainsi devenir parfaitement séparée de ses sentiments. Il pourra faire l'amour avec quelqu'un d'autre mais il ne pourra pas s'engager tant que son monde sentimental appartiendra symboliquement à sa mère. Il doit même tuer l'amour des êtres qui s'approchent de lui pour ne pas provoquer les foudres de son dragon maternel.

Une deuxième conséquence de cet Œdipe non résolu entre mère et fils apparaît dans la primauté de l'autoérotisme chez de nombreux hommes. La pornographie exprime et exploite à la fois cette situation psychologique. L'homme se masturbe devant des corps de femmes qu'il ne peut pas toucher, comme un enfant rêvant derrière la fenêtre du jour où il sera libre. Cet autoérotisme lié à la consommation de matériel pornographique qui s'étend parfois sur toute une vie symbolise on ne peut mieux la position de castration.

## La puberté ou la guerre ouverte

En général la relation mère-fils, même empêtrée dans un contexte incestueux, se déroule bien au début parce que l'un comme l'autre ont besoin d'amour pour arriver à subsister. Freud a noté que si le complexe d'Œdipe ne se résolvait pas entre trois et cinq ans, il était en général repris à la puberté après une période dite de *latence* pendant laquelle tout semblait dormir. C'est alors que la relation risque de tourner à la guerre de pouvoir entre la mère et le fils. Leur grand amour devient soudain une prison qui nuit à l'épanouissement de l'identité individuelle de l'un comme de l'autre.

En général la puberté précipite le couple impossible dans des tribulations peu banales. L'âge, qui donne des boutons aux adolescents comme aux mères, fait monter d'un cran l'escalade de tension qui se dessinait entre mère et fils depuis quelque temps déjà. Mal affirmé, manquant de modèles masculins pour s'identifier, le fils va tenter d'outrepasser la règle maternelle pour gagner sa propre identité d'homme. La guerre éclate. La mère, désespérée, tente par tous les moyens de contrôler son fils et celui-ci lui répond par de plus en plus d'ingratitude. On dirait qu'il s'acharne à embêter sa mère de toutes les façons possibles et imaginables. Ce n'est pas pour rien qu'on qualifie cette période d'« âge ingrat ». Elle marque le règne de l'ingratitude des fils envers leurs mères.

Dans l'inconscient, la peur de rester prisonnier de l'univers maternel stimule chez le fils l'archétype du héros et parfois même celui du guerrier. Du point de vue strictement psychologique, il s'agit d'une réaction extrêmement saine qui va préparer le jeune aux tâches qui l'attendent car sa mère ne sera pas toujours là pour s'occuper de lui. Il se mettra à claquer les portes, à monter le son de la stéréo et à afficher toutes sortes d'allures machistes qui font frémir d'horreur la mère la plus tolérante. « Il était tellement doux ! se dit-elle, comment a-t-il pu devenir aussi brutal du jour au lendemain ? » Une maman me racontait récemment que son fils avait introduit dans sa chambre une affiche de deux mètres de haut figurant *Terminator*, cette brute électronique incarnée à l'écran par Arnold Schwarzenegger. Depuis ce jour fatidique, il sort chaque matin de sa chambre en roulant les épaules comme un bagarreur de rue.

Devant de tels agissements, il s'agit de comprendre qu'ils ne s'adressent pas à la femme mais à la Mère, à la fonction maternelle. Comme il n'y a plus de rites initiatiques qui viennent séparer automatiquement une mère de son fils, ce dernier, à son insu, affiche des comportements qui font reculer la mère. Fort maladroitement parfois, il accomplit des gestes et dit des choses qui visent à l'écarter. Une force inconnue le pousse à poursuivre son chemin vers l'âge adulte. Les farces vulgaires, les blasphèmes, les petits actes de délinquance, le manque d'hygiène et la puanteur servent tous cet unique but : se libérer du joug maternel[1]. Voilà pourquoi ces gestes se situent exactement à l'opposé des manières qu'une mère tente d'inculquer à son enfant. La valeur de ces comportements réside précisément en cela. Le fils a besoin de rompre avec l'éducation maternelle.

Si une femme comprend rapidement que c'est de cela qu'il s'agit, elle en souffrira moins intérieurement et elle pourra faciliter le passage du fils à l'âge adulte. J'en suis souvent arrivé à dire à des mères au bord du désespoir : « Il veut moins de mère, donnez-lui moins de mère ! Le temps est venu de vous souvenir de la femme en vous. Recommencez à la faire vivre. Reprenez contact avec vos goûts et vos envies. Reconstruisez votre vie. »

## La puberté est une seconde naissance

Si j'avais à délimiter les trois moments les plus importants dans la vie d'un être, l'âge de quatorze ans ferait sûrement partie de cette liste avec la naissance et la mort. La fin de la puberté est si importante pour l'être humain qu'on pourrait l'appeler la « seconde naissance ». Il s'agit de la naissance au monde social. D'ailleurs, dans les tribus ancestrales, on pouvait souvent se marier à partir de cet âge. Pour le garçon comme pour la fille, le début de l'adolescence marque le moment où se réveille une forte pulsion d'autono-

1. À propos des rites initiatiques, voir « Betwixt and Between : The liminal period in rites of passage » de Victor Turner, pp. 3-23 dans *Betwixt and Between*, sous la direction de Louise Carus Mahdi, Steven Foster & Meredith Little, La Salle, Illinois, Open Court, 1987.

mie. Cette pulsion est tout ce qu'il y a de plus naturel. Physiologiquement parlant, on est prêt à vivre sa vie à partir de cet âge. La période entre quatorze et dix-huit ans est devenue la plus difficile dans nos sociétés parce que les adolescents possèdent déjà tous les éléments qui leur permettent d'être autonomes mais l'organisme social leur nie cette autonomie jusqu'à l'âge de dix-huit ans et souvent au-delà.

À la fin de la puberté, ce ne sont plus les parents qui comptent pour les enfants, ce sont les pairs. Ils s'ouvrent à l'amour et à la société. En réalité les grandes transmissions entre parents et enfants doivent se faire avant l'âge de quatorze ans parce que après les enfants ne sont plus sur la même longueur d'ondes qu'eux. Ils captent les messages de la société et sont souvent rebelles à ceux des parents. En conséquence, l'encadrement parental devrait commencer à s'alléger. La confiance des parents devrait remplacer la prise en charge des enfants, les négociations et la compréhension remplacer les interdictions. Il est essentiel de comprendre que la sévérité extrême ou la surprotection après cet âge ne font que briser la force de vie de l'enfant.

L'importance de la puberté nous échappe grandement. Les observateurs de la courbe de vie actuelle des individus notent d'ailleurs qu'aujourd'hui l'adolescence se prolonge souvent jusqu'à trente ans [1]. Sans doute parce que nous passons outre à la nature. Lorsque la séparation entre parents et enfants ne se prépare pas à la puberté, elle se fait souvent vingt ou trente ans plus tard à l'occasion de la crise du milieu de la vie. Bien des conflits entre parents et enfants pourraient être évités si les parents se pénétraient d'une telle réalité psychologique.

1. Gail Sheehy, *New Passages, Mapping your Life Across Time*, Random House, New York, 1995, pp. 10-11. La journaliste y note une révolution importante dans l'espérance de vie des gens. Selon ses recherches, l'adolescence se prolonge dans un âge adulte provisoire

# L'antihéros ou la naissance avortée

L'éveil du héros et du guerrier chez l'adolescent manifeste une santé psychique car cela signifie que la spontanéité de la nature n'a pas été complètement écrasée par l'éducation et que la forte pulsion d'autonomie peut s'exprimer. Mais parfois, le contraire se produit.

*Une femme est venue me consulter à propos de son fils de seize ans que la police avait ramené deux samedis soir consécutifs à la maison complètement drogué au LSD. Chaque fois il avait commis une tentative de suicide en se couchant au milieu de la route dans l'attente d'un véhicule. Cette mère comprenait d'autant moins les agissements de son garçon qu'elle avait tenté de se faire toute petite à la maison en lui laissant le plus de place possible. Malgré cela la tension montait de plus en plus entre elle et lui. Elle réagissait en devenant de plus en plus complaisante et en taisant sa propre révolte.*

*Or l'inconscient du fils était profondément marqué par ce comportement maternel et son anima, modelée sur la personnalité de la mère, prenait la figure d'une femme polie qui avait de la difficulté à prendre sa place. Sa combativité s'en trouvait brimée d'autant. Il cédait facilement à ses humeurs dépressives, et ses penchants suicidaires reflétaient cet héroïsme inversé. Au lieu de s'exprimer envers la mère pour gagner son droit à l'indépendance, toute son agressivité s'était retournée contre lui-même. Il voulait détruire sa vie au lieu de la créer. Dans mon bureau, la mère en larmes me confiait à quel point elle ne pouvait pas comprendre le sens d'une telle attitude. Je lui offris la réflexion que le LSD et le suicide avaient peut-être précisément pour fonction de créer*

---

qui va de dix-huit à trente ans ; le premier âge adulte va de trente à quarante-cinq ans et le second âge adulte, une innovation dans le monde de la psychologie, irait de quarante-cinq à soixante ans.

*un espace où elle ne pouvait pas pénétrer avec sa compréhension. Ayant toujours eu sa mère pour confidente, le fils avait maintenant besoin d'échapper au monde maternel et à sa bienveillance. Il me semblait également que ces tentatives de suicide masquaient un appel inconscient au père. Elle me confirma que le père et le fils n'avaient presque plus de relations depuis la séparation du couple parental survenue quelques années auparavant. Je lui suggérai de faciliter le rapprochement entre ces deux-là si c'était possible. Je revis la mère et le fils un an plus tard. Ce dernier vivait maintenant chez son père et tout était rentré dans l'ordre. Il avait retrouvé une relation juste et appropriée avec sa mère et pouvait maintenant jouir de sa compréhension sans se sentir menacé dans son identité masculine.*

J'ai vu de nombreux cas problématiques se résoudre avec l'entrée en scène du père. Même dans les familles intactes, les mères témoignent du fait qu'à partir d'un certain âge, les fils refusent de leur obéir. Cela exige alors du père qu'il fasse acte de présence car si les fils refusent d'obéir à leur mère, ils écoutent souvent avec moins de réticence les avis du père. C'est l'âge où ils ont besoin de se mesurer en cherchant tout autant l'approbation que la désapprobation pour se prouver qu'ils sont des hommes.

Nous ne vivons plus comme des primitifs, n'empêche que ceux-ci avaient compris que la séparation d'avec la mère à la puberté représente une étape essentielle pour le garçon. Voilà pourquoi ils rendaient cette séparation officielle par des rites très élaborés. Ces rites s'avéraient d'ailleurs aussi importants pour la mère que pour le fils. Le fils entrait en contact avec des figures paternelles qui facilitaient son entrée dans le monde adulte, la mère avait droit pour sa part à des cérémonies qui exprimaient la douleur d'être séparée de son fils et pouvait, de cette façon, consentir au sacrifice, car sacrifice il y a.

Il n'est pas facile pour une mère qui a consacré tant

d'années de sa vie à l'éducation des enfants de s'effacer à la puberté. Le fait d'avoir un conjoint ou un intérêt qui éveille la femme sera d'une importance capitale car sinon, le sacrifice risque d'être trop douloureux et il ne sera tout simplement pas fait. La mère s'accroche et reçoit de plus en plus de coups de la part d'enfants de plus en plus ingrats. La tentative d'une mère de tout comprendre au mépris de sa santé, très souvent par culpabilité parce qu'elle pense ne pas en avoir assez fait, devient stérile. Elle doit comprendre que le mouvement intérieur qui habite son enfant est l'expression d'une pulsion naturelle aussi forte que fut pour elle la grossesse qui l'a fait devenir mère. L'adolescent est poussé par une révélation intérieure qui le force à se séparer même s'il ne sait que très obscurément ce qu'il est en train de faire.

Plus la fusion entre lui et sa mère est intense, plus la guerre de séparation risque d'être sanglante. Plus un rapport humain est fusionnel, plus il excite une passion qui peut aller jusqu'à la violence. Les rapports familiaux ne font pas exception. Plus l'adolescent sera confronté à un père lâche qui n'ose pas affronter sa propre femme, plus il y aura d'accidents et de blessés. À moins que la famille, incrédule, ne découvre un jour que le fils mène une sorte de double vie. Il a un visage pour la maison, bon garçon, poli, courtois, alors qu'il se livre aux pires débauches d'alcool, de drogue et de mauvais coups à l'extérieur du foyer. Dans un tel cas, la violence est transposée à l'extérieur. À cet égard, il ne faut pas tout prendre au tragique. Il est bon de savoir que 92 % des adolescents et adolescentes commettent au moins un acte de délinquance au cours de cette période. Ils ont besoin de tester les limites de la réalité. Si on se rappelle sa propre adolescence, on n'a pas de peine à constater l'exactitude d'une telle statistique[1].

1. Cette donnée vient du psychologue et chercheur Camil Bouchard qui s'exprimait ainsi lors de l'émission *J'veux de l'amour*, un

# La bonne limite

Le meilleur moyen d'éviter la guerre est encore d'apprendre à dresser des limites lorsque l'enfant est encore en bas âge afin de bien différencier le territoire de la mère et celui du fils. La bonne dose est difficile à trouver : si la mère met trop de limites, l'enfant y répondra par la rébellion, si elle n'en met pas assez, il n'apprendra pas à gérer les frustrations et s'écroulera devant elles. Il faut faire de son mieux en apprenant à lâcher prise graduellement afin de se protéger de l'ingratitude des fils qui, menés par l'archétype du héros, voudront à tout prix s'affirmer dès la puberté venue. Il est bon de se rappeler que les limites donnent un cadre de sécurité à l'enfant et fixent des balises à son comportement. Il est important aussi de les respecter soi-même pour ne pas engendrer de confusion chez l'enfant.

*Une mère dans la trentaine a un fils de douze ans. Elle a vécu plusieurs années seule avec lui mais maintenant elle partage la garde avec le père. Un jour, elle reçoit une invitation pour assister à une cérémonie dans sa famille. Comme elle n'a pas de partenaire amoureux, elle décide d'y emmener son fils. Pendant toute la semaine qui précède la célébration, elle s'affaire à lui acheter sa première cravate, son premier complet et peu à peu le jeune homme se transforme sous ses yeux de mère éblouie en un jeune prince séduisant. Le jour de l'événement, ils passent la soirée en tête à tête, la mère ayant décidé de ne danser qu'avec son fils.*

*Le lendemain matin, le petit prince doit faire ses valises parce que son père vient le chercher. Sa mère lui répète à quelques reprises qu'il doit se dépêcher, mais il ne bouge pas. Il regarde les dessins animés à la télévision. Finalement, exaspérée, celle-ci se fâche et*

documentaire télévisuel animé par Claire Lamarche, produit et diffusé par le Réseau TVA le 28 février 1994.

*ferme le téléviseur. Le fils se lève, la prend par les bras et la regarde avec des yeux meurtriers en lui disant : « Je vais te faire saigner ! » La mère se met à pleurer et se réfugie dans sa chambre.*

Que s'est-il donc passé ? Une chose très simple : après avoir été élevé au rang de partenaire amoureux, le fils ne veut tout simplement plus retourner à la place d'enfant. À douze ans, il ne comprend pas pourquoi on danse avec lui un soir comme s'il était un homme et que le lendemain on lui interdit de regarder la télévision. Ce ne fut qu'un épisode passager mais il illustre bien combien la question des limites est importante et qu'il faut la respecter.

Les fils qui ont joui de trop de sollicitude de la part de leur mère ont beaucoup de difficultés à accepter par la suite les épreuves de la vie lorsque leur mère n'y est plus. Leur refus des limites s'exprime alors souvent par la consommation d'alcool ou de drogues qui deviennent de véritables mères de remplacement. Cela donne souvent des fils dépressifs et peu combatifs, qui ont de la difficulté à faire l'apprentissage des frustrations. Le pire vient du fait que la mère, se sentant coupable, a tendance à en rajouter et à prendre un fils, même plus vieux, en charge une nouvelle fois. Elle croit qu'elle n'en a pas assez fait alors qu'elle en a tout simplement trop fait.

Il faut encourager de tels parents à pratiquer ce que les alcooliques anonymes appellent le *tough love*, c'est-à-dire une forme de relation qui suspend la sollicitude exagérée envers le fils pour le laisser affronter lui-même les épreuves de la vie, quitte à ce qu'il décide de sombrer dans son impuissance. Bien entendu, il n'est pas facile de faire comprendre à des parents qu'il s'agit là de la meilleure façon d'aimer un enfant surtout s'il se retrouve souffrant, démuni et rejeté. Pourtant si on ne réagit pas, on risque de devenir soi-même victime d'un être qui a décidé de se détruire.

Les mères sont particulièrement vulnérables sur ce

chapitre. Lorsque l'amour et la fusion ont été forts, certaines n'arrivent tout simplement pas à se distancer suffisamment d'un fils pour lui laisser vivre son mauvais sort. Elles tentent de s'interposer et y perdent leur propre sérénité. Une femme de soixante-dix ans est venue dire dans un de mes ateliers sur la relation mère-fils combien elle souffrait de voir son fils de cinquante ans se noyer dans l'alcool. Malgré sa frustration, elle n'arrivait pas à faire la coupure. Son fils buvait mais elle-même s'intoxiquait de la pire façon en consommant chaque jour ce roman noir.

La tragédie que vit cette mère est loin d'être hors du commun. Elle est plutôt monnaie courante. J'aimerais dire à toutes les femmes qui partagent un tel sort que le temps des responsabilités est terminé depuis fort longtemps. En fait, à partir du moment où un jeune s'avance dans l'adolescence, ses parents n'ont plus à répondre de lui. Il doit maintenant se prendre en main, peu importe ce que fut son enfance. Les mères voudraient vivre à la place de leurs fils pour leur éviter les vicissitudes du destin. Mais on ne peut pas vivre un drame à la place de quelqu'un d'autre. Le fils doit choisir par lui-même ce qu'il veut faire de sa vie.

Pour éviter qu'il n'y ait deux victimes, la meilleure prévention consiste à se rappeler la femme en soi, à se souvenir de la responsabilité individuelle que chacun de nous a envers son existence. Il faut retrouver ses goûts et ses envies et se livrer à des activités qui chassent ces mauvais fantômes de l'esprit. Il faut acquérir le sens de sa destinée individuelle et se rendre compte que l'on est avant tout responsable de ce qui se passe en soi. Il faut utiliser une telle épreuve pour apprendre à maîtriser ses états intérieurs et ses pensées obsédantes. Ces drames qui font vieillir prématurément beaucoup de nos mères sont peut-être là pour leur rappeler que leur première tâche est de laisser aller la Mère pour retrouver leur cœur de femme.

# 6

## LES COÛTS DE L'INCESTE AFFECTIF

### *La dot et la dette*

### Les besoins essentiels

Nous venons de voir que la frustration affective chez la jeune femme devenue mère peut entraîner un mariage symbolique avec le fils. Même si rien ne se passe sur le plan strictement sexuel, cette fusion amoureuse peut facilement prendre une teinte incestueuse sur le plan affectif. Certaines barrières, en tombant, mettent en péril la fragile construction psychique de l'enfant, qui se trouve être utilisé pour satisfaire les besoins affectifs de sa maman. Le maintien de la fusion mère-enfant au-delà des premières années aura des conséquences importantes sur la vie de l'enfant, surtout en ce qui a trait à ses relations amoureuses, mais elle suppose aussi des sacrifices importants pour la femme devenue mère.

Afin de mieux saisir toute la portée du drame qui se déroule en profondeur dans les relations mère-fils, j'ai cherché pendant un certain temps un outil de réflexion approprié. J'en ai trouvé un chez le psychanalyste J. D. Lichtenberg, qui se passionne depuis plus de quarante ans pour l'observation des nourrissons et dont les travaux ont porté, entre autres, sur les besoins fondamentaux des nouveau-nés, besoins qui se manifestent dès la naissance, qui sont innés et pour ainsi dire préprogrammés[1]. On y trouve donc une sorte de nomenclature des besoins humains essentiels auxquels chacun de nous doit répondre pour maintenir un certain niveau de bien-être. En évaluant lesquels de ces besoins fondamentaux sont inhibés ou carrément refoulés dans les rapports mère-fils, on peut se faire une opinion assez juste du prix qu'il y a à payer de part et d'autre pour la fusion incestueuse.

Lichtenberg a classé ces besoins en cinq catégories distinctes :

1. *Les besoins physiologiques.* Si l'enfant a faim, s'il a soif, s'il a chaud ou froid, il l'exprime spontanément par des pleurs ou des cris. Personne n'a besoin de lui apprendre ces comportements.

2. *Les besoins affectifs et les besoins d'appartenance.* L'enfant a besoin d'appartenir à un milieu, à une communauté qui lui procure affection et réconfort. Il a besoin d'être touché et cajolé. Il a besoin de chaleur humaine tout autant que de chaleur physique.

3. *Les besoins d'autonomie et d'affirmation.* Ici encore, nul besoin de montrer à un enfant comment crier pour montrer qu'il désire quelque chose ou comment s'échapper aussitôt qu'il le peut pour explorer son environnement physique. Ce besoin est inné chez le tout-petit et nous le ressentons notre vie durant.

4. *Le besoin de dire non,* soit la capacité d'exprimer son désaccord ou son déplaisir. Le chercheur a remarqué par exemple que les nourrissons détournaient spontanément la tête du sein quand ils n'avaient plus faim ou lorsqu'ils ne voulaient pas manger. La notion de refus est donc présente en nous dès le plus jeune âge et cela fait partie de nos besoins fondamentaux d'expression.

5. *Les besoins sexuels et sensuels.* Il suffit d'observer un bébé quelques minutes pour voir à quel point il

1. J.D. Lichtenberg, *Psychoanalysis and Infant Research*, Hillsdale, N.J., Analytic Press, 1983.

peut vibrer au niveau de la sensualité. Quand il a bien mangé et qu'il se sent suffisamment plein, il l'exprime avec des cris de joie. Il ressent également avec beaucoup de plaisir ou de déplaisir ce qui se passe en lui, dans son intestin par exemple, et très tôt ses besoins sexuels vont se manifester spontanément. Les plaisirs du corps nous fascinent dès le début de notre vie. Leur répression dans notre culture n'en sera que plus féroce.

De ces cinq besoins fondamentaux, nous retiendrons les besoins sexuels et sensuels, le besoin d'autonomie et le besoin d'exprimer un refus. Je tiens surtout à faire comprendre que les besoins fondamentaux que la mère sacrifie pour élever ses enfants, bien souvent parce qu'elle n'a pas le choix, ce sont souvent ses enfants qui finissent par en faire les frais. Le don de soi aveugle a donc une limite tracée par l'inconscient. Car ce que la femme apporte en dot dans ce mariage mère-fils, ce qu'elle sacrifie ou s'interdit à elle-même, le fils en porte la dette, et il devra lui aussi en faire le sacrifice.

## J'ai tout fait pour lui faire plaisir...
## J'étouffais pour lui faire plaisir [1] !

Commençons par les besoins d'autonomie et d'affirmation. Un homme de cinquante ans nous dit :

> Quand j'étais jeune, j'ai tout fait pour ne pas faire de peine à ma mère. J'ai voulu être le meilleur pour lui faire plaisir. Je lui faisais toutes ses commissions. J'avais de bonnes notes à l'école. Ma crise d'adolescence, je ne l'ai pas faite à la maison, je l'ai faite

1. J'ai recueilli ce jeu de mots de la bouche d'un participant dans un séminaire. Le psychosociologue Jacques Salomé l'utilise régulièrement dans ses communications lui aussi ; qui sait si cela ne venait pas de lui !

*après. Pendant vingt ans j'ai bu et je suis sorti avec les femmes. Marié et divorcé deux fois, j'ai laissé quatre enfants derrière moi. À cinquante ans, je me réveille. Mon adolescence vient de se terminer !*

Si nous rencontrions la mère de cet homme, il y a de bonnes chances qu'elle ne confirmerait pas ce récit. Elle nous dirait de sa voix vieillie : « Je ne comprends pas ce qu'il vous dit. Je lui ai donné toute la place, je n'ai jamais pris la mienne ! » Chacun essaie de dire à sa façon qu'il a tout fait, qu'il étouffait pour faire plaisir à l'autre et lui laisser le champ libre. Chacun a sacrifié ses propres besoins d'autonomie et d'affirmation pour ne pas déplaire à l'autre.

Comme on l'a vu plus tôt, les pôles autour desquels gravite l'identité personnelle sont les besoins d'union d'une part et les besoins d'affirmation d'autre part ; autrement dit, le besoin de se rapprocher pour être aimé et celui de s'éloigner pour prendre conscience de soi. L'individualité prend forme grâce à la tension qui existe entre ces pôles à la fois opposés et complémentaires. Choisir l'un au détriment de l'autre, c'est-à-dire anéantir son individualité dans une relation ou s'enfermer dans un individualisme forcené qui fait fi des autres, conduit à toutes sortes de complications psychologiques. Nous avons besoin d'autrui pour exister et le groupe nécessite l'apport de notre individualité pour demeurer vivant.

Cela s'applique particulièrement bien à la relation entre une mère et son fils. L'enfant a absolument besoin de sa mère pour se construire mais il doit pouvoir émerger de sa position d'enfant pour devenir un homme ; de la même façon, une femme doit consentir à certains sacrifices sur le plan individuel pour devenir mère, mais elle doit pouvoir émerger de son rôle maternel pour redevenir une femme et poursuivre son développement personnel.

Malheureusement, l'expression des besoins d'autonomie est souvent mal ressentie par l'entourage familial et social. La plupart des gens préféreraient ne pas avoir de tels besoins, car leur expression exige une certaine dose d'agressivité. La terrible peur de blesser l'autre s'en mêle aussitôt, ce qui engendre la plupart du temps beaucoup de culpabilité. La stratégie préférée de beaucoup de mères et de fils aboutit donc à abandonner tout le territoire à l'autre pour éviter les affrontements.

Mais, en se comportant de la sorte, on escamote le sens véritable de la rencontre mère-fils, car pour qu'il y ait rencontre entre deux personnes il doit y avoir conflit et résolution de conflit. Les conflits surgissent pour stimuler la vie. À partir du moment où, afin d'acheter la paix avec les autres, on refoule systématiquement tous les besoins intérieurs qui risquent d'occasionner des frictions, on entre de plain-pied dans le règne de l'indifférence et du déni. Il y a un éléphant dans le salon mais personne ne veut le voir.

Pour la femme qui s'est totalement identifiée à son rôle maternel, cette répression des besoins d'affirmation personnelle va entraîner la conséquence suivante : le besoin d'autonomie des fils et des filles deviendra automatiquement menaçant. Même si, consciemment, elle voudrait bien les laisser vivre leur vie, la mère ne saura permettre à ses enfants de se séparer parce que cela signifierait pour elle une perte d'identité trop importante. Ayant perdu le sens de sa propre existence en tant que femme, elle aurait l'impression de n'être plus rien si elle n'était plus une mère à temps plein.

Je sais que la fonction maternelle exige des mères qu'elles mettent en veilleuse leurs besoins d'indépendance pendant un certain nombre d'années, au moins jusqu'à l'adolescence des enfants, mais mettre en veilleuse ne signifie pas *renoncer* à toute expression d'autonomie et se priver de tout ce qui constitue un plaisir personnel. Il faut demeurer en contact avec la personne que l'on est indépendamment des enfants. Il faut avoir le courage de la prendre au sérieux. Il faut se demander ce que l'on ferait si l'on était seule, sans enfant à charge, et tenter de trouver des compromis satisfaisants. Cet exercice n'est pas facile mais il permet d'éviter le triste sort des mères qui se sont trop longtemps oubliées. D'autant plus que si on a coupé les ailes de son expression individuelle, on a de fortes chances de briser celles de ceux qui dépendent de nous.

En analyse, j'ai remarqué que les patients parlaient toujours avec émotion et sympathie d'une mère qui trouvait le temps de peindre ou d'écrire tout en s'acquittant de ses tâches ménagères. Les torts viennent de l'excès, lorsque par exemple on oublie le bien-être de ses enfants dans la poursuite d'une passion personnelle.

## Ce que les fils infligent aux mères

Le fils entraîné à négliger ses propres besoins d'indépendance à cause de l'insécurité de sa mère demeure tout aussi attaché à la fusion émotive que cette dernière peut l'être. Le désir d'autonomie de sa maman peut devenir aussi menaçant pour lui que ses désirs à lui le sont pour elle. Une mère monoparentale qui vit avec trois enfants dans la vingtaine, dont un est revenu à la maison après l'échec de son premier mariage, me soufflait au cours d'une soirée : « Vous savez, les enfants, ça s'incruste ! » Plusieurs mères racontent à ce sujet des histoires d'adolescents qui s'accrochent, qui refusent qu'elles aient un nouveau partenaire simplement parce que cela vient bloquer leur accès direct au biberon maternel. Ils font tout pour se montrer déplaisants à l'égard du nouveau venu. Ils ne veulent pas laisser aller leur maman de peur de perdre leur place privilégiée auprès d'elle. Ils réagissent en fait comme de petits propriétaires terriens qui vont perdre un esclave.

Notre psychologie parle beaucoup des traumatismes infligés aux enfants par les parents, en particulier par les mères, mais on parle peu des traumatismes infligés aux parents par les enfants. Les mères se retrouvent elles aussi dévorées par des fils jaloux et possessifs. Ainsi, l'une d'elles me racontait qu'au moment où un nouvel homme est entré dans sa vie, son fils est devenu tout à coup très difficile. Il vérifiait ses heures de sortie et lui demandait au petit déjeuner à quelle heure elle était rentrée la veille. Tyrannique, il calculait même les calories dans son assiette et lui disait qu'elle mangeait trop !

Avec humour, une femme qui vient de se remarier après avoir vécu de nombreuses années seule avec son garçon me racontait que son adolescent se mesure sans cesse à son nouveau conjoint. Chaque soir, à la table de ping-pong, le fils énonce l'enjeu qui est à chaque fois le même : « Celui qui perd sort de la maison ! » Le complexe d'Œdipe est en train de trouver sa résolution dix ans plus tard que prévu. Cela aura pour effet de libérer le fils comme la mère car le rôle du père est précisément celui-là : aider l'un et l'autre à ne pas tomber dans une relation qui nie leurs besoins d'évolution respectifs. En permettant la formation du triangle familial, sa présence bloque l'accès automatique du fils à sa mère et permet à cette dernière de demeurer femme dans le regard d'un homme au lieu d'être uniquement mère dans celui d'un enfant.

## Je te haime !

« Je te haime, m'entends-tu ? Je te haime ! » Un adolescent exprimait ainsi sa colère contre une mère dont il réprouvait la domination. « Je te haime ! », cri du cœur, cri de haine-amour contenant toute l'ambivalence qui ne peut pas se dire entre une mère et son fils. Car dans le rapport mère-fils, on a parfois l'impression que ni l'un ni l'autre n'a le droit d'éprouver de l'antipathie. Aimer son fils tout comme aimer sa mère est un sentiment obligé. Comme si cela allait de soi. Comme s'il n'était pas naturel à certains moments d'avoir envie de prendre congé.

Au Québec, à la fin des années 50, une chanson intitulée « Ne fais jamais pleurer ta mère » était sur toutes les lèvres. « Ne fais jamais pleurer ta mère, aime-la toujours », disait la chanson. Pleines de bonnes intentions, ces paroles équivalent pourtant pour l'enfant à une interdiction d'exprimer son désamour ou son désaccord avec sa mère, de lui dire « non », ne serait-ce que pour la tenir à l'écart de sa propre vie. Paradoxalement, cela aura pour conséquence de lui ôter aussi l'envie de dire « je t'aime » ; l'amour et la haine étant, si vous me passez l'expression, comme l'eau froide et l'eau chaude qui sortent d'un même robinet. En bloquant l'expression ou l'exploration d'un pôle, on bloque aussi l'accès à l'autre pôle. Les hommes traînent longtemps cette sorte de rigidité émotionnelle dont ils ne connaissent pas l'origine. Plus tard, en couple, ils ne sauront souvent ni dire je t'aime ni parler clairement de ce qui ne va pas avec leur partenaire.

La plupart des hommes, parce qu'ils sont trop conscients de l'énorme sacrifice qu'elle a dû faire pour eux, ont énormément de difficulté à dire à leur mère pourquoi ils se détournent d'elle. Ce don d'elle-même a fait taire toute possibilité de contestation. À la simple idée d'amorcer une explication avec elle, ils ont l'impression d'être des fils indignes. « Cela ne se fait pas ! Un fils n'a pas le droit de dire de telles choses à celle qui lui a donné la vie ! » sont les mots qui enferment le débat dans la culpabilité. Du même coup, on perd la possibilité d'une relation véritable ainsi que la précieuse opportunité de pouvoir exprimer vraiment tout l'amour et l'appréciation qu'on ressent.

Dans les familles modernes qui fonctionnent bien, il n'en va plus exactement de même. Comme les femmes sont moins identifiées à la fonction maternelle, leurs enfants ont plus de facilité à discuter avec elles et à exprimer leur désaccord. La plupart du temps, les règles se négocient depuis que les enfants sont en bas âge. Ces nouvelles attitudes ont l'avantage de léguer aux fils une moins grande dette envers les mères tout en faisant échec à la culpabilité et à l'ambivalence.

Bien entendu, « Ne fais jamais pleurer ta mère » avait sa contrepartie, qui n'a pas, celle-là, été mise en chanson : « Ne fais jamais pleurer ton fils ! » Dans les ateliers que j'ai donnés pour les mères, j'ai été surpris d'apprendre que la majorité d'entre elles sentent qu'elles n'ont pas le droit d'exprimer autre chose que la *bonne mère*. Par peur d'être montrées du doigt, elles n'osent pas parler de la *mauvaise mère*, celle qui en a assez, celle qui se trompe, celle qui frappe, celle qui est dépressive. Pourtant, elles la connaissent toutes. Mais celle-là, la méchante, la sorcière, il ne faut pas en parler. Elles ne se sentent pas le droit à ce ras-le-bol pourtant bien légitime. Elles craignent de s'éloigner de la famille pour prendre une pause. Elles *doivent* aimer être mères. Elles devraient toujours être disponibles et de bonne humeur. Elles se traitent comme des superfemmes et jugent sévèrement leurs propres faiblesses.

Dans un tel contexte, comment va s'exprimer l'agressivité qu'il faut garder à l'intérieur pour ne pas faire trop de vagues ? Eh bien, elle va fleurir sous forme de maladies, d'accidents, de blessures, de tics nerveux et d'épisodes dépressifs qui viennent dire les besoins d'indépendance négligés. La maladie ou l'accident ont le grand avantage, discutable il est vrai, de nous permettre de prendre une pause sans risquer de perdre l'estime des autres, ce qui ne serait peut-être pas le cas si nous osions affirmer notre besoin de vacances alors qu'on est pétant de santé. À cet égard, il est toujours intéressant d'étudier dans quel contexte survient une maladie, un accident ou une blessure d'enfant ou de parent. De tels événements sont rarement anodins et, si l'on se donne la peine de creuser un peu sous la surface, on découvre qu'ils sont la plupart du temps conditionnés par des humeurs et des désirs refoulés.

En cours d'analyse, un homme me raconta comment sa mère s'était un jour atrocement coupée avec un ciseau à volaille. Par l'imagination, je lui demandai de se mettre dans la peau de sa mère au moment de l'accident. L'exercice eut tôt fait de le convaincre qu'il avait affaire à une femme enragée, épuisée et submergée par sa tâche familiale. L'accident était son seul moyen de dire : « J'en ai assez ! »

Du côté des adolescents, bien souvent les confrontations qui n'ont pas leur place à la maison sont transférées au-dehors. Elles ont lieu avec les autorités scolaires ou avec la police à l'occasion de divers délits et actes mineurs de délinquance. En fait, la règle est simple : plus une famille est intolérante à la dissension et fermée sur elle-même, plus grands sont les risques de pertes de contrôle. Ce qui était refoulé trouve un exutoire dans les maladies, les accidents, les blessures et les mauvais coups. Le mauvais sang qui s'accumule avec les années cherche un moyen de s'exprimer. Chacune de ces crises crée une opportunité de prendre conscience de ce qui ne va pas.

## Sainte maman, vierge et martyre

La sexualité est le troisième domaine dans lequel les besoins fondamentaux de la mère et du fils sont frustrés. Comme je l'ai dit plus haut, le parent de sexe opposé sert à confirmer la différence sexuelle de l'enfant. Pour beaucoup de fils, cependant, cette différence sexuelle, loin d'être confirmée par la mère, est tout simplement passée sous silence. Pis, elle est parfois dénigrée ouvertement. Au lieu d'en faire une source de fierté et de plaisir, les fils finissent par considérer leur sexualité comme une chose honteuse et sale. Tout comme les filles aimeraient entendre de leur père : « Tu es belle, ma fille, mais tu appartiendras à un autre homme ! », les garçons ont besoin de savoir qu'une femme peut les trouver désirables.

Or bien des mères, déçues de la relation intime avec leur conjoint, ne sont pas loin de haïr le sexe. Cela a pour principale conséquence que les fils développent une sexualité « saine » pour la mère et une autre plus dévergondée qu'ils vivent à travers leur goût pour la pornographie, les *peep shows*, les bars de danseuses nues, etc. Comme leur sexualité n'est pas éduquée dans le cadre familial, elle reste à l'état brut. Tout cela sent la castration et manifeste la difficulté qu'ils éprouvent à assumer complètement leur sexualité. Un homme tourmenté par une mère qui à trente-cinq ans le traitait encore comme un petit garçon m'a confié qu'il s'était présenté chez elle un soir, s'était déshabillé dans la cuisine et, nu comme un ver, lui avait lancé : « Regarde, maman, je suis un homme ! »

Le psychiatre et éthologue Boris Cyrulnik explique de telles explosions d'affect de la façon suivante. Selon lui, le développement affectif des enfants diffère passablement selon qu'on naît fille ou garçon. Le trajet des filles est plus harmonieux parce que en bas âge elles ne sont pas confrontées au désir sexuel, la mère étant du même sexe qu'elles. Les garçons aiment leur maman de tout leur cœur mais, à partir d'un certain âge, ils inhibent leurs réactions sexuelles envers elle. D'où la naissance d'une angoisse par rapport à la spontanéité de leur organe sexuel. Parce qu'ils doivent empêcher un certain sentiment d'émerger, ils sont contraints très tôt dans la vie à l'inhibition et au blocage. C'est précisément ce qui explique les dangers d'explosion. Car plus une force vivante est réprimée, plus elle risque d'éclater de façon soudaine et violente [1].

À cet égard, une psychologue persane m'a confié que la force explosive de la révolution islamique en Iran était entièrement portée par la répression sexuelle. La même loi psychologique s'applique dans une famille : plus on se montre intolérant par rapport à la sexualité, plus les garçons apprennent à fonctionner sur le mode de l'inhibition et de l'explosion ; c'est-à-dire qu'ils seront tour à tour complètement bloqués

1. Boris Cyrulnik, *Les Nourritures affectives*, Paris, Odile Jacob, 1993. Il tenait ces propos en entrevue avec Robert Blondin, animateur et producteur de l'émission radiophonique « L'aventure », diffusée les 2, 3 et 4 mai 1994, à Radio-Canada.

et complètement déchaînés, deux comportements sexuels que les femmes réprouvent. Ces faits parlent en faveur d'une plus grande tolérance et d'une plus grande place pour l'éducation sexuelle à l'intérieur des familles.

## Du petit garçon à l'homme : l'arrivée du sperme

Dans mon livre *Père manquant, fils manqué*, j'ai dit qu'avec l'arrivée des menstruations la nature soulignait le passage de la petite fille à la femme, et qu'il n'y avait pas d'équivalent chez les garçons. Ma conception a évolué depuis car il existe un signe naturel pour les garçons également : l'arrivée du sperme ! Mon oubli m'apparaît significatif dans la mesure où cette contrepartie mâle des menstruations est complètement occultée dans notre société. Sans doute parce que l'éjaculation est une chose plaisante alors que les menstruations sont douloureuses. Voilà peut-être pourquoi une armée de jugements négatifs se sont abattus sur cet événement trop agréable sans doute afin de rendre plus pénible en esprit ce qui ne l'était pas suffisamment dans la chair...

Lorsque j'étais jeune, on appelait *pollution nocturne* les émissions involontaires de sperme pendant le sommeil. Pollution ! Aussi bien dire saleté, rebuts, déchets toxiques ! C'est pour le jeune homme une bien mauvaise façon d'entreprendre l'aventure de la sexualité. Pourtant, dans les initiations tribales, le sperme joue un rôle extrêmement important. La plupart du temps, les garçons sont invités à boire celui d'un aîné de la tribu dans le but de s'assimiler sa force vitale. Aussi récemment que dans la Grèce antique, berceau de notre civilisation, Élisabeth Badinter nous parle de l'existence de ce qu'elle appelle une *homosexualité pédagogique*, de jeunes éphèbes étant appelés à pratiquer la fellation sur des hommes plus vieux, encore une fois afin d'incorporer leur virilité [1].

1. Élisabeth Badinter, *op. cit.*, p. 128.

Avec l'avènement du christianisme, le sperme a commencé sa vie moribonde. Particulièrement en tant que produit de la masturbation, l'obsession naguère favorite de nos curés. La masturbation est devenue le péché mortel par excellence, sans doute parce qu'elle offre un soulagement immédiat alors que la morale religieuse de la transcendance est une morale de l'effort et de la retenue. Le grand saint Thomas d'Aquin, duquel vient cette condamnation sans appel du plaisir solitaire, proclamait que le gaspillage du précieux liquide séminal équivalait à un assassinat puisque le sperme, étant le germe de l'être humain, contenait l'homme complet [1].

De toute façon, il n'y a pas que dans le christianisme que l'on trouve une condamnation de la sexualité solitaire. La plupart des religions y voient une perte d'énergie vitale. Même la psychologie s'en est mêlée en professant que des pratiques masturbatoires s'étirant au-delà de l'adolescence étaient une marque d'infantilisme. Ce qui a pour conséquence qu'aujourd'hui encore la masturbation est un sujet tabou qui rend perplexe plus d'un parent. Bref, on ne sait trop ce qu'il faut en dire ou en penser mis à part la condamner ou la passer sous silence.

Dans les familles ouvertes, on commence à souligner de plus en plus fréquemment l'arrivée des menstruations chez la fille à l'aide de petits rituels ; quelques proches de la jeune pubère, telles que la marraine, une tante ou une amie, sont invitées à lire des poèmes et à offrir cadeaux et fleurs. Pourquoi ne fêterait-on pas de la même façon l'arrivée du sperme chez le garçon, puisqu'il s'agit là aussi du passage de l'enfance au monde de la sexualité adulte ?

---

1. Saint Thomas d'Aquin, *Somme théologique*, tome III, question 154, art. 11, nouvelle traduction française, Paris, Éd. du Cerf, 1985, p. 882. Je tiens à remercier le père Benoît Lacroix, dominicain, qui m'a fourni cette référence.

*Un père m'a raconté que son fils, jaloux du gâteau qu'on avait fait pour sa petite sœur qui venait d'avoir ses premières règles, s'enquit du moment où il aurait droit à un dessert spécial lui aussi. Pris au dépourvu, le père lui dit que lorsqu'il commencerait à éjaculer, lui aussi aurait droit à sa pâtisserie favorite. Un matin, le petit garçon sortit de sa chambre en souriant, tout fier de lui, et dit à son père : « Le gâteau, c'est pour ce soir ! » Ce qui fut dit fut fait.*

Combien d'hommes ont eu la chance de voir leur sexualité ainsi célébrée durant l'enfance ? Je crois qu'en passant sous silence l'arrivée du sperme chez le garçon on rate une belle occasion de le responsabiliser par rapport à sa sexualité. Car l'arrivée de sa sexualité adulte annonce des plaisirs et des libertés qui ne viennent pas sans responsabilités. En occultant cet événement, on passe à côté d'un tournant capital, et une partie de la sexualité masculine continue de croître dans la honte, dans la culpabilité et dans l'irresponsabilité. Quand on sait que beaucoup d'adolescents refusent encore le préservatif malgré le danger du sida, on se dit qu'il y a encore beaucoup à faire pour la sexualité. En osant parler plus ouvertement des choses du sexe, on rendrait les adolescents plus conscients des véritables enjeux liés à ce grand plaisir de la vie.

La première chose à faire, c'est de célébrer la sexualité comme la chose forte et belle qu'elle est en réalité. Ce qui arrive trop peu souvent. Nous n'avons pas idée à quel point notre être tout entier est sexuel. Chaque cellule de notre organisme est sexuelle et est elle-même née de la division de deux cellules sexuelles. La sexualité exprime la pulsion même de la vie. Il s'agit de sa manifestation la plus spirituelle car elle participe du même mystère dans lequel la vie trouve son origine et son fondement. Établir comme on l'a fait une stricte division entre spiritualité et sexualité, c'est poser sur la vie un regard limité qui n'arrive pas à embrasser le fait que nous sommes venus au monde avant tout pour créer et procréer.

## Les « maudits hommes »

Cette gêne par rapport à la sexualité du fils aura sa part de conséquences chez l'adulte. Lors d'une entrevue télévisée, un homme qui venait témoigner des tribulations de sa vie amoureuse avouait en voir la cause dans le fait qu'il avait tenté de ne pas être l'un de ces *maudits hommes* que son père était devenu aux yeux de sa mère. Il désirait tant jouer les bons garçons pour ses partenaires qu'il réprimait sa sexualité à l'intérieur du couple et se laissait entraîner dans toutes sortes d'aventures extraconjugales.

Il n'est pas facile pour un adolescent d'entendre sa mère se plaindre à voix haute de la sexualité des hommes, qui sont « tous des cochons ! ». Dans la pièce *Les Belles-Sœurs* du dramaturge Michel Tremblay, l'actrice principale lance un monologue qui résume bien la situation. Parlant de son mari, elle commence par dire : « Pis tous les soirs que le bonyeu emmène y se couche avant moé pis y m'attend ! Y'est toujours là, y'est toujours après moé, collé après moé comme une sangsue ! Maudit cul !... Qu'une femme soye obligée d'endurer un cochon toute sa vie parce qu'à l'a eu le malheur d'y dire "oui" une fois[1]... » On ne pourrait pas mieux décrire l'écœurement d'une femme brimée par l'Église, la société et un mari qui ne pense qu'à sa propre jouissance. Elle finit par haïr la sexualité et toutes ses manifestations car elle y voit le symbole de son esclavage domestique. Elle se refait une sorte de virginité symbolique en s'élevant au-dessus de *la chose*. Réflexe fort compréhensible mais qui marque un pas de plus dans l'abandon de la femme en elle. Ce faisant, elle consacre son rôle de martyre sans joie et

1. Michel Tremblay, *Les Belles-Sœurs*, Montréal, Lemeac, 1972, pp. 101-102.

sans plaisir et condamne la sexualité des fils à suivre les mêmes avenues sans issue.

Aujourd'hui, nous pouvons dire que les comportements sexuels ont été libérés. Mais le débat autour de ces comportements n'a pas encore eu lieu. Tant que la sexualité ne sera pas célébrée comme une force vive qu'on doit traiter avec égard, elle continuera d'être désordonnée et n'arrivera pas à trouver sa place dans notre échelle des valeurs. Elle continuera d'être une question obsédante et une force chaotique dans la vie de bien des gens. La sexualité est une divinité archétypale, elle a donc le pouvoir de s'emparer de notre corps et de notre esprit lorsque nous ne lui vouons pas un culte approprié. Si au lieu de la fêter nous la cachons dans les recoins sordides de la psyché, elle se pervertit et s'enlaidit.

À cet égard, les Grecs anciens ont encore beaucoup à nous enseigner. Eux n'auraient pas envoyé un obsédé sexuel dans le temple d'Apollon (le bureau du thérapeute) pour qu'il apprenne à se contrôler. Bien au contraire, ils l'auraient envoyé prier et faire l'amour chez les prostituées sacrées du temple d'Aphrodite, car les Grecs considéraient qu'une personne obsédée était victime de la vengeance d'une déesse négligée. J'imagine l'une de ces dames chuchoter tendrement à l'oreille d'un patient : « Alors, qu'est-ce qui ne va pas ? Est-ce que ce n'est pas agréable de faire l'amour ? Est-ce que ce n'est pas beau ? Allez, va et ne pèche plus ! N'oublie plus notre sainte patronne dans tes prières ! Fais l'amour et masturbe-toi en célébrant la déesse au lieu de craindre son jugement. » Tant que l'individu n'apprendra pas à la valoriser et à lui faire une place appropriée dans sa vie, il sera possédé par les visions de la séduisante Aphrodite qui demande qu'on célèbre sa beauté. Car on peut se masturber et faire l'amour tous les jours sans avoir de respect pour la sexualité, tout comme on peut y renoncer complètement tout en la respectant. On peut penser que l'explosion actuelle des images de corps sexualisés dans des publicités toutes plus suggestives les unes que les autres n'exprime pas seulement la recherche effrénée de plaisir d'un monde angoissé mais qu'elle intervient aussi en compensation de l'austère morale judéo-chrétienne qui n'accorde pas une valeur suffisante au corps. La déesse reprend ses droits, mais le problème demeure entier.

## Le triomphe de l'esprit de sérieux

Ce n'est pas seulement la sexualité qui a été réprimée dans nos familles, toute sensualité a été dévalorisée. Très souvent les mères ont eu à porter seules le principe de réalité et il leur revenait de faire régner la discipline et le sens des responsabilités tout en gérant le budget familial. Ainsi, peu à peu, l'esprit de sérieux finissait par l'emporter sur l'esprit de jeu, le plaisir corporel et la joie toute simple d'exister. Le triomphe de l'esprit de sérieux est la conséquence la plus grave de la répression des besoins dont nous venons de traiter.

Ironisant sur la sévérité de sa mère, j'ai même entendu un homme fredonner dans un groupe « La complainte du non » qu'il avait inventée et qu'il chantait avec ses sœurs quand ils étaient jeunes. Une façon créatrice pour des enfants d'échapper à la tyrannie d'une mère qui opposait un refus catégorique à toutes leurs fantaisies. N'empêche que cet homme dans la cinquantaine n'était pas encore arrivé à se débarrasser de ce non au plaisir qui avait hypothéqué toute sa vie. Tant d'êtres ont vécu comme lui dans des familles où l'on ne riait et ne s'amusait jamais. Les repas étaient tristes et ennuyeux. Ces mêmes êtres continuent à démontrer peu d'aptitudes pour le bonheur. Ils mènent des existences mornes ou tragiques parce qu'ils n'ont pas été préparés à la joie profonde.

# La culpabilité

## L'homme à la fourchette

*Samedi matin, 10 heures, j'anime un atelier intitulé « La relation à la mère ». Le groupe est réservé aux hommes et ceux-ci sont disposés en cercle. Chacun d'eux a apporté un objet qui symbolise le mieux à ses yeux la relation qu'il a vécue ou qu'il vit toujours avec sa mère. À peine ai-je invité les participants à présenter à tour de rôle leur objet que l'un d'eux se jette à genoux au centre du cercle et tente de planter une fourchette dans le sol en criant : « Je n'en veux plus, maman ! Je n'ai pas faim, maman ! Peux-tu comprendre ça, maman ? Je n'en veux plus ! »*

*Benoît a trente-cinq ans. Il gesticule et il pleure, exorcisant des années de frustration. Puis, apaisé, il nous donne quelques minutes plus tard l'exemple d'un dialogue caractéristique entre sa mère et lui lorsqu'il lui rend visite :*

*— Tu mangeras bien un petit quelque chose, mon grand ?*

*— Je viens tout juste de manger, maman, je n'ai pas faim, merci beaucoup.*

*— Allons donc, je t'ai préparé ton plat préféré. T'es sûr que tu ne veux pas manger un petit quelque chose ?*

*— Merci, maman, je t'assure que je n'ai pas faim !*

*— Un petit morceau de dessert alors !*

*— Non, maman !*

*— J'ai passé toute la matinée à cuisiner ça pour toi, il faut que tu y goûtes ! Tu ne peux pas me faire ça ! Allez, je t'en sers juste une petite portion.*

*Là-dessus, elle joint le geste à la parole et lui, rageur, finit par manger la nourriture de sa mère pour ne pas l'offusquer.*

Dans l'atelier où s'est produit cet épisode, ceux qui prirent la parole par la suite éprouvaient de plus en plus de difficultés à parler librement. À mesure que l'un et l'autre s'exprimaient, leurs mères respectives prenaient de plus en plus des traits idéalisés. Un épais nuage de culpabilité enveloppait progressivement le groupe. Un des participants qui dînait chez sa mère ce soir-là partit même plus tôt de peur qu'il ne lui soit arrivé un accident pendant qu'il parlait d'elle. Témoigner de la relation avec leur mère constituait pour ces hommes une trahison. Une pensée magique et concrète leur donnait l'impression qu'ils étaient en train de la tuer réellement alors qu'ils s'attaquaient en réalité au complexe maternel. Celui-ci possédait des aspects tellement archaïques que je me mis même à l'appeler le dragon maternel. Son arme principale était la culpabilité. C'est par elle qu'il maintenait son emprise sur le moi de chacun de ces hommes.

À mesure que le travail avançait, je ne faisais que constater combien ils étaient mal séparés de leur mère. Ils n'avaient pas droit à leur propre vie. Psychologiquement parlant, le cordon ombilical n'avait pas été tranché. La dette envers la femme qui s'était sacrifiée pour leur donner la vie restait si grande que trente, quarante, ou même cinquante ans plus tard, au moment d'effectuer une rupture symbolique avec la mère et de remettre le complexe maternel à sa place, leur être intérieur soupirait encore : « Pardonne-moi, maman, ce n'est pas ma faute ! »

Je voulus en savoir plus long et je me mis à explorer avec eux les dynamiques d'enfance que recouvrait cette culpabilité.

## L'ombre de la mère

La plupart des mythologies prêtent à la mère les attributs de dévouement et de générosité qui vont jusqu'au sacrifice de soi. Les diverses représentations de la *mater dolorosa* en font foi. Mais bizarrement la figure maternelle y possède toujours son contraire : si elle est donneuse de vie, elle est aussi porteuse de mort. Par exemple, en Inde, la déesse Kali préside aux naissances mais elle est également présente au moment des décès. On dit même qu'elle danse de joie dans le sang des morts. Chaque mère porte ce côté destructeur et mieux vaut qu'elle le reconnaisse si elle ne veut pas qu'il se retourne malgré elle contre ceux et celles qui lui sont chers. En fait, une mère risque de se transformer en sorcière quand elle ne consent pas à ce terrible pouvoir de donner la mort.

Les principales formes d'expression que peut prendre l'ombre maternelle lorsqu'elle n'est pas reconnue consciemment s'appellent le narcissisme, le perfectionnisme, la surprotection, la violence et la culpabilisation. La frustration des besoins essentiels dont nous venons de parler est principalement responsable du développement de ces dynamiques. Elles vont lier la mère et le fils dans un cercle vicieux de dépendance et de culpabilité qui empêcheront et l'homme et la femme d'émerger. Mais il va sans dire que les pères sont tout aussi narcissiques, perfectionnistes, violents et culpabilisateurs que les mères peuvent l'être. Et ils causent les mêmes torts aux enfants.

Les enfants intègrent les blessures psychologiques du père ou de la mère par le biais des complexes parentaux qui représentent les parents à l'intérieur du psychisme pour ainsi dire. Ces complexes assiègent le moi toutes les fois qu'il n'est pas aligné sur les injonctions parentales. Ainsi toutes ces blessures se transmettent d'une génération à l'autre. Les mères qui ont manqué de père arrivent en couple avec un complexe paternel négatif, leur créativité est brimée, elles sont déçues par leur partenaire, l'animus s'agite, elles s'attaquent à l'éducation d'un enfant pour en faire un petit dieu, deviennent exigeantes, le fils développe un complexe maternel négatif en réaction aux pressions de sa mère, a peur des femmes, néglige sa partenaire et ses filles, celles-ci développent des complexes paternels négatifs, épousent des hommes qui ont peur d'aimer, et ainsi de suite. Tout est lié dans une danse sans fin qui tisse le fil de la vie.

## La blessure narcissique

La première blessure qui se transmet des parents aux enfants à travers les blâmes et les reproches est sans contredit le manque d'estime de soi. La mère de l'exemple dont je viens de parler n'entend pas que son fils n'a pas faim, elle entend qu'il ne l'aime pas. Elle ne peut pas entendre qu'il n'en veut pas parce que son identité, mangée par l'archétype maternel, repose presque uniquement sur l'exercice de ses fonctions de mère. La blessure d'amour qu'elle porte se laisse entrevoir à travers son comportement. Son équilibre narcissique, c'est-à-dire la valeur qu'elle s'accorde en tant que personne, finit par dépendre du fait que son fils mange son dessert ou non.

La blessure d'amour qu'une mère a reçue de son propre père et qui est renforcée par le fait qu'elle vit dans une société patriarcale qui lui accorde peu de valeur influence son degré d'amour d'elle-même. « Réussir son enfant » devient alors l'entreprise où elle va tenter de se mettre en valeur et de rehausser son estime. Elle se retrouve ainsi en miroir avec son petit, à la merci de ses attitudes et de ses agissements pour son équilibre à elle.

Poussée par l'amour et par sa blessure inconsciente, elle devient très exigeante envers elle-même. Animée d'un fort désir de bien faire, elle se rend vite compte cependant qu'il est impossible d'être bonne sur tous les plans, elle privilégiera donc une fonction et s'y donnera pleinement. Son narcissisme fragile y établira sa demeure. Si elle est fière, par exemple, de ses dons culinaires, elle ne pourra pas tolérer que ses enfants critiquent sa cuisine. Si elle tient en haute estime la performance scolaire, elle refusera les échecs. Si elle aime la propreté par-dessus tout, gare à celui ou celle qui salit la maison. Tant que sa fonction de prédilection ne sera pas heurtée, elle conservera son équilibre psychologique.

Bien entendu, on ne peut pas reprocher à une mère d'exprimer son amour à travers les soins ; cette fonction a soutenu l'humanité depuis toujours et elle doit absolument être remplie. Cependant, lorsqu'une femme y investit sa personnalité entière, cela conduit à des retournements dont elle devient la première victime mais dont les enfants feront aussi les frais dans un deuxième temps. Tout ce qu'elle s'impose sera exigé d'eux en retour. Sa valeur propre finira par reposer sur le fait que les petits arrivent bien à l'école, parlent bien, ne se révoltent pas, ne prennent pas de drogues ou ne font pas de fugues. Elle préférera d'ailleurs nier leurs fautes, même devant l'évidence, plutôt que de consentir à une perte d'équilibre narcissique.

Invariablement, la blessure parentale risque d'engendrer le même problème chez l'enfant. Un être qui ne voit pas son existence naturelle confirmée comme étant bonne et agréable sans qu'il ait à accomplir mille singeries pour être accepté se retrouve avec un problème narcissique sur les bras : il ne s'aime pas et il aura de la difficulté à aimer. Il développera une fausse personnalité qui suivra les grandes lignes de ce qui plaît aux parents et délaissera les autres parties de lui-même. On l'accusera par la suite d'être égocentrique, centré sur lui-même, susceptible et incapable d'empathie. Cela est vrai dans la mesure où son véritable moi a manqué de renforcement positif. Ayant perdu le contact avec son identité profonde, il se trouve du même coup coupé de la vie et des racines de l'amour.

## Suicidaire à huit ans

L'exemple de l'homme à la fourchette est somme toute monnaie courante dans nos familles et n'a rien de bien effrayant. Rares sont les êtres qui possèdent une estime d'eux-mêmes à toute épreuve. Mais parfois la blessure narcissique de la mère est telle que, pour arriver à garder son estime à flot, elle exigera ni plus ni moins que la perfection de sa propre part et de celle des enfants. La mère perfectionniste réclame de ses enfants une haute performance en paiement de son sacrifice personnel car elle dépend exagérément de leur accomplissement pour conserver une bonne image d'elle-même. Elle ira même jusqu'à résister aux indications des professeurs et autres intervenants lui disant que quelque chose ne tourne pas rond chez un des siens parce qu'elle en éprouve une honte personnelle.

*Stéphane vient d'être hospitalisé dans un grand hôpital pour enfants. Il a huit ans. Il ne veut plus vivre. Il y a un mois, il a fait une crise dans le corridor de son école. Les larmes aux yeux et la voix pleine de colère, il piétinait son sac en criant qu'il voulait se suicider. Le directeur l'a reçu dans son bureau. Il a réalisé que cet enfant avait perdu toute joie d'exister. Pourtant Stéphane est un premier de classe, un enfant modèle. Il vient également d'une famille modèle. Ses parents donnent l'image d'un couple heureux. Ils semblent accorder l'attention souhaitée à leur petit garçon. Stéphane apprend facilement ses leçons et il a du talent pour une foule d'autres activités. Le soir après l'école, il s'entraîne à la gymnastique pour laquelle il connaît une véritable passion ; le samedi matin, il suit des cours de musique ; le samedi après-midi, il prend des cours de diction. Lorsqu'il n'est pas en train de faire ses devoirs, il répète son violon. Lorsqu'il ne répète pas son violon, il s'entraîne. La vie de Stéphane est réglée comme celle d'un athlète olympique.*
*Depuis quelques mois pourtant, il montre des signes d'essoufflement. À Noël, il a refusé de jouer du violon devant la famille. Sa mère y a vu un caprice d'enfant passager. Puis il s'est mis à négliger ses devoirs et à manquer ses cours de gymnastique. Ensuite il y a eu cette nuit où il s'est réveillé en sursaut victime d'un cauchemar intense. Il avait rêvé qu'il se cassait la jambe lors d'une compétition ; il réclamait sa mère à grands cris mais dans son rêve elle s'approchait de lui en le grondant pour sa piètre performance, insen-*

*sible à sa souffrance. Depuis, ce sont les tics, l'angoisse et le manque total d'enthousiasme. Ce à quoi la mère répond tour à tour par l'incrédulité, le chantage, les menaces de punition et les promesses de cadeaux. Rien n'y fait. Elle a du mal à se rendre à l'évidence que son fils si avantagé par le destin éprouve de graves difficultés psychologiques.*

Un enfant est naturellement ouvert, spontané, et serviable. Il trouve sa raison d'être dans le miroir que lui présentent les yeux de sa mère, en particulier les attitudes de son entourage en général. Il cherche à plaire parce qu'il est véritablement dépendant de ces reflets pour construire son estime de soi et acquérir un sens de sa valeur propre. Si la mère ne lui sourit pas, il en cherchera la cause en lui-même et se sentira mauvais enfant. Bien plus, il n'arrivera pas à se sourire à lui-même intérieurement. S'il vit dans un milieu traumatisé et déprimé, il le deviendra lui aussi parce qu'il s'identifie à l'humeur de ce milieu qui devient son milieu intérieur. Si les adultes pratiquent des jugements sévères à son égard, il sera très sévère envers lui-même. Face à des parents perfectionnistes, il donnera sa pleine mesure pour les satisfaire et deviendra perfectionniste à son tour. S'il échoue, il tombera malade.

Dans les hôpitaux, on retrouve de plus en plus d'enfants qui souffrent de dépression à un âge où l'on ne devrait être préoccupé que de jouer. On a placé trop d'exigences sur eux. Souvent ils possèdent un agenda aussi rempli qu'un adulte au milieu de sa vie. Mais quand les exigences sont trop lourdes, vient un temps où l'enfant a l'impression de ne pas suffire à la tâche et de mal faire. Alors il s'écroule. Le plus sainement du monde il répond à la pression par la dépression parce qu'il ne peut pas nommer ce qui se passe en lui. L'esprit de sérieux vient de faire une autre victime. D'autant plus que le petit a de bonnes chances d'être aussi perfectionniste que ses parents.

L'enfant naturellement joueur et inventif s'est

trouvé sacrifié sur l'autel du perfectionnisme. La plupart du temps, on lui a offert tous ces cours et activités dans le but de stimuler sa créativité mais paradoxalement on aboutit au contraire : l'épuisement de celle-ci. Car s'il est vrai que l'enfant a besoin de formation et qu'il aime canaliser son énergie vitale dans des activités difficiles, il ne faut pas oublier que l'esprit de jeu doit dominer. S'il s'agit à chaque fois d'exceller, la vitalité de l'enfant se brise.

La dépression et le suicide des enfants constituent des faits nouveaux dans notre culture. Ils nous crient combien notre société s'éloigne de la vie. Le philosophe et généticien Albert Jacquard parle ouvertement d'une génération sacrifiée sur l'autel de l'excellence lorsqu'il aborde le sujet des enfants des baby-boomers. Réalisant tout le potentiel d'un monde en pleine explosion, cette génération de parents avait un besoin intense du miroir de perfection que pouvait lui offrir sa progéniture. Leurs enfants se sont retrouvés au service de leur narcissisme de parents. Ils ont cherché à trouver chez leurs petits un reflet de leur propre toute-puissance, sans doute bafouée par les jugements sévères de leurs parents envers eux. Ils ont remplacé le sens de l'autorité de ces derniers par une demande d'accomplissement envers leurs enfants qui n'a rien à envier à la sévérité d'antan. Des générations complètes oublieuses, en somme, de l'art et du plaisir de vivre !

## Mère surprotectrice et fils dépendant

*Un sportif américain aux yeux bleus nous raconte, dans un atelier, qu'il a passé, étant petit, plusieurs années chez ses grands-parents, à la ferme. Un jour, en rentrant des champs, il éternue. Sa mère lui déclare alors que le foin et le poil de cheval ne sont pas bons pour lui. Il commence alors à développer de véritables allergies au monde fermier et ne peut plus se rendre chez ses grands-parents. Il se coupe de leur influence bénéfique pour demeurer près de sa mère.*

*Pour symboliser la relation qu'il a eue avec elle, il a choisi d'apporter à l'atelier du foin, de la paille et des poils de cheval dans un bocal en verre. Cet homme attachant et imaginatif est tout à fait à l'image de son petit cruchon. Il ressemble parfois à une nature déracinée, mise sous verre. Quand on est en plein air avec lui, on sent sa grande force et son immense plaisir. Mais cette force est restée timide. Devant nous, le cœur battant, il ouvre son bocal. Les senteurs qui y sont contenues embaument la pièce instantanément. À plusieurs reprises, il les respire à fond. Puis il dit : « Tu vois maman, je n'éternue plus. »*

La mère de ce sportif était une femme inquiète et surprotectrice. Si cet homme n'avait pas eu le courage de remettre depuis plusieurs années son complexe maternel en question, il serait vraisemblablement demeuré allergique, timide et effacé. La *surprotection* fait que l'ombre de la mère se retourne contre l'enfant, et entraîne la formation d'un complexe maternel négatif qui fera de lui un être dépendant. L'écueil pour la mère réside dans sa volonté d'éviter les difficultés de la vie à ses enfants, *toutes* les difficultés de la vie, ce qui est bien entendu illusoire. Ce bon vouloir peut aboutir à la surprotection qui empêche l'enfant de négocier avec les frustrations à partir de ses propres ressources.

L'enfant trouve dans le jeu la réponse normale à une situation de stress. Par exemple, si ses parents lui ont fermé leur porte pour quelque temps, il devra faire face à la colère, à l'angoisse et à la dépression que le fait de se retrouver seul ne manquera pas de provoquer en lui. Il construira alors ce que le pédiatre anglais Winnicott a appelé un *espace transitionnel*. Cet espace sert à l'enfant de coussin de protection entre lui et le monde, entre son moi et le sentiment d'abandon qui veut le submerger. L'enfant élabore son jeu dans cet espace. Il parlera à son nounours comme si c'était papa et à sa poupée comme si c'était maman, recréant leur présence en ayant recours à son imagination. Il fait ainsi échec au sentiment de rejet et au monde froid de l'abandon, mais surtout il répond *par lui-même* au manque.

Le jeu permet donc à l'enfant d'apprendre à gérer des situations intérieures difficiles et il y trouve le germe de son indépendance future. Il va sans dire cependant que, pour qu'un tel mécanisme fonctionne, il ne faut pas que les frustrations soient trop intenses ou dévastatrices car alors l'enfant ne peut les intégrer et sa créativité s'en trouve inhibée au lieu d'être stimulée.

Dans l'exemple que je viens tout juste d'utiliser, l'enfant passe d'un besoin de satisfaction littéral qui s'exprimerait par la présence concrète des parents à une satisfaction symbolique de son besoin : il parle à ses parents *comme s'ils* étaient là. Cette notion est essentielle car le psychisme se construit à partir de telles réalités. Pour notre psychisme, il n'y a pas de différences entre une sensation réelle et une sensation imaginée. Voilà pourquoi on peut se rendre malade tout aussi bien avec des soucis réels qu'avec des soucis imaginaires. Pour la même raison les visualisations créatrices de sa propre santé ont un effet réel sur les processus cellulaires et accélèrent la guérison. L'enfant qui n'a pas appris à passer de la satisfaction concrète à la satisfaction symbolique demeurera à la merci de ses impulsions et de ses besoins immédiats. Il ne saura pas en retarder la satisfaction et abusera de certaines substances pour répondre à l'urgence de ses pulsions. Il pourra même avoir recours à la violence pour se procurer de quoi se satisfaire.

Or la mère surprotectrice qui précède les demandes de ses enfants dans le but de leur épargner la souffrance les empêche de réaliser ce passage à la satisfaction symbolique de leurs besoins. Sans le savoir elle les maintient dans un état de dépendance qui pourra résulter plus tard en une incapacité de répondre par eux-mêmes à ce qui leur est nécessaire. Ces enfants deviendront passifs et devront apprendre sur le tard à développer leur sens de l'initiative. Dépendance, passivité et angoisse sont le lot de l'enfant surprotégé. Alors que curiosité, capacité de s'affirmer et combativité sont celui de l'enfant qui a joui d'une protection adéquate qui ne visait pas à lui éviter tous les coups ou toutes les épreuves.

Une psychorééducatrice qui travaille dans un centre de jour pour des enfants qui ont des problèmes de coordination motrice m'a raconté l'épisode suivant :

> Un jour une mère la contacte à propos de son fils qui à l'âge de quatre ans ne sait pas encore boutonner sa veste et attacher les lacets de ses souliers. Le centre accepte de le prendre sous observation. L'éducatrice se rend compte alors qu'il arrive très vite à maîtriser ces tâches. Non seulement y arrive-t-il sans peine mais il aide même les autres enfants.
> Ma collègue est stupéfaite. Elle donne rendez-vous à la mère pour savoir ce qui peut bien se passer dans le milieu familial pour faire que ce garçon n'y exerce pas son adresse naturelle. Avec lui, elle attend donc à la fermeture du centre que sa mère vienne le chercher. Lorsqu'elle arrive, il se précipite vers elle tout joyeux en enroulant son foulard autour de son cou et en boutonnant sa veste. La psychorééducatrice entend alors la mère s'exclamer : « Attends, attends, mon trésor, maman va faire ça pour toi ! » La mère craignait en somme de voir se développer chez son fils un problème moteur qu'elle-même encourageait par son comportement protecteur.

Une mère surprotectrice dessert ses enfants en voulant leur éviter les difficultés de la vie. Une mère trop craintive finit par empêcher ses enfants de se débrouiller face à des difficultés qu'ils sont capables de surmonter. Alors que la mère de notre exemple est prise dans l'étau de l'inquiétude, le fils tente de lui faire plaisir en inhibant son adresse. Il se range auprès d'elle comme un objet mort.

Cette surprotection maternelle l'empêche d'apprivoiser le monde. Un tel fils devient vite dépendant, passif et angoissé parce qu'on ne lui a pas permis de développer sa curiosité et son goût d'explorer. Ses besoins d'autonomie se trouvent entravés. Il ne développe pas ses moyens de réagir au monde et de se défendre au besoin. Il n'apprend pas non plus à dire et à aller chercher ce qui lui manque parce que le parent le précède toujours. Il n'est pas souhaitable que les enfants aient tout de cette façon. La frustration les oblige à créer et à inventer ce qu'ils désirent.

La véritable mère surprotectrice appartient à la famille des femmes performantes qui tentent de se prouver qu'elles sont de bonnes mères pour nier un sentiment d'hostilité, non pas vis-à-vis de l'enfant, mais vis-à-vis du fait d'avoir des enfants. Elle est souvent poussée dans cette attitude parce que, socialement parlant, une femme se doit d'aimer la maternité. Pourtant bien des femmes ne possèdent pas la fibre maternelle. Dans un atelier que je donnais aux États-Unis à trente-cinq mères, une jeune femme s'est effondrée en larmes parce qu'elle n'arrivait tout simplement pas à aimer son enfant. Elle ne s'était jamais permis de parler de ce sentiment ouvertement et cela la délivra du poids immense de se penser monstrueuse. Elle cachait ce qu'elle ressentait en affichant les allures d'une mère absolument irréprochable.

Le contrôle de l'enfant *pour son propre bien* trahit la rage refoulée et inconsciente de la maman. Sous le couvert de l'excellence, elle force son fils à une position d'enfant propre et sage qui risque de sombrer dans la dépendance et dans la dépression s'il n'a pas l'occasion de se révolter. Elle en fera un fils soumis qui toute sa vie demandera à son entourage la permission d'être lui-même et s'excusera pour tout ce qu'il ressent de peur que cela ne nuise aux autres ou les perturbe.

Un tel fils devenu adulte portera une partie morte en lui. Il portera sur ses épaules un enfant dont les espoirs ne se sont jamais réalisés et dont tous les rêves sont demeurés forces dormantes. Il risque de douter profondément de ses capacités réelles. La vie d'un tel homme va souvent s'abîmer dans un problème de dépendance affective vis-à-vis d'un ou d'une partenaire dont il reste l'enfant soumis. Il recherche une compagne dominatrice qui prendra en charge pour lui la vie quotidienne comme sa mère le faisait. Qu'il s'agisse d'ailleurs de dépendance affective ou d'accoutumance à l'alcool, à la drogue ou au sexe, la plupart du temps le profil d'un adulte performant mais passif par rapport à ses ambitions réelles se révèle.

La surprotection de la mère peut également cacher une dépendance profonde de celle-ci envers son enfant. Il devient le poupon chéri d'une femme qui combat ainsi sa peur de la solitude et ses angoisses, un poupon ligoté qu'elle mange tout cru pour combler son vide affectif et pour se protéger elle-même. Cet enfant représente tout pour cette femme parce qu'elle n'a pas suffisamment de vie personnelle.

Il n'est pas rare de voir à ce moment-là la surprotection maternelle aboutir à son contraire, à savoir que peu à peu l'enfant est mis en position de parent. Il est *parentifié* pour ainsi dire. Il devient alors le confident des insatisfactions matrimoniales et existentielles de sa maman. Mais l'enfant ne peut pas porter un tel poids et son enthousiasme de vivre s'en trouve presque à tout coup détruit. Les hommes et les femmes les plus désespérés que j'aie rencontrés dans ma vie de thérapeute étaient presque immanquablement des fils et des filles *parentifiés* par leur père ou par leur mère.

Dans quelques cas, j'ai pu constater qu'une telle situation constituait la genèse de la violence d'un homme envers sa compagne, ou encore la raison de son incapacité d'un contact profond avec une femme. Le monde de la mère a pour ainsi dire violé l'intégrité du monde de l'enfant et il en a gardé une haine profonde à l'égard des femmes. Au point de vue psychique, cette animosité souvent teintée de misogynie lui sert de barrière protectrice contre un univers féminin qui a trop menacé son autonomie. Elle trahit sa grande fragilité et son besoin d'ancrage dans une réalité masculine positive.

## La violence maternelle

Les désirs refoulés et les frustrations accumulées ont aussi la capacité de nous subjuguer et de nous soumettre à leur emprise si nous ne daignons pas les admettre dans notre panthéon psychique. Un affect submerge alors le moi et entraîne des passages à l'acte aveugles. La violence physique envers les enfants constitue un tel passage à l'acte.

> Une femme écrivain, américaine, en témoigne en racontant ce qui lui est arrivé lors d'un séjour de vacances. À la dernière minute, son mari est retenu à la ville pour travailler et elle se retrouve seule avec ses trois enfants, alors qu'elle avait espéré un temps de repos et d'isolement pour écrire. Elle se rend compte que de jour en jour son humeur s'aggrave. Ses gestes envers les enfants deviennent de plus en plus agressifs et impatients en réponse à leurs réclamations. Un soir, désespérée et n'en pouvant plus, elle décide de se laisser aller à la violence qui l'habite sous la forme d'une imagerie mentale. Le fantasme qui monte alors en elle la pétrifie d'horreur. Elle se voit en sorcière démoniaque frapper la tête de son aîné contre un mur et se réjouir du sang qui coule. À sa grande surprise, cette vision la calme profondément. La tension la quitte. Les jours suivants, elle réussit à mieux aménager ses limites pour se donner le temps d'écrire. Sa relation avec les enfants redevient créatrice et détendue [1].

1. Adrianne Rich, *Of Woman Born*, New York, W.W. Northern & Co, 1986, p. 278.

Cette mère a trouvé à travers sa visualisation une solution inventive à sa détresse. Si elle n'avait pas eu le courage de faire face à ses pulsions de violence, il est fort probable qu'elle aurait fini par brutaliser ses enfants, incarnant Kali la Destructrice dans toute sa splendeur. Or, dans notre société, le pouvoir de Kali-qui-donne-la-mort se trouve totalement occulté. Même si la plupart des mères en ont un vague pressentiment, elles ne consentent à cette ombre que dans la furie. Il s'agit alors de passages à l'acte qui se font dans un état d'ivresse et de possession par la force de destruction. La mère agit à travers une sorte de brouillard à demi conscient. Cette rage inavouable a le pouvoir de la maintenir sous son emprise tant que l'émotion n'est pas déchargée.

La mère frappe alors ses enfants mais n'en garde aucun souvenir. Cette perte de mémoire se compare très bien au *black out* des alcooliques pendant lequel ils perdent conscience durant quelques minutes ou plusieurs heures tout en continuant d'agir, ne se rappelant rien de ce qu'ils ont dit ou fait le lendemain. C'est plus pratique ainsi car l'ombre peut demeurer inconsciente ; plus pratique, mais d'autant plus pernicieux et ravageur.

Dans nos familles, la violence verbale, psychologique, et même physique n'est pas seulement le fait de conjoints mâles envers partenaires et enfants, c'est aussi celle de mères désemparées et prisonnières du silence. Au fond d'eux-mêmes, les enfants ont peur de cette sorcière, de cette femme en colère qui est faite de l'ombre niée. La mère n'admet pas cette rage parce qu'elle ne veut pas être montrée du doigt comme étant *une méchante*. Mais en adoptant cette attitude de négation de l'ombre, elle empire sa situation car la pulsion agressive se transforme dans l'inconscient en violence.

## Le pouvoir du serpent

Il n'est pas rare de rencontrer en thérapie des adultes qui parlent de la violence psychologique et même physique pratiquée par la mère à leur égard pendant l'enfance. Je ne parle pas d'une fessée à l'occasion, je parle de corrections physiques et de sévices administrés régulièrement. Ces enfants sont brisés dans leur spontanéité. Leurs relations sont marquées par l'ambivalence. Les liens de confiance qu'ils peuvent tisser avec les autres sont fragiles. Ils vivent des vies solitaires, retranchés à l'intérieur d'eux-mêmes. Ils peuvent être les garçons les plus gentils du monde, leurs cœurs restent fermés. Alors qu'ils souhaitent ardemment que quelqu'un s'approche d'eux et puisse les guérir par l'accueil et la chaleur, ils ne peuvent laisser entrer personne dans leur intimité car cela signifie laisser fondre la glace et ressentir à nouveau toute la douleur des coups reçus. Malgré eux ils lèveront toutes les résistances possibles pour s'opposer à la tendresse et à la compréhension. Ils détesteront tous ceux et celles qui désirent s'approcher d'eux pour leur offrir de l'amour tout en souhaitant secrètement, de toutes leurs forces, qu'ils persévèrent suffisamment pour arriver à percer la carapace de leur insensibilité.

Enfants, ils ont ressenti une double polarité sous les coups. Alors qu'ils éprouvaient une haine féroce et mortelle pour le parent batteur, ils ne pouvaient l'exprimer de peur de perdre l'attention et l'amour de ce même parent. Ils ont scindé cette haine et ont tenté de laisser ce venin dormir dans une partie éloignée et oubliée de leur être. En général celle-ci trouvera à s'exprimer sous la forme de fantasmes violents, de comportements autodestructeurs, de passages à l'acte agressifs, ou de maladies psychosomatiques.

*Un homme me racontait avoir passé son enfance à concocter un meurtre parfait. Il en était venu à la conclusion que celui-ci devait se faire complètement gratuitement et sans mobile. Il imaginait des balles perdues qu'il tirait d'un lieu caché et qui frappaient des automobilistes passant par hasard en face de la maison familiale. En dissociant geste criminel et passion au sein du fantasme, il avait fini par neutra-*

liser l'agressivité qu'il ressentait en réponse aux corrections physiques que lui imposait sa mère. Comme il avait besoin de son amour et ne pouvait se permettre d'exprimer sa haine ouvertement, sous peine de subir encore plus de coups, toute sa frustration s'exprimait en fantasmes dirigés vers l'extérieur du foyer. Dans le secret de sa chambre, il jouait également avec un petit cobra en caoutchouc qui sortait de son nid sous la pression d'une pompe à air. De la main gauche il actionnait la pompe, alors que la droite se retirait le plus vite possible pour ne pas être mordue. Il mettait ainsi en scène, au niveau d'un jeu qu'il pouvait maîtriser, les impulsions violentes de sa mère qu'il ne pouvait pas contrôler ainsi que ses propres mouvements de vengeance qu'il devait refouler. Le jeu avait l'avantage de transformer en plaisir ce qui dans la réalité se vivait dans la douleur intense. Les enfants abandonnés du Brésil dont la vie est constamment menacée bravent la mort chaque jour en inventant des scénarios où l'on peut perdre la vie. Ils ont alors l'impression de contrôler par leur habileté un destin qui d'autre part leur échappe complètement.

Ce jeu prend d'autant plus d'ampleur symbolique lorsque l'on sait que cet enfant souffrait d'une véritable phobie des reptiles. Il n'osait même pas toucher les photos de l'encyclopédie qui en représentaient de peur qu'ils ne se matérialisent. Il faisait des cauchemars où des gens le jetaient dans un lit de cordes qui se changeaient en serpents. Pendant plusieurs années, il n'a pas osé s'étendre de tout son long dans son lit car il avait la conviction qu'un reptile se cachait sous les couvertures, à ses pieds. C'est là qu'il avait déposé l'agressivité mortelle qu'il ressentait et qu'il ne pouvait exprimer.

Il devint un garçon bonasse qui n'osait dire un mot plus haut que l'autre. Il souffrait d'humeurs dépressives et suicidaires et toute sa combativité était sapée par cette violence larvée. Il vint consulter sur les conseils de son médecin parce que au début de la tren-

*taine une maladie grave se déclara. En cours de thérapie il comprit qu'il ne retrouverait pas sa vitalité et sa créativité avant d'être entré en contact avec toute cette violence contenue qui empoisonnait son existence à son insu. Il souffrait de la maladie des bons garçons : la suradaptation, une suradaptation pratiquée avec complaisance qui masquait une grande peur du rejet. Il était devenu un champion de l'endurance et pouvait mieux que tout autre survivre à travers des situations inadmissibles tellement il avait réprimé ses réactions spontanées.*

Cette rupture profonde d'avec la spontanéité psychique et physique constitue un problème central pour un être qui a été victime d'abus physiques dans l'enfance. Il se résigne et devient intouchable. Une partie de sa personne est parfaitement adaptée à l'entourage alors qu'une autre continue une vie solitaire et résignée qui n'attend plus rien de personne. De l'extérieur il a l'air contenu et rationnel alors que la passion bout au-dedans. Il ne peut laisser sortir la vapeur de peur que « la Cocotte-Minute n'explose » comme le disait si bien un participant à un atelier. Un tel contexte devient éminemment propice à l'éclatement d'une maladie somatique.

La phobie des serpents développée par cet enfant prend toute sa signification lorsque l'on sait que les Grandes Mères de la mythologie comme l'Égyptienne Isis ou l'Indienne Kali sont presque toujours représentées avec des reptiles autour du cou ou des bras. Ces bêtes ne sont pas retournées contre elles comme dans les représentations des héros luttant contre des monstres. Elles symbolisent plutôt des aspects du pouvoir des mères et de la femme en général. La connivence entre Ève et le serpent décrite dans la Bible reflète la même idée. Certains mythologues pensent même que cet animal est le principal symbole du féminin à travers les âges. Cela nous en révèle la nature double et profonde : le reptile peut donner la mort mais sa capacité de changer de peau lui octroie le secret de la transformation, son venin possède le pouvoir de guérir ou de tuer[1].

## Ce qui fait peur est une dimension de soi

L'enfant d'une mère possédée par le pouvoir du serpent à son insu est marqué par la peur, une peur de la mort qui habite chacun de ses souffles et qui le crispe au point qu'aucun geste ne peut être fait pleinement. La peur d'être pris à nouveau dans les anneaux du serpent empêche tout engagement. La peur et la haine : car que peut donc ressentir un garçon que sa mère vient de battre ? Il hait. Il hait les femmes de toute la force de son cœur d'enfant. Il devient vite indépendant mais il s'agit souvent d'une fausse autonomie qui cache un grand besoin d'amour et de tendresse auquel il ne répondra peut-être jamais de crainte que sa spontanéité ne soit de nouveau accueillie avec des morsures. Il a peur d'être piqué à mort s'il ose être lui-même. Il craint également de provoquer des rejets définitifs auxquels il pense ne pas pouvoir survivre. Il restera victime du complexe maternel et des femmes tant qu'il n'aura pas récupéré ce pouvoir de l'ombre pour lui-même, et découvert son pouvoir d'affirmation.

Si ce travail n'est pas fait, la rage du fils viendra reproduire sur le terrain du couple la frustration de sa mère. Interdite d'expression dans l'enfance et refoulée, cette rage risque en effet d'éclater contre les femmes lorsque ce même fils sera devenu adulte. Il s'attaquera à sa conjointe alors que sa véritable cible devrait être le complexe maternel qui le rend querelleur.

Pour la mère comme pour le fils, pour les femmes

1. Joëlle de Gravelaine, *La Déesse sauvage. Les divinités féminines : mères et prostituées, magiciennes et initiatrices*, France, Dangles, 1993, pp. 79-105.

comme pour les hommes, il s'agit de sortir de la projection sur l'autre de nos parties noires et de consentir à ce que l'on déteste le plus comme étant une dimension de soi. Ce n'est qu'ainsi qu'on récupère l'énergie de tels complexes, qu'on se met à l'abri des passages à l'acte brutaux et qu'on cesse de choisir des partenaires qui incarnent nos pires démons parce que nous ne voulons pas les exorciser.


## Le poids des soupirs

Comme je le disais d'entrée de jeu les dynamiques liées au perfectionnisme, à la surprotection et à la violence ont toutes une composante commune : la culpabilisation et sa conséquence chez l'enfant, la culpabilité. La présence de cette dernière chez le fils est le signe que le complexe maternel négatif est bien installé et qu'il oppresse le moi. Cette culpabilité crée une sorte de lien où l'enfant sent qu'il doit prendre en charge le bien-être de sa mère. Il n'a pas le droit d'être heureux puisque celle qui se sacrifie tant pour lui n'est pas heureuse à cause de ses comportements.

Le poids des soupirs empêche, à toutes fins pratiques, le fils de se séparer de la mère. Elle enracine chez lui la conviction que sa mère ne peut pas exister sans lui et qu'elle ne survivrait pas à ses crises et à ses tentatives de séparation. Sa pulsion d'autonomie est détruite. La culpabilité étouffe ses velléités d'indépendance avant même qu'elles ne soient formulées. Il sent qu'il n'a pas le droit de rompre le lien sacré qui l'unit à sa mère. Cela dure souvent pendant toute une vie et aura des conséquences sur sa vie de relation.

Devant une telle réalité psychologique, on n'a plus de peine à imaginer par exemple que les difficultés éprouvées par de nombreux hommes face à toute forme de séparation affective et même face à toute forme d'engagement puissent trouver leur origine dans la culpabilité. Enfants, ils se sentaient responsables du bonheur de leur mère. Aujourd'hui, ils se croient responsables de celui de leur partenaire. Ils n'osent pas se séparer de cette dernière et font traîner en longueur des situations malsaines de peur de blesser. Ils craignent de perdre leur image de « bon fils à maman » et d'avoir à tolérer la culpabilité intérieure que leur geste ne manquera pas d'entraîner. Ils ne peuvent supporter qu'un autre souffre à cause d'eux.

Puisqu'ils ne se donnent pas le droit d'être eux-mêmes, cette culpabilité leur fait également ressentir de la honte vis-à-vis de leurs besoins réels. Ils sont pris dans le même cercle vicieux qu'une mère qui, n'osant exprimer ses besoins ouvertement, finit par manipuler son entourage pour avoir ce qu'elle désire. Lasses, les compagnes de ces hommes finissent par rompre elles-mêmes quand elles comprennent de quoi il s'agit.

Devant la peine qu'ils ont à gérer l'amour et les heurts affectifs, plusieurs hommes décident tout simplement de ne plus s'engager. J'en connais qui, n'ayant pas le courage d'affronter le poids des soupirs intérieurs, se condamnent littéralement à des vies de solitude désertique. D'autres deviennent totalement artificiels. Ils ont complètement abandonné l'effort de croissance personnelle et ne vivent plus que pour soigner leur image. Ils deviennent parfois des personnages publics qui poursuivent sur la scène politique ou artistique une quête d'amour. Au niveau fantasmatique, ils tentent encore d'être le fils divin de leur maman. Ils mènent souvent des doubles vies, trouvant ainsi le seul moyen de rentrer en contact avec leurs instincts sans déplaire au complexe. Jusqu'au jour où ils se font prendre. Ils ont alors le choix de se repentir en fils ingrats ou encore d'assumer leur humanité avec ses vicissitudes.

Finalement, pour faire échec à un complexe castrant et ravageur, certains hommes se réfugient dans les hauteurs du rêve, de la pensée ou de la spiritualité. Ils ont l'air de flotter au-dessus de la réalité commune sans doute pour éviter d'éveiller le dragon endormi.

Voilà esquissé ce qui s'appelle le drame du « bon

garçon », celui qui ne ferait pas de mal à une mouche mais qui a peur d'aimer. Son anima est prisonnière du complexe maternel négatif comme l'animus était prisonnier du complexe paternel négatif. Pour la libérer et reprendre contact avec son cœur, son inspiration et sa créativité, il devra comme la fille faire face à son ombre et affronter son dragon maternel.

## 7

## LE DRAME DU BON GARÇON

*Quand j'vas être un bon gars*
*Pas d'alcool, pas d'tabac...*
Richard DESJARDINS

## Santa Sangre, le Saint Sang

Comme s'il avait voulu nous donner un exemple de ce que veut dire pour un homme être prisonnier du complexe maternel et de la culpabilité, le cinéaste Alexandro Jodorowski a réalisé il y a quelques années le film *Santa Sangre* [1].

Il y raconte l'histoire d'un garçon qui vit dans un cirque. Son père, patriarche par excellence, est propriétaire et directeur de la petite troupe. Cet homme est très sensible aux charmes de la femme-serpent, une contorsionniste aux formes généreuses. Un jour, sa femme le surprend en train de faire l'amour avec celle-ci et elle le castre. Pour se venger, le patriarche déchaîné lui coupe les bras et se suicide. Le jeune garçon est témoin du drame et il se referme complètement sur lui-même. On l'interne dans une clinique psychiatrique où sa mère vient le chercher quelques années plus tard alors qu'il est devenu adolescent. À partir de ce moment-là, le fils devient prisonnier de l'emprise de sa mère veuve et impotente. Au point qu'il lui prête ses bras et ses mains. Il vit dans le même vêtement qu'elle, la sert lorsqu'elle mange, tricote et joue du piano à sa place.

1. Alexandro Jodorowski, *Santa Sangre*, Italie, 1989.

Un jour pourtant il échappe à l'emprise maternelle et se laisse séduire par une autre femme. Elle veut créer un nouveau numéro de cirque avec lui parce qu'il est lanceur de couteaux comme son père l'était. Cela nous conduit à une scène très érotique où il hypnotise sa victime afin qu'elle n'ait pas peur de ses lancers. Les couteaux se fichent autour d'elle avec précision. Vient le moment de décocher le dernier qui doit aboutir entre les jambes ouvertes de la belle, symbolisant la pénétration sexuelle. La mère survient alors et le héros perd instantanément tous ses moyens. Sa main se met à trembler et il finit par assassiner sa dulcinée en lui plantant le couteau dans le ventre sur les ordres de sa mère qui crie d'une voix désespérée : « Tue-la ! Tue-la ! » Toute la puissance de l'adolescent a été sapée par l'autorité maternelle.

Nous le retrouvons par la suite dans un cimetière en train d'enterrer sa victime. D'autres femmes comme autant d'esprits et de formes évanescentes sortent alors des tombes avoisinantes et viennent l'entourer. Nous comprenons qu'il a tué une à une toutes les femmes qui se sont approchées de lui. Cela nous donne droit à une scène très émouvante où, pleurant sur le corps de celle qu'il vient d'assassiner, il demande pardon à toutes ses amoureuses.

Finalement le héros tue sa mère pour protéger l'amour qu'il porte à une femme qu'il a connue dans son enfance et avec laquelle il veut faire sa vie. Il s'agit en fait de la fille même de la femme-serpent. Le film se termine au moment où des policiers viennent l'arrêter pour le meurtre de sa mère alors que tous ses autres crimes étaient demeurés impunis.

Sur le plan de l'interprétation symbolique, l'épisode du lancer des couteaux représente l'entrée en scène du complexe maternel chez un homme qui n'a pas développé une autonomie suffisante par rapport à une mère possessive. Au moment le plus inopportun, le dragon maternel intervient et lui enlève ses pouvoirs. En amour, un tel homme est amené à tuer ses partenaires, c'est-à-dire à les écraser, à les trahir et à

208

les tromper au moment où elles s'abandonnent à lui en toute confiance. Au lieu de rechercher la collaboration, il cultive sans le savoir la mésentente et la lutte de pouvoir sous les injonctions d'un complexe maternel jaloux.

Pour ce qui est de la scène du cimetière, nous pourrions dire que psychologiquement parlant elle représente le moment où le héros décide de se débarrasser de son complexe. Parce qu'il se laisse toucher jusqu'au fond du cœur par la souffrance qu'il cause autour de lui et par le malheur dans lequel il est enfermé, la transformation devient possible. La prise de conscience du drame sert à réveiller sa capacité d'aimer. La souffrance a ouvert les portes de son cœur. Le thème du nouvel amour qui prend la forme d'une jeune fille connue dans l'enfance représente quant à lui la libération de l'anima, la capacité de relation d'un homme. Tant que cette dernière est prisonnière du complexe maternel, un homme ne peut pas suivre le chemin de l'amour véritable.

Le thème de l'arrestation qui clôt le film est également hautement significatif au niveau psychologique. La victoire sur le complexe maternel signifie en effet qu'un homme cesse de se cacher ses responsabilités en prenant les autres comme paravent, ou en prétextant d'une enfance difficile pour expliquer ses comportements. Il devient libre mais du même coup pleinement responsable de ses actes. Il ne peut plus être le garçon sans cesse poli, gentil, courtois ; il doit assumer son ombre, sa capacité de faire souffrir. Il doit également assumer la culpabilité liée à ses gestes. Il ne peut plus jouer l'innocent. En tuant sa mère symboliquement, il tue son enfance. Voilà le sacrifice auquel il doit consentir pour être un homme.

Finalement, vous n'aurez pas été sans remarquer que le film de Jodorowski reprend le motif central du conte *La Fille aux mains coupées*. C'est comme si le cinéaste avait voulu imaginer une suite à ce récit en faisant de la mère de son héros une femme aux bras mutilés. Le film prolonge ainsi la fable en illustrant ce qui se passe pour une femme aux mains tranchées lorsqu'elle devient mère. Elle se sert de ses enfants comme extensions d'elle-même. Ils doivent servir sa créativité blessée et lui être totalement dévoués. Ils deviennent les bras et les mains qu'elle a perdus en raison du mauvais traitement d'un patriarche. Ils n'ont pas droit à leur autonomie. Cela est particulièrement invalidant pour le fils. Par le biais de la formation d'un complexe maternel négatif, l'emprise maternelle fait en sorte qu'aucune femme ne puisse plus approcher le fils. S'il accorde véritablement son amour à une autre, elle risque d'en mourir.

Ainsi le cycle de la misère humaine se répète sans fin et le sang sacré de la vie n'arrête pas d'être versé. Les hommes coupent les bras des femmes qui castrent des fils qui couperont les bras de leurs partenaires pour se venger. Jusqu'à ce que l'amour véritable arrive à provoquer un être au point qu'il décide de s'affranchir de son complexe en cessant d'être un fils-à-maman.


## Le cœur empoussiéré d'un bon garçon

Le film *Santa Sangre* décrit on ne peut mieux le drame du *bon garçon* prisonnier du complexe maternel négatif. Il a peur de l'emprise féminine et il a peur d'aimer. Le bon garçon est un être qui sous des allures ouvertes a toutes les peines du monde à s'engager dans une relation car son cœur est fermé. Pour s'affranchir, il devra à l'instar du héros du film affronter son dragon maternel et rencontrer son ombre pour délivrer sa créativité et sa capacité d'aimer.

Le bon garçon souffre de la même maladie que la *bonne fille*, à savoir une suradaptation aux demandes de son entourage. Le cœur d'un homme qui a connu une mère blessée narcissiquement, trop exigeante ou culpabilisante, est fermé à double tour. Il peut être le garçon le plus charmant du monde, il connaît une grande solitude intérieure. Cette solitude est dominée par un complexe maternel sévère qui lui interdit d'exprimer spontanément ses réactions. Son comportement a quelque chose de contraint et il ne correspond pas à sa personnalité fondamentale. Il n'entre pas en contact avec ses profondeurs parce qu'il s'y cache trop de souffrances d'enfant mal aimé.

La prise en charge de ce problème et l'affirmation de ses véritables goûts signifient en effet des changements déstabilisants qui risqueraient de lui faire perdre l'estime d'un entourage dont il est dépendant. Cela engagerait surtout une véritable rupture avec la mère et la trahison de leur union symbolique. Car, lorsque parents et enfants sont liés par un même problème psychologique, il existe comme un pacte inconscient entre eux qui interdit que l'un ou l'autre s'en sorte.

Pour changer, le bon garçon devra affronter la culpabilité de laisser derrière lui sa propre mère au risque de lui faire de la peine. Il lui faudra surmonter la peur qu'elle ne survive pas à ce changement d'attitude de la part de son fils. Mais surtout il devra prendre contact avec son feu intérieur pour retrouver sa vitalité.

Je voudrais illustrer ce propos à l'aide du cas d'Henri. Après de nombreux mois de travail thérapeutique, il arriva à sa séance avec un rêve qui avait provoqué chez lui une panique intense :

*Je suis en train de laver mon journal personnel dans l'évier de la cuisine. Me rendant soudain compte de ce que je suis en train de faire, je le recueille avant qu'il ne soit trop amoché et l'essuie vaillamment pour ensuite aller le porter à sécher sur le radiateur du salon où trône une énorme statue de Bouddha. Je constate alors que quelque chose cloche dans la pièce. D'abord, elle est remplie d'une épaisse couche de poussière comme dans un grenier abandonné. Puis, en y regardant de plus près, je découvre que des voleurs se sont introduits chez moi et ont enlevé le tapis du salon pour ensuite remettre tous les meubles à leur place. Je pousse un cri d'horreur en constatant*

*ce méfait et un nuage de particules me sort des pou-*
*mons à la hauteur du cœur, comme si on avait*
*pressé sur un sac d'aspirateur rempli de poussière.*

Le rêve reflète jusqu'à quel point le travail de dépoussiérage de sa vie intime était pénible pour Henri. Le fait de se surprendre en train de laver son journal personnel pour ensuite le sauver témoigne de sa grande ambivalence vis-à-vis du processus thérapeutique. Il noyait ses écrits pour oublier toute la difficulté du travail sur soi. Dans sa vie réelle, il avait trouvé refuge dans une spiritualité ascétique afin de tenir à l'écart son enfant intérieur, celui qui réagissait vivement aux événements. Il trouvait ses mouvements d'humeur fort mal venus et il les réprimait de toutes ses forces, tout comme sa mère avait réprimé sa spontanéité d'enfant. Voilà pourquoi il allait faire sécher son journal aux pieds de Bouddha, en espérant que la confrontation avec ses émotions lui soit épargnée.

Cette ascèse ne lui convenait qu'à moitié, une tâche restait évitée, celle de nettoyer cette pièce et ce cœur étouffés par la poussière. Il reculait d'horreur à une telle idée, mais il était trop tard. Le tapis lui était déjà tiré de sous les pieds pour ainsi dire par ces voleurs qui avaient pris la peine de tout replacer après leur méfait. Ces malfaiteurs enfantins symbolisent bien Hermès, le dieu joueur de tours de la Grèce antique. Hermès est le patron du commerce et des voleurs, mais il est également le patron de la transformation psychologique car le métal qui le représente est le vif-argent, le mercure, avec tous ses retournements rapides et inattendus.

Il associait au motif du nuage de poussière qui lui sortait des poumons ces mineurs qui souffraient d'amiantose. Leurs poumons étaient littéralement encrassés par la pollution du minerai. En notant que ce nuage lui sortait directement du cœur, il se mit à pleurer à gros sanglots. Il comprenait avec évidence que le résultat de son enfance était ce cœur étouffé. Il n'avait pas le droit d'aimer. Il n'avait pas droit à une relation amoureuse satisfaisante. Il choisissait sans cesse des femmes qui avaient le même problème que lui et celles qui ne l'avaient pas le faisaient fuir. À chaque fois son enfant intérieur espérait tout de l'amour. Il souhaitait inconsciemment qu'une femme le délivre du mauvais sort que lui avait jeté sa mère. Il attendait qu'une femme l'accueille et le comprenne enfin et lui donne la permission de vivre pleinement avec ses passions et ses sentiments. Mais il était toujours déçu.

L'idée de faire ce travail lui-même et de prendre en charge ses besoins lui répugnait. Il avait un dégoût profond pour cet enfant intérieur. Il avait peur de sa colère violente à l'image des rages de sa mère. Il ne tolérait rien qui ressemblât à sa mère en lui. Il avait horreur de se rendre compte jusqu'à quel point il était castré de son propre pouvoir. Il se sentait divisé, fragmenté et vulnérable toutes les fois que nous touchions à cet espace psychique. Il comparait la thérapie à une descente inconfortable dans un nid de serpents et il avait l'impression que j'étais celui qui lui imposait un tel voyage. Parfois il exprimait ouvertement sa haine envers moi et il parlait régulièrement d'abandonner l'analyse. Ses séances étaient suivies immanquablement de cauchemars et de maux de tête dus selon lui à une mauvaise digestion. Mais il savait bien que cela n'avait absolument rien à voir avec ce qu'il mangeait.

Henri n'avait pas de liberté. Il était devenu un être de devoir et de principes comme sa propre mère. La vie d'Henri appartenait à des causes toutes plus nobles les unes que les autres. Il était un véritable missionnaire, toujours prêt à défendre la veuve et l'orphelin. Il s'obligeait à devenir un saint solitaire sans avoir la force pour autant de résister à des fantasmes sexuels obsédants, ce qui créait encore plus de culpabilité chez lui. Ce goût pour la sainteté avait même son pendant ascétique. Il avait peur du confort physique et il me racontait que le salon de son appartement où se déroulait le rêve était longtemps resté vide, comme une maison sans chaleur, comme une maison sans cœur.

# Les portes de l'enfer

La guérison du bon garçon est possible mais il ne peut pas en jouir sans passer par la tourmente des émotions brûlantes. Ce n'est pas pour rien que le Christ descend aux enfers avant sa résurrection. Symboliquement cela signifie qu'un être ne peut tout simplement pas ressusciter sans que les grandes forces vitales se réveillent en lui, sans que le diable y mette son grain de sel. Aucun individu ne peut éviter une telle épreuve s'il veut récupérer sa créativité blessée. Il ne peut pas passer au-dessus de cette épreuve par la simple compréhension intellectuelle ni en dessous en se jetant tout enflammé dans un nouveau credo. Il ne peut pas non plus passer à côté en feignant d'ignorer que cette peine existe en lui. Il ne peut que passer au travers, avec conscience et courage, hanté, habité, fiévreux, alors que les forces refoulées s'emparent de lui et lui remémorent la brutalité du drame qu'on lui a infligé ou qu'il s'est infligé lui-même.

À mesure que la tension montait en lui, Henri devait peu à peu accepter de faire face au complexe maternel qui lui interdisait la jouissance de sa vitalité. C'était même là, dirais-je, la seule possibilité qu'il avait de pouvoir un jour rétablir la relation avec sa véritable mère, cette femme qui vieillissait et qui avait maintenant besoin de la tendresse des siens.

Malgré ses résistances, le travail avançait. Ses rêves étaient truffés de chevreuils gelés, de convertibles rouge feu sur la neige blanche et de billets de métro pour des destinations aussi étonnantes que les *portes de l'enfer*. De séance en séance je l'encourageais à laisser émerger les émotions intenses qui se profilaient en lui. Et peu à peu il osa s'ouvrir.

Derrière les portes de l'enfer, il trouva la rage vive, comme une plaie vive. Il trouva la colère d'un écorché, une colère que rien ne semblait pouvoir épuiser. Je soutenais son processus et l'invitais à se livrer à son tourment intérieur, quitte à en perdre le sommeil, à noircir des cahiers, à se déclarer fou et à se barricader chez lui. Il arrêta pour un temps ses méditations apaisantes au pied du Bouddha. Cet être n'avait pas besoin de fuir vers le ciel, il avait besoin de rencontrer le feu vital au fond de ses tripes, le feu du dedans qui est l'élément premier et essentiel de toute transformation. Sans ce feu, toute extase est illusoire. Les alchimistes le savaient et les bouddhistes le savent aussi. Il n'est pas de biographie de yogi qui ne fasse état de ces fièvres où tout l'être est en feu. Parce que sans ce feu, toute méditation est une simagrée.

Alors que jusqu'à maintenant il s'était contenté d'être doux et compréhensif, victime compatissante qui pardonnait tout, il devint du jour au lendemain un véritable lion en cage. Il s'appliquait à rester en contact avec le feu sans le refouler. Il le contenait, s'en nourrissait, et la transformation était évidente à mes yeux. Lorsqu'il osait être cet animal sauvage, tout son corps était plus présent dans la pièce, bien qu'il ne se prêtât à aucun exercice physique. Sa force était libérée. Il me disait se sentir entier pour une des rares fois de sa vie. Il en jouissait profondément. Sa perpétuelle indécision le quitta pour plusieurs semaines et fut remplacée par un courage et une détermination que je ne lui avais jamais connus.

Il était résolu au changement même si cela devait lui coûter la vie, affirmait-il. Il brûlait son passé aux feux de la passion intérieure. La force du forgeron pliant le fer rouge lui était soudain venue alors qu'il n'avait été jusque-là que ce métal rougi et martelé. Il n'avait jamais osé manier lui-même le marteau. Il était en train de rompre avec le bon garçon et, du coup, avec son dragon maternel. Si mal aimé qu'il se considérât, il ne pouvait plus se cacher que sa mère véritable n'avait rien à voir avec sa situation intérieure. C'est à lui qu'il appartenait maintenant de redresser la situation pour transformer sa rage en créativité.

À ce point de la thérapie, Henri était assis sur un véritable volcan en explosion. Lorsque les forces primaires sont déchaînées, les conflits primordiaux refont surface et les dinosaures de l'enfance réapparaissent inévitablement. Le terrain était maintenant prêt pour la rencontre avec son ombre.

## Le péché contre soi-même

Vient un temps dans la vie d'un individu où les forces vitales ne veulent plus contribuer au péché contre soi. On peut se relaxer, bien manger, faire de l'exercice, se distraire : rien à faire. La situation ne changera pas tant que l'on n'aura pas fait face au conflit qui a pris racine en soi-même. L'exemple de Caïn qui tue son frère Abel et qui se retrouve impitoyablement poursuivi par l'œil de Dieu lui rappelant sans cesse son crime constitue une parfaite métaphore de ce péché contre soi. En tuant Abel, Caïn avait tué le meilleur de lui-même : la sensibilité, la spontanéité.

Sur le plan psychique, le meurtre d'Abel par Caïn condamne un individu à n'être que l'ombre de lui-même et à vivre privé d'enthousiasme. Le prix à payer est élevé, car nul ne peut refuser sa créativité sans le payer chèrement. Là-dessus, le destin ne semble posséder aucune notion de moralité. Il nous revient à nous, pauvres humains, tous plus ou moins enfoncés dans cette trahison de soi, dans ce meurtre d'Abel, dans ce sacrifice de l'enfant intérieur, d'exercer toute la compassion dont nous sommes capables devant nos propres lâchetés. Le regard méprisant n'a pas sa place ici. « Que celui qui n'a jamais péché contre lui-même jette la première pierre », pourrions-nous dire en paraphrasant le Christ.

C'est dans un rêve élaboré par la suite en imagination active qu'Henri rencontra son bel Abel sacrifié. Il le reconnut sous les traits d'un jeune garçon timide et retiré, vivant dans une chambre décrépite, fabriquant des oiseaux multicolores en papier. L'approche ne fut pas facile. Au début, le dialogue prenait les allures d'un dangereux slalom. Parfois le garçon se transformait en serpent venimeux, parfois il prenait les traits d'un émeutier qui voulait mettre le monde conscient à feu et à sang, ou encore il prenait les allures d'un véritable chat de ruelle batailleur et vengeur.

Un jour, l'inévitable se produisit. Le conflit intérieur éclata dans toute sa force. Toute la haine et le ressentiment qu'Abel éprouvait envers Caïn s'exprimèrent. Un conflit mortel entre deux frères ennemis prenait forme. Le bel Abel des profondeurs menaçait de tuer Henri si un nouvel équilibre n'était pas trouvé et s'il n'apprenait pas à respecter sa créativité. Il n'y aurait alors plus d'existence possible outre le désespoir gelé de ceux qui savent qu'ils ont raté leur vie.

Je crois n'avoir jamais assisté en thérapie à une scène aussi violente que la confrontation imaginaire de ces frères ennemis. Dans un état proche de la transe, Henri se tordait sur le divan, agité par cet affrontement mêlé de pleurs et de cris, de cynisme et d'accusations mutuelles. La division intérieure et la haine de soi d'un être qui a dû pour survivre et plaire à ses parents sacrifier une part trop essentielle de lui-même apparaissaient au grand jour. J'étais touché aux larmes par ce drame qui se déroulait devant mes yeux tellement il me semblait réel pour chacun et chacune de nous.

Après ces grands éclats, ce que je redoutais le plus arriva. Le conflit était trop vif, la lucidité trop aveuglante. Lorsqu'un être pénètre ainsi jusqu'au cœur de lui-même et embrasse d'un seul regard toute sa vie, lorsqu'il connaît les conflits qui l'ont gardé dans le tourment intérieur pendant toute son existence, le thérapeute observe souvent un grand mouvement de recul.

Henri associait Abel à cette partie interdite et moribonde qu'il portait en lui comme un jouet brisé mais, affirmait-il maintenant, il n'avait pas la force de réparer ce jouet. Il s'étourdissait à nouveau de devoirs et de responsabilités pour ne pas faire face à son feu intérieur. Dans ses temps libres, il se masturbait frénétiquement et se le reprochait amèrement. À tort sans doute car la sexualité manifestait dans ces moments de résistance la présence irrépressible de quelque chose de spontané en lui.

Les rêves de glace réapparurent. Dans ces conflits de début du monde, les extrêmes se côtoient sans ménagement. On passe de l'ère tropicale à l'ère glaciaire d'une semaine à l'autre. Mais le centre avait été touché. Il ne s'agissait plus maintenant que d'une question de temps. J'avais confiance que mon patient saurait opérer les changements nécessaires pour refaire sa vie et réparer le tort de s'être si profondément renié et trahi.

Par la suite, le travail d'intégration trouva un rythme de croisière confortable. À la longue, Henri finit même par rire lorsqu'il se retrouvait à nouveau prisonnier du bon garçon. Il faisait de plus en plus de place à l'expression de ses goûts et de ses émotions. Sa sexualité, tout comme sa spiritualité, oserais-je dire, avaient perdu l'une comme l'autre leur aspect compulsif et défensif et s'harmonisaient mieux au mouvement général de l'être. Il retrouvait également un meilleur contact avec sa mère réelle depuis qu'il savait résister aux attaques de son dragon intérieur.

Ses relations amoureuses demeuraient problématiques mais il comprenait mieux comment son ambivalence pouvait faire souffrir ses compagnes. Il ne les rendait plus responsables de son sort. Peu à peu naissait en lui un réel désir de s'engager qui n'était pas motivé par le devoir mais par un goût réel de partager sa vie avec quelqu'un. Avec la libération de sa créativité, le goût d'aimer profondément lui venait. Il avait maintenant accès à ses intuitions et à ses sentiments et faisait de plus en plus confiance à cette sensibilité, à son anima.

## La dynamique psychologique du bon garçon

Pourquoi donc les bons garçons continuent-ils à être bons tout en constatant que le prix qu'ils paient pour leur difficulté d'affirmation se comptabilise en dérives alcooliques, en maladies psychosomatiques, en fatigue chronique ou en tourments intérieurs ? Qu'est-ce qui leur fait dire oui alors qu'ils veulent dire non ? Qu'est-ce qui les empêche d'affirmer ce qu'ils pensent au risque de déplaire à leur entourage ? Pourquoi jugent-ils préférable de trahir leurs convictions intimes ?

Il y a une seule réponse possible à toutes ces interrogations. Le bon garçon possède à l'intérieur de lui un monstre dévorant qui le jette dans un enfer de remords, de doute et de culpabilité aussitôt qu'il ose dire vraiment ce qu'il pense et agir selon ses sentiments. Il devient mille fois préférable d'être doux et complaisant au risque de sa propre santé plutôt que de devoir affronter ce dragon qui a le pouvoir de le mettre en pièces et de taillader le peu d'estime de lui-même qui lui reste s'il ose franchir les lignes interdites.

D'où vient ce monstre intérieur ? D'où viennent ces règles tacites ? Le monstre intérieur est le produit d'expériences premières vécues avec une intensité très forte alors que l'enfant s'est vu exposé à des traumatismes qui ont mis en danger sa jeune identité en développement. Plus les traumatismes auront été dévastateurs, plus la menace de désintégration intérieure aura été ressentie gravement, plus les règles seront fermes qui viendront dire au moi comment se comporter s'il veut survivre dans un environnement précaire. La violence d'un parent, la froideur d'une mère, les abandons précoces et mal préparés, la maladie de l'enfant sont autant d'expériences qui peuvent contribuer à la formation d'une identité qui repose sur la douceur exagérée. Cela est facile à comprendre : l'enfant n'a que la douceur, l'obéissance, la complaisance et la complicité avec un parent même abuseur pour l'amadouer et conserver son amour. Cet amour est primordial pour l'enfant puisque c'est sur lui que repose le sentiment de sa propre valeur.

« Je ne le ferai plus, maman ! Je ne le ferai plus ! » Le cri désespéré de l'enfant qu'on frappe pour une vétille vous rappelle-t-il quelque chose ? On n'est pas seulement en train de frapper cet enfant, on est en train de briser son individualité, on est en train de lui interdire d'explorer son corps et le monde. On est en train de lui dire que la curiosité n'est pas permise, que la sensualité n'est pas permise. On est surtout en train de lui dire que l'expression spontanée de ses sentiments et de ses idées est malvenue. Vous aurez au bout du compte un enfant performant qui fera la fierté de ses parents, mais vous risquez d'avoir un adulte qui ne fera pas ce qu'il aime dans la vie de peur de déplaire, de peur d'avoir à affronter le monstre qu'il porte à l'intérieur de lui.

Les hommes les plus charmants, les plus violents, les plus torturés et les plus coupés d'eux-mêmes que j'aie rencontrés dans mon métier sont pour la plupart des fils de mères qui ne pouvaient pas accueillir la peine ou la détresse de leurs enfants. Certains racontent même avoir été battus pour qu'ils arrêtent de pleurer tellement leur mère était bouleversée et incapable de répondre à leur détresse. Aujourd'hui, ils continuent à se faire à eux-mêmes ce que leur mère leur faisait. Ils ne sont pas plus capables d'accueillir l'enfant en eux. Ils n'arrêtent pas de brutaliser leur nature joueuse ou animale et acceptent mal les besoins affectifs de cet enfant qui n'a jamais reçu sa juste part de tendresse. Ils répondent à leurs besoins intérieurs par plus de travail, plus de sexe ou plus d'alcool.

## Tu n'es pas séparé ! Tu n'es pas libre !

L'accueil de sa propre sensibilité par un homme est une tâche d'autant plus difficile que rien dans l'organisme social ne l'y invite. Pourtant, il ne saurait y avoir de véritable virilité sans cet accueil de la sensibilité des profondeurs. Sinon les sentiments des hommes sont copiés sur le monde féminin. Ils n'atteignent pas la belle chaleur solide et terrienne qui est le signe d'une masculinité intégrée qui sait allier fermeté et douceur. Une telle intégration n'est possible qu'à partir du moment où un homme a véritablement coupé le cordon avec sa mère. Le célèbre protagoniste du roman *Zorba le Grec*, de Nikos Kazantzakis, dit d'ailleurs un jour à son disciple qu'il ne peut pas connaître sa spontanéité et sa joie de vivre parce qu'il n'est pas séparé ! Il n'est pas libre !

> *Toi, patron, tu as une longue ficelle, tu vas, tu viens, tu crois que tu es libre, mais la ficelle, tu ne la coupes pas. Et quand on ne coupe pas la ficelle... [...] Mais si tu ne coupes pas la ficelle, dis-moi, quelle saveur peut avoir la vie ? Un goût de camomille, de fade camomille ! Ce n'est pas du rhum qui te fait voir le monde à l'envers[1] !*

Il est toujours surprenant en tant que thérapeute de constater combien les parties inconscientes demeurent vivantes. Il est naïf de croire qu'un individu puisse échapper à ses affects en les étouffant dans le travail. C'est au contraire leur donner encore plus de pouvoir, mais un pouvoir négatif. Car lorsqu'ils n'ont pas la capacité de nous donner la vie en s'associant à la conscience, ils ont celle de nous donner la mort et de nous amener à nous détruire.

Les bons garçons portent un grand vide en eux que le succès n'arrivera jamais à remplir. Cette quête extérieure d'amour et d'approbation entraîne au contraire de plus en plus de désespoir et de dépression. Ils finissent par ne plus prendre de vacances et remplissent tous leurs temps libres à l'avance. Ils craignent inconsciemment de s'offrir en pâture à l'enfant intérieur et à l'anima qui réclament leur attention. La seule solution réside pourtant du côté de la prise en charge personnelle de leur sensibilité et de leur créativité. Les bons gars doivent accueillir l'enfant de l'ombre qu'ils portent en eux et lui trouver des voies d'expression.

1. Nikos Kazantzakis, *Alexis Zorba*, Paris, Plon, 1994, p. 336.

Chez le bon garçon, *les qualités féminines sont sou-*
vent suractivées. Il en résulte une peur de s'affirmer
dans sa virilité et dans sa sexualité. Son anima n'a
pas la figure d'une femme douce, bien au contraire. Il
demeure un homme doux par peur de la castration
mais il dissimule une foule de sentiments négatifs
envers les femmes. Il achète la paix avec le monde
féminin par sa douceur et sa gentillesse mais son
anima a encore le visage d'une mère dévorante ou
d'une sorcière. Il risque de se retrouver avec des femmes « contrôlantes » aussi longtemps qu'il n'aura pas
affronté son dragon maternel. Ou encore il cherchera
des femmes autoritaires dans l'espoir secret qu'elles
puissent s'opposer à sa mère et l'en détacher.

Il faut comprendre ici que l'anima d'un homme est
fortement marquée par la personnalité maternelle et
qu'elle n'a pas la chance d'évoluer si la séparation
d'avec la mère n'a pas été faite. Un homme ne peut
pas être complètement lui-même et il ne peut pas
aimer véritablement s'il n'a pas affronté intérieurement sa peur d'être rejeté par celle qui lui a donné la
vie en osant se séparer d'elle. Autrement dit, un
homme doit oser manquer de loyauté envers le
mariage symbolique qu'il a consommé avec sa mère
et faire face à la culpabilité et aux remords qui s'en-
suivront s'il veut gagner son indépendance réelle. Un
jour ou l'autre, il faut affronter le dragon maternel au
risque de faire de la peine à sa maman.

## La colère du bon garçon

Que trouve-t-on derrière la suradaptation du bon
garçon, derrière sa culpabilité et derrière sa peur de
l'engagement ? Il s'y cache une colère contre les femmes qui remonte à la première : sa mère. Derrière les
simagrées complaisantes du bon garçon, il y a la rage.
Il s'agit d'une irritation profonde en rapport avec le
fait que ses limites n'ont pas été respectées par la
mère. L'inceste affectif a fait naître en lui une protes-

tation véhémente due au fait que ses espaces personnels ont sans cesse été violés par les caresses comme par les coups. Ce n'est pas pour rien qu'il est devenu si secret et si cachottier. Il essaie de délimiter ainsi un espace personnel par rapport au dragon maternel et par rapport à la femme sur laquelle il projette ce même dragon.

Sa réaction aux intrusions maternelles a été de se fermer le cœur pour de bon. Les ayant ressenties comme une trahison de son amour pour elle, il s'est juré qu'on n'abuserait plus jamais de lui de la sorte. Mais tout comme la bonne fille, il a maintenant peur d'entrer en lui-même et de prendre contact avec cette colère. C'est pourtant elle qui l'empêche d'aimer et de s'abandonner en toute confiance à une femme. Elle devra donc être mise au jour et le destin ne manquera pas d'y mettre son grain de sel...

Lorsqu'une femme débarque dans la vie d'un bon garçon avec son vide, la colère de ce dernier se mettra à bouillir à nouveau. La soif d'attention de cette partenaire qu'il n'arrive pas à satisfaire et qui le trouve décevant risque en effet de faire qu'encore une fois ses limites ne seront pas respectées et qu'encore une fois son monde personnel sera traité comme s'il ne valait rien. Ses lettres seront lues, ses messages téléphoniques écoutés et il sera accusé en prime de ne pas vouloir s'engager. La marmite va exploser.

Mais une telle répétition obligée en quelque sorte par les histoires respectives du bon garçon et de la bonne fille peut devenir une chance inespérée. Elle peut en tout cas remettre le bon garçon en contact avec ses besoins fondamentaux dont son besoin de territoire personnel. Elle peut l'entraîner à mieux marquer ses limites et l'obliger à sortir de la complaisance pour s'affirmer. Cette affirmation constitue tout le contraire d'une simple décharge de la colère contre sa partenaire. Elle consiste beaucoup plus en une transformation de cette rage en pouvoir positif même si elle semble de prime abord diabolique. Il n'y a pas de transformation sans le pouvoir du feu, que l'on fasse de la soupe, des planètes ou des êtres humains.

À travers l'expérience d'Henri, je me suis d'ailleurs mis à apprécier la présence des divinités infernales dans les cosmogonies religieuses. Les diables sont en somme les précieux gardiens du feu vital. Sans leur soutien et leur chaleur, rien ne s'élabore et les bons garçons demeurent des anges aux ailes brisées. Car si, dans la cave souterraine, ce feu intérieur est une colère sans nom, au rez-de-chaussée il est rage de vivre et, aux étages supérieurs, pure joie d'exister.

Le contact avec la rage lorsqu'il est pleinement accepté permet donc une réhabilitation du monde affectif et surtout des émotions dites négatives. Leur rôle dans l'harmonie générale de l'être se dessine. Elles sont invariablement le signal qu'un besoin fondamental n'est pas respecté. Reconnues pleinement, elles permettent à un être de retrouver le sens de son entièreté. Il se guérit ainsi de la division entre raison et passion. La disparition de ce fossé constitue d'ailleurs la véritable libération de l'anima car, à partir du moment où la capacité de ressentir et d'aimer n'est plus jugée comme une faiblesse, un individu a accès aux sentiments et aux intuitions qui peuvent guider sa vie. L'anima joue alors son juste rôle.


## Choisir de deux maux le pire

En résumé, la psychologie du bon garçon repose sur une faible estime de soi. Il parvient à maintenir un bon sens de lui-même en quêtant auprès de son entourage professionnel, familial et sentimental la reconnaissance dont il a besoin pour se maintenir à flot. C'est pour cela qu'il est bon, généreux de son temps, égal d'humeur et bourreau de travail. Le jour où cette reconnaissance vient à lui manquer, les reproches intérieurs ne sont pas loin. En résumé, ils proviennent de deux instances. D'abord, nous retrouvons la mère intérieure devenue une personnalité tyrannique qui exige toujours plus de bonté et de perfectionnisme. Deuxièmement, le frère de l'ombre profite de tous les moments de vide pour faire trébucher le moi et le faire plonger dans la morosité de la dépression, complice en cela avec l'anima qui ne peut exercer ses talents sur le terrain de l'amour. La mère intérieure est partisan du statu quo et du respect des valeurs établies. Les volontés du frère ennemi cherchent le renversement de l'ordre actuel et l'établissement d'un nouveau mode de vie. Le conflit qui existe entre ces deux figures plonge le sujet dans un état d'ambivalence qui à la longue brise sa santé et ses résistances pour l'entraîner dans la maladie.

S'il écoute le bel Abel, l'individu se retrouve rapidement dans un état voisin de la terreur car le complexe maternel élève alors le ton et prend toutes les apparences d'un dragon qui menace le moi de honte et de déshonneur si jamais il ose affirmer sa créativité. Si, au contraire, il obéit à son dragon maternel, le désespoir sera son lot.

D'ailleurs, il faut noter ici que lorsqu'un être a connu des carences importantes dans son enfance en raison des événements familiaux ou du caractère de ses parents, les figures parentales qu'il intériorise conservent souvent leur forme archaïque ou mythologique, celle qui apparaît dans tous les contes pour enfants. Normalement, ces personnages s'humanisent à mesure que l'être grandit. Mais, sous le coup du choc ou du manque, bien des êtres accusent des retards de développement et portent encore en eux des forces archaïques qui les forcent à vivre à genoux pour le reste de leur vie.

Le conflit est véritablement torturant. Si le moi se confine au perfectionnisme s'agenouillant devant la mère intérieure, il évite les flammes du dragon maternel et obtient une paix relative. Mais cette paix n'est pas satisfaisante à la longue car elle est établie sur la tombe d'un enfant mort qui revient finalement hanter les nuits de l'adulte. Ce calme manque de vitalité. L'individu tente de l'oublier en s'enrobant dans un confort sucré, la bonne chère et la bonne chair. Il se fait une raison, comme on dit. Seul le moi sait au fond de lui-même qu'il s'agit d'une pure imposture. Mais il remet constamment tout changement à plus tard et finalement, s'il n'est pas si malheureux, il n'est pas si heureux non plus !

Pour les êtres à qui tout ce confort répugne, comme c'était le cas d'Henri, la spiritualité devient l'exutoire où l'on tente d'échapper à la fois à la mère et à la créativité blessée. Mais on risque ainsi de passer complètement à côté de la vie, cantonné dans une peur qui transforme le frère de l'ombre en un démon de l'enfer qui a tous les vices et toutes les sensualités.

Il ne faut pas confondre spiritualité et peur de vivre. La véritable spiritualité représente la fleur d'une vie. Elle ne craint pas le fumier, les profondeurs de la terre et la chaleur du soleil. Elle s'y nourrit. Elle a besoin de faire l'amour si j'ose dire. Elle ne peut s'élaborer contre la sexualité, contre la pulsion de vie elle-même. Si la spiritualité n'intègre pas la sexualité dans un grand mouvement vital, elle devient desséchante. Elle devient la servante du complexe maternel négatif qui interdit de vivre. Elle s'appuie sur une haine inconsciente de la vie et par ce fait même perd toute valeur de croissance pour l'individu.

Seule la créativité a le pouvoir par son feu de transformer les obsessions, les manques, les blessures et les lâchetés. À condition bien entendu que l'on ait le courage de l'approcher. Si on ne le fait pas, toute la souffrance qu'un individu peut éprouver perd sa raison d'être et nul ne peut en profiter. C'est alors que la vie se confond en reproches acerbes envers les parents. L'être qui n'a pas osé se rencontrer lui-même ne peut pas bénéficier de la grâce déguisée que représente une enfance difficile. Il n'arrivera jamais à saisir combien toutes ces difficultés peuvent servir à la connaissance profonde de soi-même en ce qu'elles favorisent un dépassement qui promet à long terme de toucher à l'extase de vivre.

Le bon garçon ne peut résoudre le conflit intérieur

qui le neutralise qu'en choisissant de deux feux (celui du dragon maternel ou celui du feu de l'enfer) le pire, soit celui de l'enfer. Chaos, rage, peur et culpabilité sont les effets inévitables mais passagers d'un tel choix. On ne peut éviter de s'y brûler et on peut même y perdre la vie. Pour endurer le supplice, il faut sans cesse se demander si la vie vaut la peine d'être vécue en se trahissant soi-même.

La vie débordante, « débarquante », rieuse et spontanée, est notre plus précieuse essence. Que sert au bon garçon d'être aimé de tous s'il en vient à perdre toute valeur à ses propres yeux ? Le respect de la vie est notre premier devoir et, aussi malhabiles que nous puissions être à vivre, cela vaut encore mieux que de mener une existence parfaitement policée à contrôler la vie des autres parce que l'on a atteint une sorte de mort psychique. La véritable beauté tient au respect de la créativité et n'est jamais ennuyeuse. La mort psychique ressemble à la sécheresse et elle tue plus sûrement que la famine ou la guerre.

On ne peut que se laisser emporter par les forces du printemps quand la débâcle des forces vives ne tolère plus d'atermoiements et menace de tout rompre. On ne peut que suivre heureux et content. La glace se rompt enfin. Un jour ou l'autre, tôt ou tard, il faut avoir le courage de confesser son péché contre la vie, et obéir à sa voix intérieure. Sinon on crève dans l'absurdité la plus totale, ayant perdu le sens de soi-même, les sources du renouveau intérieur s'étant taries.

**8**

RÉFLEXIONS SUR LE RÔLE DE LA MÈRE

## *Le divorce mère-fils*

### Pourquoi la séparation entre mère et fils est-elle importante ?

Le chapitre qui suit ne fait pas partie à proprement parler de la trajectoire de cet ouvrage. Mais puisque les dernières pages ont beaucoup traité des rapports mère-fils, j'ai pensé en profiter pour proposer quelques réflexions sur le rôle maternel, espérant simplement qu'elles puissent servir à calmer les inquiétudes que mes propos ont pu soulever.

> *Un homme de cinquante ans racontait dans un atelier sur les rapports mère-fils qu'il subissait énormément de pression de la part de sa famille pour permettre à ses parents de venir habiter juste au-dessus de chez lui dans un immeuble dont il était propriétaire. Il n'arrivait tout simplement pas à se faire à cette idée. En tentant de cerner la raison de ses hésitations, il finit par dire : « En fait je ne crains pas que mes parents viennent habiter au-dessus de chez moi, j'ai peur que mon père meure et que je reste seul avec ma mère. La pensée de ma mère habitant juste au-dessus de mon propre appartement m'obsède. Je suis incapable de leur dire oui mais tout aussi incapable de leur dire non ! »*

Pas besoin d'épiloguer longtemps sur un tel témoignage. Cet homme ne voulait pas reproduire les conditions de vie de son enfance, alors qu'il craignait que la forte domination de sa mère ne l'empêche de devenir un homme. À cinquante ans, nous pourrions dire qu'il n'est pas encore séparé de sa mère. Il est encore sous l'emprise du complexe. Que faire pour éviter un tel drame ?

## Le divorce mère-fils : un sacrifice

À l'adolescence ou au début de l'âge adulte, on passe généralement sous silence la séparation entre une mère et ses enfants. Elle ne fait l'objet d'aucun rituel spécial et même d'aucune discussion. Les mots d'amour ne sont pas échangés, pas plus que les regrets. Tout reste muet et devrait se résoudre comme par magie. Or, ce n'est pas du tout le cas. Le fils continue de vivre dans la mère et la mère dans le fils sous la forme de dynamiques bénéfiques ou malsaines qui se répètent parce qu'elles ne sont pas conscientisées. De plus, cette séparation entraîne une véritable douleur des deux côtés parce qu'il y a sacrifice d'un lien. En l'escamotant, notre société ne fait que condamner à leurs rôles passés cet homme et cette femme qui doivent pourtant survivre au divorce et continuer à créer leurs vies respectives.

Lorsqu'une relation entre deux êtres a été à ce point intime, les partenaires sont liés pour la vie et un travail conscient doit être entrepris pour éviter le développement de dynamiques néfastes. Même s'ils ne vivent plus ensemble depuis de nombreuses années, même s'ils ne se parlent jamais ou seulement pour se dire des choses banales, la mère et le fils sont liés dans l'inconscient. C'est d'ailleurs à partir de là que l'enfance continue à exercer son influence sous la forme d'idées, de sentiments et de comportements que nous épousons à notre insu à chaque moment de notre existence.

Encore une fois, les mères doivent prendre conscience combien le passage du fils à l'homme est difficile, surtout si le père est peu présent. La mère doit accepter que son fils ne puisse être ni son partenaire, ni son ami, ni son amant. Un véritable deuil est en jeu. Elle doit apprendre à laisser aller son rejeton et à se situer elle-même par rapport à sa vie de femme sans tenter de compenser sa solitude en devenant indispensable à son fils.

Ce deuil semble plus difficile pour les mères qu'il n'y paraît de prime abord. Dans des ateliers que j'ai menés auprès de mères de garçons, j'ai pu constater à quel point elles avaient de la difficulté à séparer la femme de la mère en elles-mêmes. Elles acceptaient facilement de retrouver leurs goûts et leurs envies de femmes, mais elles désiraient que leurs fils demeurent les témoins privilégiés de cette évolution. Il me semblait qu'elles avaient parfois besoin d'être rencontrées par eux comme des amoureuses désirent être reconnues par leurs amoureux.

Par exemple, l'une d'elles, fort attachante, désirait faire parvenir la correspondance qu'elle avait entretenue avec son mari et ses amants à son fils de trente ans. Elle désirait que son fils la « connaisse » avant sa mort. Elle se plaignait des résistances que ce dernier opposait à un tel rapprochement car il lui répétait immanquablement : « Tu seras toujours ma mère ! » Le fils devait maintenir en place la barrière de l'inceste affectif. Mais on peut comprendre combien il peut être difficile d'abandonner à sa propre vie l'homme qu'on a le plus aimé et auquel on a le plus donné. Il s'agit là d'un aspect du drame maternel dont nous ne tenons pas suffisamment compte car il est à peine avouable.

De la même façon, le désir physique d'une mère envers son fils demeure un sujet tout à fait tabou dans notre société. Pourtant bien des mères avec lesquelles j'ai eu l'occasion de travailler font état d'un tel désir ou d'un tel fantasme. Ce désir refoulé remonte d'ailleurs à la surface au moment où le fils choisit sa première compagne et qu'il connaît ses premières expériences sexuelles. J'ai entendu plusieurs mères m'avouer qu'elles auraient franchement préféré ne pas rencontrer la petite amie de leur fils. Ce problème d'inceste non résolu du côté de la mère n'est certes pas étranger aux difficultés fréquentes entre mères et belles-filles. À l'évidence d'ailleurs, la seule solution consiste à se situer comme femme face à d'autres hommes que le fils.

En l'absence de dialogue, bien souvent le fils ne trouve pas de façon honorable de quitter sa mère, surtout lorsqu'il a remplacé son mari auprès d'elle. En général, il s'éloigne avec fracas ou dans un silence poli. Le nombre de kilomètres qu'il met entre elle et lui témoigne alors éloquemment de l'importance du problème qui reste à résoudre et de l'agressivité qui n'a pas été exprimée.

Pour éviter que les événements ne prennent une telle tournure, la mère doit se préparer à laisser son fils poursuivre sa route vers l'autonomie dès qu'il atteint l'âge de quatorze ans. Elle doit comprendre que, pour vaincre son complexe maternel et faire sa place dans le monde, pour s'épanouir et parvenir à l'expression de lui-même, il doit surmonter sa tendance naturelle à croire que la vie sera toujours facile et sans problème. Il doit vaincre sa peur et mordre à pleines dents dans les difficultés. Pour cela, il devra mobiliser une force de caractère qui ne peut se forger que dans l'adversité. C'est pourquoi la mère, dans la mesure du possible, doit à partir d'un certain moment se faire violence et le laisser essuyer seul les revers du destin. Contrairement à ce que l'on croit, les hommes ne sont pas motivés par le pouvoir mais bien par la peur, la peur des coups physiques, la peur de la défaite, la peur d'avoir à se mesurer à plus fort qu'eux. Or, ce n'est pas en se réfugiant dans les jupes de sa maman qu'on apprend le courage.

En réalité la mère ne peut pas initier son fils à la masculinité qui a toujours rapport avec la perte d'innocence. Dans un conte intitulé *Jean de fer*[1], la clé de

1. Au sujet de ce conte, voir le livre que lui a consacré le poète américain Robert Bly, *Iron John, A Book About Men*, Massachusetts, Addison-Wesley Publishing Company, 1990. Voir aussi l'interpréta-

la virilité est cachée sous l'oreiller de la mère et le fils ne peut pas la lui demander, il doit la lui voler. Voilà sans doute pourquoi les fils cachent beaucoup de choses à leur mère. Ils savent que, s'ils agissaient autrement, elle en perdrait le sommeil. Ils tentent donc d'aménager un espace privé où s'élabore leur masculinité. Bien entendu, l'idéal serait que cet apprentissage se fasse en la présence du père. Mais si ce n'est pas possible, et dans la mesure où cela ne conduit pas à de graves excès, il faut respecter les secrets du fils.

Les enfants ont leur vie à vivre et leur route à suivre ; cela est peut-être difficile mais ce qu'une mère a de mieux à faire, c'est souvent de s'enlever du chemin le plus tôt et le plus souvent possible. Cela est d'autant plus difficile que, ce chemin-là, elle a l'impression de l'avoir tracé elle-même avec ce qu'il y a de meilleur en elle, soit l'amour qui l'habite, sa capacité de guider, de soigner et de materner.

Une mère peut également atténuer la chance de conflit entre elle et son fils en refusant de devenir la messagère du père. Elle doit plutôt laisser ce dernier entrer lui-même en communication avec les enfants. Elle ne doit surtout pas craindre de lui renvoyer son fils pour une explication qui lui revient. Elle sera peut-être surprise des résultats.

Ces attitudes se résument à cesser de s'inquiéter et de prévoir le pire, apprendre à se détacher et lâcher prise. À cet effet, il est bon de se rappeler l'histoire de cette grand-mère qui a laissé son petit-fils monter seul son traîneau en haut d'une pente glacée. Malgré ses nombreuses chutes, l'enfant refusait son aide et elle finit par se résigner à le laisser faire. Elle fut récompensée par son sourire de triomphe lorsqu'il arriva en haut et lui déclara, fier de lui : « J'ai réussi, grand-maman ! J'ai réussi ! » Elle me confia que si elle avait été sa mère elle n'aurait jamais pu le laisser faire ; elle n'aurait pas eu le détachement suffisant. Mais elle se

tion que j'en fais dans mon livre *Père manquant, fils manqué, op. cit.*, pp. 113-115.

serait aussi privée de son sourire de triomphe. Il s'agit donc bien souvent de jouer à la grand-mère avant son temps.

## Quand les enfants s'incrustent

De nos jours, la récession économique, le manque d'emploi, la cherté des études ne facilitent pas la séparation nécessaire entre parents et enfants. Ce sont autant de facteurs qui amènent les fils comme les filles à rester longtemps à la maison ou à y revenir. Dans certains cas, cela fait l'affaire de la mère pour qui l'inévitable sacrifice et la pénible confrontation avec le nid vide sont remis à plus tard. Dans d'autres cas, une mère qui croyait en avoir terminé avec les tâches domestiques et qui avait hâte de déposer le tablier voit son rôle prolongé indûment. En réalité, il n'y a pas de bénéfice psychologique à rester aussi longtemps dans la fonction maternelle ou dans la fonction d'enfant. Cela nuit à l'autonomie des uns comme des autres.

Les fils ont particulièrement tendance à s'endormir dans le confort d'une situation où ils continuent à avoir une domestique à leur service. Ils entrent dans une maison propre où des vêtements lavés les attendent ainsi qu'un repas chaud. Ils tiennent tout cela pour acquis. Ils ne prennent pas conscience qu'une personne sacrifie ses propres besoins pour leur accorder ces attentions. Ils finissent par penser à l'instar des hommes de la génération précédente qu'il est naturel pour la femme de servir, qu'elle est faite pour ça.

Il faut à ce moment-là avoir le courage d'affronter la famille afin de distribuer à chacun sa juste part des tâches domestiques. Lorsqu'on ne peut pas prendre ses distances physiquement, il devient urgent de le faire psychologiquement en générant de nouveaux comportements dans l'espace familial.

Si les enfants ne veulent pas collaborer à la redéfinition des tâches et faire leur part, il reste toujours l'option, cruelle entre toutes aux yeux d'une mère, de leur montrer la porte. Bien entendu, il s'agit d'un geste tabou qui entraînera sa part de culpabilité. Mais la culpabilité, ici comme ailleurs, est le prix à payer pour s'affranchir du joug de l'histoire.

Si les choses s'enveniment entre elle et ses enfants, au point qu'ils deviennent froids, ne lui parlent plus et l'utilisent uniquement pour lui soutirer de l'argent, il est alors bon de passer l'éponge, de les ignorer, et de refaire sa propre vie. Plus la mère s'accroche à une telle situation, plus elle risque de se faire mal. C'est l'enfant qui reviendra vers elle lorsqu'il aura gagné assez d'autonomie et lorsqu'elle aura retrouvé la femme en elle. Mais il faut savoir que cela peut prendre quelques années. C'est souvent dans la trentaine que les fils se rappellent soudain qu'ils ont eu des parents qui sont aussi des êtres humains.

Une mère doit toujours se battre pour rester en contact avec la femme en elle. Elle doit se battre contre l'archétype maternel, se battre contre le patriarcat, se battre contre les préjugés de la société, se battre parfois contre son propre mari et se battre encore contre ses enfants s'ils ont trop tendance à s'incruster. De toute façon, ils ont besoin de pouvoir trouver à leur mère des imperfections et même de la haïr pour arriver à se séparer, alors autant leur fournir de vraies raisons ! Cela fonctionne exactement comme lorsqu'un couple se sépare. Même si les deux partenaires souhaitent que tout se fasse amicalement, en général il faut que l'on se querelle pour arriver à se défaire l'un de l'autre. L'agressivité apparaît ainsi comme une aide naturelle à la prise de distance. Voilà pourquoi, entre autres choses, les mères ne devraient pas prendre au tragique les reproches dont les enfants les accablent au moment de la séparation.

À travers tout cela, il faut surtout garder à l'esprit qu'une bonne séparation des territoires psychologiques entre mère et fils est précisément ce qui permettra de meilleures relations par la suite. À São Paulo, au Brésil, j'ai visité il y a quelques années un couple d'amis qui ont construit leur maison directement sur le terrain de la demeure de ses parents à lui. En fait, les deux maisons sont si près l'une de l'autre qu'un corridor les relie. Le prix exorbitant et la rareté des terrains dans cette ville justifiaient une telle proximité. Pour ma part, j'étais mal à l'aise car je ne pouvais m'empêcher d'y voir, tout psychanalyste que je suis, la marque d'un cordon ombilical mal coupé. Je décidai finalement d'en parler à mon ami qui éclata de rire : « Les gens de l'Amérique du Nord sont fous, me dit-il, ils croient que si l'on demeure près de sa mère, la symbiose continue, alors que si l'on demeure loin d'elle le problème est réglé. Entre mes parents et moi, les frontières sont très bien définies. Malgré la proximité des foyers, ils ne se permettraient jamais un commentaire sur la façon dont je mène mon ménage, et ils n'oseraient jamais frapper à ma porte sans avoir téléphoné d'abord ! »

## Quand les enfants sont partis

Dans la mesure où une femme a investi toute son identité dans la maternité, elle souffre amèrement de voir le nid vide une fois que les enfants sont partis. Elle se trouve mise au rancart au moment où ses forces déclinent et où elle aurait le plus besoin du soutien de ceux qu'elle a tant aimés. Prisonnière de la fonction maternelle, elle se met à vivre à travers ses enfants. Elle suit les péripéties de leurs vies comme s'il s'agissait de téléfilms. Elle a perdu sa propre individualité. Sa vie a été dévorée par l'archétype.

Je crois qu'il faut accueillir nos mères avec compassion dans ce destin que l'histoire leur a tracé, un destin qui fait réfléchir. Au fond, l'archétype qui inspire le plus grand sacrifice de soi doit être conçu comme un pays dans lequel on séjourne temporairement. Même s'il vous a nourri de toutes ses saveurs, un jour il faut se résigner à le quitter pour suivre son développement. Il s'agit alors de vivre sa tristesse, son désespoir et sa dépression de mère en fin de carrière, puis de tourner la page pour renaître en tant que femme.

Quand les enfants sont partis, à l'heure où la mère fait son bilan, au lieu de se critiquer ou de se culpabiliser, elle doit plutôt honorer tout ce qu'elle a fait pour ses enfants. Qu'elle en ait trop fait ou pas assez, elle doit respecter et aimer ce qu'elle a accompli. En repassant en esprit tous les sacrifices qu'elle a dû faire en tant que mère, il vaut toujours mieux qu'elle reste positive et indulgente envers elle-même. La meilleure attitude consiste encore à considérer les difficultés passées et présentes comme autant d'épreuves qui auront servi à mieux se connaître.

Finalement, pour retrouver la femme, il s'agit souvent d'emprunter la route des petits plaisirs. Toute femme détient aussi en elle une âme d'enfant qui a besoin qu'on lui permette de vivre et de jouer. En prenant la route des petits plaisirs quotidiens, ceux qui ne coûtent rien mais qui réchauffent le cœur, une femme se retrouve peu à peu. Le temps des sacrifices est terminé. Le temps de penser à soi est arrivé même si toute une culture nous l'a interdit pendant tant d'années.

Le bonheur de la femme retrouvée est ce qui permettra à coup sûr la reprise des liens avec des enfants devenus adultes. Il s'agit là de la meilleure voie de réconciliation possible.

## *Mère monoparentale : la quadrature du cercle*

### Père manquant, fils manqué... ?

En France, on m'a dit à de nombreuses reprises que le titre même de mon premier livre, *Père manquant, fils manqué*, pouvait être culpabilisant, voire blessant, pour les femmes qui élèvent seules leurs garçons. Il semble qu'en voulant éveiller une prise de responsabilité chez les pères, j'aie aussi réveillé l'anxiété des mères. Les questions que ces femmes m'ont posées et l'inquiétude bien réelle que j'ai sentie chez elles m'ont amené à formuler à leur attention les quelques réflexions qui suivent. Dans son aspect fondamental, cette inquiétude pourrait se dire comme suit : est-il vrai qu'une mère monoparentale ne peut rien faire pour la masculinité de ses fils ? Ou encore, formulée d'une manière plus positive : *que peut faire une mère monoparentale pour aider au développement de l'identité masculine de ses fils ?*

Disons d'abord qu'il est vrai que la mère qui élève seule ses enfants a de nombreux paradoxes à résoudre. Lorsqu'elle travaille à l'extérieur de la maison, elle se dit qu'elle ne peut pas être une bonne mère dans de telles conditions ; lorsqu'elle reste à la maison, elle se dit qu'elle devrait plutôt aller travailler pour que ses enfants ne manquent de rien et jouissent des mêmes biens que les autres. Si elle s'épuise et ne prend pas la peine de se ressourcer, elle risque de devenir trop permissive ou pas assez ; elle laissera chacun agir à sa guise ou elle imposera à tout le monde, elle y compris, des limites trop nombreuses et trop strictes. Trop souvent frustrée dans ses désirs et ses ambitions de femme, elle risque fort de devenir dépendante de ses enfants pour la satisfaction de ses propres besoins affectifs, avec toutes les conséquences dont j'ai parlé plus haut. Tout cela mis ensemble, il n'est pas étonnant que nombre d'entre elles éprouvent beaucoup d'anxiété lorsqu'il est question de l'éducation de leurs fils. Elles se donnent avec amour et générosité mais sont très sensibles aux problèmes petits et grands qui ne cessent de survenir. Je crois que les attitudes suivantes peuvent aider.

## Prendre congé de temps en temps

J'ai dit précédemment que le fils avait besoin, pour s'épanouir et faire sa place dans le monde, d'une force de caractère qui ne s'acquiert que dans l'adversité. Or l'absence de sa mère — même de très courtes absences — représente la première épreuve à laquelle le fils est confronté. C'est le premier échec, la première limite posée à son sentiment de toute-puissance. Dans le meilleur des mondes, c'est le père qui, en participant à l'importante triangulation père-mère-fils, impose à l'enfant cet apprentissage nécessaire de la frustration. Mais la femme qui vit seule avec ses enfants peut reproduire à peu près les mêmes conditions, du moins en ce qui concerne la frustration du garçon, en créant ce que la psychanalyste Françoise Dolto appelle un *tiers symbolique*.

Il s'agit en gros d'avoir une activité grâce à ou à cause de laquelle une mère est amenée à se séparer régulièrement de l'enfant pour des périodes de temps plus ou moins longues. Ce peut être un travail, un passe-temps, une relation amoureuse ou un cercle d'amies, peu importe. L'important, c'est que la satisfaction qu'elle en retire lui permette de supporter la culpabilité associée à cette séparation. Bien entendu, tout est question d'équilibre et il est clair qu'on peut exagérer dans cette direction également. Mais le principe est toujours le même : dans les limites du bon sens et dans la mesure où cela permet d'échapper à toutes les conséquences néfastes de la fusion mère-fils, ce qui est bon pour la femme en soi est bon aussi pour l'enfant.

À cet égard, il faut se rappeler que la pire chose pour des enfants, mis à part le fait d'avoir manqué de parents, c'est bien d'en avoir eu trop. Tout comme le fils ne devrait pas essayer de plaire à sa mère à tout prix, il est extrêmement important que la mère n'essaie pas d'être parfaite en tout. « Je dois bien avouer que je suis heureuse lorsqu'il part retrouver son père », m'a avoué une mère après une discussion sur les rapports qu'elle entretenait avec son garçon. Dans cet aveu, son cœur de femme recommençait à battre... et son fils ne s'en portait pas plus mal, au contraire !

# Laisser le fils ressembler à son père

On sait que les enfants ont besoin de maternage et de paternage. On fait du masculin avec du masculin et du féminin avec du féminin. Il faut donc s'assurer que les enfants aient suffisamment d'interactions avec des personnes significatives des deux sexes. Cependant il peut arriver que sous le coup de la séparation, une mère préfère tenir son fils à l'écart de son père naturel ou d'autres sources d'influence masculine dont il aurait besoin pour développer sa propre identité d'homme. Cela n'est pas bénéfique et montre la nécessité pour cette femme de régler ses problèmes avec son ex-conjoint, dans la mesure du possible bien entendu, et même d'examiner sa vie avec son propre père. Tout simplement parce que, tant qu'elle n'aura pas réglé ses problèmes avec ces hommes, elle aura tendance à réprimer chez l'enfant les comportements et les tendances qui lui rappellent ceux qu'elle a aimés et qu'elle n'aime plus. En d'autres termes, elle aura du mal à laisser son fils ressembler à son père ou à son grand-père, ce qui est pourtant inévitable : c'est inscrit dans ses gènes, comme on dit.

Cela peut avoir pour l'enfant des conséquences graves. Un enfant, par exemple, dont la mère dénigre le père ouvertement (et vice versa) se trouvera pris dans un véritable conflit de loyauté. Il affichera telle attitude avec le premier et telle autre avec le second, comportement qui traduit bien sa profonde division intérieure et qui augure bien mal de l'avenir. Mais si l'enfant se rend compte que les deux parents peuvent collaborer malgré leur séparation, qu'une forme d'amour et d'amitié persiste au-delà de la rupture, cela le rassurera. Voilà pourquoi il faut encourager et aider les conjoints en conflit à régler leurs différends. Lorsque ce n'est pas possible, il faut les prévenir du danger qu'il y a à ne pas respecter l'amour de l'enfant pour le parent absent. Que son père soit alcoolique ou criminel, son petit l'aime et, à moins qu'il n'y ait danger moral ou physique pour l'enfant, il faut tenter d'aménager une forme de contact.

# Faire attention à la façon dont on parle du père

L'importance qu'il faut accorder à la façon dont on parle du père, l'importance des qualités qu'on lui prête et des noms qu'on lui attribue lorsqu'il n'est pas là, tout cela ressort clairement des études menées auprès des fils de veuves [1]. On a remarqué que ces fils, qui avaient peu connu leur père et dont les mères ne s'étaient pas remariées, s'en tiraient mieux que les enfants qui avaient été abandonnés par leur père. Cela s'explique facilement : les veuves ont tendance à idéaliser le mari défunt et à ne se rappeler que des bonnes choses. « Lorsque ton père était là... », commencent-elles, et elles composent ainsi par petites touches une image positive du père que l'enfant fera sienne. Il n'a pas de père dans la réalité mais il se sent soutenu et accompagné par une figure intérieure qui lui donne sa légitimité.

Un de ces orphelins de père qui était né dans un petit village me racontait qu'il avait toujours entendu parler de son père en bien et qu'il en avait toujours tiré une grande fierté. Cet homme, bien qu'il soit maintenant divorcé, n'a jamais eu de difficulté à être père et ses deux petites filles n'ont jamais cessé d'être une priorité dans sa vie.

L'estime mutuelle des deux ex-conjoints joue donc un rôle fondamental dans l'élaboration d'images positives féminines et masculines à partir desquelles l'enfant construira sa propre identité. Car les deux parents, même séparés, continuent de former un couple dans l'esprit de l'enfant, et c'est sur ce couple que l'enfant fonde les notions d'unité, de collaboration et de complémentarité qui lui serviront sa vie durant. Ce n'est pas tant le divorce qui est catastrophique pour l'enfant, c'est ce que les parents font de leur séparation. Le respect mutuel demeure le meilleur guide de comportement.

1. Voir « Fatherhood : Implications for child and adult development », de Henry B. Biller, dans *Handvook of Developmental Psycho-*

# Penser d'abord au bien-être de l'enfant

Lorsque les deux parents arrivent à collaborer, la garde partagée, selon toutes sortes de formules où il faut privilégier le bien-être des enfants, semble souhaitable. Lorsqu'il n'y a pas moyen de collaborer, il est préférable qu'on donne la garde exclusive à l'un des deux parents pour éviter que l'enfant ne devienne l'otage de cette guerre d'amour. La grande psychanalyste des enfants Françoise Dolto conseillait même dans ces cas-là de laisser les garçons au père et les filles à la mère afin d'assurer la formation de l'identité sexuelle qui repose sur le rapport avec le parent du même sexe. Il faut ajouter que si les droits de garde peuvent demeurer flexibles au fil des ans, et si les parents séparés peuvent habiter à proximité l'un de l'autre, cela facilitera grandement les choses pour l'enfant.

Lorsqu'ils sont assurés de pouvoir compter sur l'amour de leurs parents, les enfants peuvent s'épanouir dans des situations très délicates. J'ai connu une petite fille de dix ans qui avait quitté son véritable père à l'âge de trois ans ; elle avait suivi sa mère qui par la suite avait eu un autre conjoint pendant cinq ans ; et maintenant elle vivait seule avec sa mère. Elle était devenue, à mon avis, un modèle de sensibilité et de créativité. Elle nouait facilement des relations mais sans complaisance. Elle avait développé une grande autonomie et toutes ses tribulations d'un foyer à un autre, d'un père à un autre, ne semblaient pas l'avoir perturbée. Quel était son secret ? L'amour de son père naturel et l'amour de son beau-père. Ces deux-là s'arrachaient littéralement la jeune fille. Elle se sentait aimée et désirée. Elle était bienvenue et à son aise partout où elle allait. La collaboration entre la mère et ses ex-partenaires était exemplaire. Chacun semblait s'être bien adapté à la situation et avoir fait du bien-

*logy*, publié sous la direction de Benjamin B. Wolman, Englewood Cliffs, N.J., Prentice-Hall, 1982, p. 709.

être de l'enfant sa seule priorité. Jamais l'enfant ne s'était sentie rejetée ou responsable des séparations de sa mère. Au contraire, elle savait qu'on l'aimait et la grande confiance qu'elle affichait venait de là.

## Faire les choses à sa façon

Des recherches nous apprennent également que l'indépendance d'esprit de la mère monoparentale — surtout par rapport au milieu dans lequel elle-même a grandi — constitue un facteur de réussite dans l'éducation de ses enfants [1]. Moins elle se sentira obligée de faire les choses comme sa mère les faisait, mieux elle s'en portera et ses enfants également. Elle sera plus libre d'adopter des modèles d'éducation et de collaboration mieux adaptés à sa propre situation même s'ils n'ont rien à voir avec ce qui se faisait à l'époque dans son milieu d'origine.

La mère doit demeurer en contact avec elle-même, faire les choses à sa façon. Elle n'a pas à laisser les chuchotements des uns et des autres lui dicter une ligne de conduite concernant ses enfants ou son ex-conjoint. Autrement dit, elle ne doit pas faire passer l'honneur ou la fierté de la famille avant le bien-être de ses enfants.

## Faire confiance à ses enfants

Au lieu d'essayer de colmater toutes les brèches à mesure qu'elles apparaissent, il vaut mieux dire franchement ce qui ne va pas et laisser les enfants trouver des solutions à leurs propres problèmes. Les enfants vivent mieux avec une frustration consciente qu'avec le non-dit, car la frustration est source de créativité. L'exemple suivant résume ce que nous venons de dire.

1. Carl Gustav Jung, *Les Racines de la conscience, op. cit.*, p. 106.

Il s'agit du témoignage d'une veuve de soixante-dix ans qui a dû élever seule ses trois fils.

> Lorsque mon mari est mort, le plus vieux de mes trois fils avait treize ans et le plus jeune six ans. Le choc a été terrible. Du jour au lendemain, je devais me mettre à travailler pour gagner de quoi manger. J'étais très consciente du besoin que le manque de père allait créer chez mes enfants, alors j'ai pris les mesures suivantes. Dans un premier temps j'ai fait l'inventaire des hommes dans ma famille et dans celle de mon mari qui pourraient remplir un rôle de substitut auprès de chacun de mes fils. Je ne leur demandais pas une grande présence mais de la constance à travers le temps. C'est ainsi que chacun des enfants s'est retrouvé avec une sorte de tuteur qu'il voyait de temps à autre pour une activité agréable.
> J'ai dit à mes enfants : « Votre père est mort et vous avez besoin d'un père, alors vous allez vous trouver des hommes qui peuvent jouer ce rôle ! » Au lieu d'avoir peur de la pédophilie, je me suis mise à encourager les liens que mes fils nouaient avec des professeurs, des entraîneurs ou des hommes plus vieux. J'ai tenté de soutenir du mieux que j'ai pu leurs amitiés masculines et leur participation à des groupes organisés comme les scouts ou les clubs de base-ball du coin. Somme toute, je trouve que tout ça a très bien fonctionné. Aujourd'hui, mes trois fils sont mariés et gagnent bien leur vie.

Le génie de cette femme est de ne pas avoir traité ses enfants comme de la matière morte en prenant toute la responsabilité sur ses épaules. Elle était consciente du manque fondamental dont ils souffriraient mais elle avait confiance en leur capacité de remplir eux-mêmes le vide causé par l'absence du père. Elle a aussi réussi à surmonter la peur bien compréhensible qu'il leur arrive quelque chose de regrettable, ce qui était une autre marque de confiance envers ses enfants et envers son destin. Autrement dit, elle n'a pas voulu que le milieu familial, par la faute de ses propres craintes, se replie sur lui-même.

En toute chose et en toutes circonstances, il faut chercher l'attitude juste. Il faut être sensible à la souffrance de l'enfant tout en lui laissant le temps de vivre sa frustration et la chance de combler seul ses propres besoins d'une manière créatrice. Enfin il faut se souvenir de la femme en soi et lui donner à elle aussi la chance de satisfaire ses besoins, la chance de rester en vie malgré les exigences de la tâche maternelle. Les enfants ne suivent pas toujours les conseils de leurs parents mais ils n'oublient jamais l'exemple d'une mère courageuse qui est restée jeune de cœur et pleine de vitalité.

## La réconciliation

Le temps de la réconciliation entre une mère et son fils commence fréquemment sous la bannière des reproches. Reproches que la mère a de la difficulté à entendre. Identifiée depuis trop longtemps à sa fonction maternelle, elle a besoin de cultiver l'image de la bonne mère parce que c'est tout ce qui lui reste. Elle ne comprend pas que ces reproches, loin d'être une sorte de règlement de comptes, sont une amorce de rapprochement. Il faut que le mauvais sang coule une fois pour toutes afin que l'amour et l'affection véritables puissent reprendre leurs droits.

> J'ai accompagné en thérapie un homme dans la quarantaine dont le principal souvenir d'enfance était d'avoir été battu par sa mère. Un jour, il la confronta à cette réalité. Elle affirma alors ne pas se souvenir d'avoir jamais levé la main sur lui. Le fils se rebiffa et tenta de mettre le doigt sur des situations précises. À ce point de leur confrontation, la mère se mit à pleurer en l'accusant de folie et de méchanceté, affirmant que tout ce qu'elle avait fait, c'était pour son

*bien. Elle se réfugia alors dans une peine impénétrable ponctuée de sanglots profonds.*

*Mon patient comprit alors que derrière sa mère, il n'y avait plus de femme, c'est-à-dire qu'elle avait tant investi dans son rôle maternel qu'elle avait perdu de vue la personne qu'elle était. Son identité personnelle se confondait désormais avec sa fonction familiale. Elle ne pouvait pas se rappeler ce qui s'était passé parce que ç'aurait été trop menaçant pour son équilibre psychologique. C'est comme si on lui avait retiré son identité d'un seul coup. Elle n'entendait pas qu'elle avait pu faire quelques faux pas dans l'exercice de son rôle maternel, elle entendait qu'elle était une mauvaise personne.*

*Dans les mois qui suivirent, la pauvre mère crut devenir folle. Elle se sentait jugée. Un tribunal siégeait dans son for intérieur et lui répétait de façon obsessionnelle qu'elle avait été une mauvaise mère. Elle coupa donc les ponts avec son fils, érigeant entre elle et lui un mur de silence. Le tout dura jusqu'à ce qu'il lui assure que par sa confrontation il ne cherchait pas à la peiner mais bien au contraire à nouer avec elle une relation plus authentique. Cet argument la rassura et les liens défaits entre le fils et la mère furent réparés.*

*Dans l'année qui suivit, la mère tomba malade et dut être hospitalisée. Le fils se retrouva donc au chevet de sa mère, tenant sa petite main frêle dans la sienne. Il sentait de grandes vagues d'amour et d'émotion le parcourir. Il voulait que sa mère vive. Ressentir tant d'amour pour cet être qui lui avait donné la vie le remplissait de joie. Il sut à ce moment-là que toute la période noire qu'il avait fait traverser à sa famille n'avait pas été inutile. Pour la première fois depuis des années, il éprouvait consciemment un sentiment d'amour pour sa mère. Enfin, il pouvait l'aimer. Son affection n'était plus prisonnière du ressentiment qu'il avait éprouvé jusque-là.*

*Je voulus savoir s'il ne se serait pas rendu au chevet de sa mère même s'il n'y avait pas eu d'explication entre eux. Il me répondit que oui mais qu'alors il l'aurait fait par devoir, en bon fils qui se doit d'aimer sa maman. Tandis que maintenant il l'avait fait par amour et dans le but sincère de rendre un peu d'affection à celle qui avait tant fait pour lui.*

Devant l'éloquence de ce témoignage, je ne peux qu'encourager mères et enfants à lever le voile du passé afin de mieux vivre ce qui leur reste à vivre. Il ne s'agit pas de se laisser aller à des reproches sans fin, il s'agit d'aménager un espace où chacun peut raconter sa propre histoire en se sentant écouté et respecté. Mère et enfant n'ont pas à tomber d'accord sur une histoire commune. Il faut simplement qu'ils essaient de se comprendre, sans se juger.

Beaucoup d'adultes répugnent à déranger ainsi la retraite de leurs parents de peur de les blesser. Inlassablement, je leur répète de se mettre un instant à la place de ces parents qui ne comprennent pas pourquoi leurs enfants ont pris leurs distances et ont fini par couper les ponts. Ne vaudrait-il pas mieux que chacun fasse entendre sa vérité pour que la relation, au lieu de s'éteindre peu à peu dans l'indifférence et les politesses d'usage, puisse renaître de ses cendres ? À un patient qui craignait de mettre littéralement ses parents dans la tombe en agissant de la sorte, j'ai entendu un de mes collègues répondre : « Tu ne les tueras pas, tu leur donneras dix ans de vie, tu les libéreras du poids du passé. »

Comment espérons-nous venir à bout des problèmes mondiaux si nous n'avons pas le courage de parler avec ceux qui nous ont donné la vie ? Comment pouvons-nous penser réparer le tissu social et familial si nous n'osons jamais aborder ce qui n'a pas été dit, ce qui ne pouvait pas se dire durant l'enfance ? Ayant fait l'expérience d'un dialogue franc avec mes deux parents, j'ai pu constater combien cela m'avait libéré. J'ai cessé d'avoir peur des gens qui sont plus vieux que moi, j'apprécie leur compagnie. Je jouis d'une énergie plus profonde parce que je ne me sens plus en rupture avec ceux et celles qui m'ont précédé. Je sais que dans la mesure de mes moyens je continue simplement la route entamée il y a trente mille ans avec l'avènement des premiers humains sur Terre. J'ai retrouvé mes parents et le sens de ma propre histoire.

## 9

## L'AMOUR EN PEINE

*Quand on aime, on ne fait plus la différence entre mordre et embrasser.*

Heinrich von KLEIST

# Elle *et* Lui *dans de beaux draps*

## Le règne des répétitions

Nous voici parvenus aux rapports hommes-femmes, point d'aboutissement de cet ouvrage. Comme je l'ai expliqué d'entrée de jeu, les impasses du présent sont largement expliquées par celles du passé puisqu'elles viennent tout simplement se rejouer à l'avant-scène des relations affectives.

Je crois que nous répétons inlassablement les mêmes rapports aussi longtemps que nous n'arrivons pas à dégager la figure symbolique qui se tient derrière toutes les répétitions et qui nous enferme. La leçon est toujours la même : il faut gagner le droit d'être soi-même en osant faire face au « monstre » paternel ou maternel.

La plupart des êtres ont peine à sentir, à valider et à exprimer leurs besoins réels par peur d'être jugés ou ridiculisés. Toutes sortes de complications intérieures les empêchent d'aller vers ce qui est bon pour eux, et cela vaut de prime abord dans le choix des partenaires amoureux. On ne saurait d'ailleurs porter de jugements sur ces relations. Qui peut dire de quel partenaire un homme ou une femme a besoin pour arriver à mieux se connaître et à faire face à ce qui gît au fond de son inconscient ? Nous allons donc vérifier l'étendue de ces répétitions sur le terrain du couple en gardant cependant à l'esprit qu'elles constituent autant d'occasions de prendre conscience des dynamiques inconscientes qui sont en jeu.

## Vivre en couple n'est pas une obligation

Un petit mot de mise en garde s'avère nécessaire. L'idéal du couple peut devenir tyrannique, et nous devons prendre nos distances par rapport à lui afin de pouvoir en parler franchement sans avoir l'impression de commettre un crime de lèse-majesté. En effet, il me semble impossible de tenir un discours sur la vie amoureuse si nous ne faisons pas d'abord un pas à reculons pour gagner un peu de perspective par rapport à notre propos. Tout en admettant l'importance fondamentale de la relation de couple dans une société, il ne faut pas en faire un absolu. Des individus peuvent très bien parvenir au bonheur et à la plénitude en vivant seuls, en entretenant des relations ponctuelles hétérosexuelles ou homosexuelles, ou encore en n'ayant pas de sexualité du tout.

Si nous tenons pour vraie l'idée selon laquelle ne devraient exister dans une société que des couples hétérosexuels, fidèles sexuellement et engagés pour la vie, autant ne plus parler des difficultés du couple, car les épreuves de la vie à deux n'ont un sens que si elles conduisent chacun à se remettre en question, sexualité et mode de vie compris. Il ne faut pas faire du couple une condition essentielle de l'existence, car cela équivaut à considérer comme « anormaux » tous ceux et toutes celles qui ne s'y adaptent pas très bien. Et ils ne sont pas rares.

En réalité, la chaussure du couple ne sied pas à tout le monde, mais presque tout le monde essaie d'y prendre son pied avec plus ou moins de bonheur. Que voulez-vous, nous n'avons plus les couvents et les monastères pour justifier des vies sans partenaire ! Devant un tel état de fait, nous aurions peut-être avantage à parler du couple en tant que vocation, du célibat en tant que vocation, de l'homosexualité et même du « donjuanisme » comme des vocations, c'est-à-dire des appels de l'âme qui cherche à travers ces formes de vie son expression la plus juste. Cela nous éviterait de tout juger, de tout condamner... et de tout expliquer.

Cette mise en garde étant faite, commençons notre propos en rendant une petite visite à *Elle* et *Lui*. Nous les retrouvons dans la chambre à coucher après une soirée plutôt difficile...

## Elle

Bon ! vous ne pouvez pas dire que la soirée s'est très bien passée. Après l'altercation de cet après-midi, vous êtes restée très tendue et *Lui* aussi. Vous êtes triste. Vous vous dites qu'il faut quand même agir, sinon, au train où vont les choses... enfin vous préfé-rez ne pas y penser. Il est encore dans la salle de bains lorsque vous arrivez dans la chambre. Vous vous rap-pelez vaguement les paroles de cette amie qui vous disait que, dans les situations désespérées, il restait toujours les sous-vêtements noirs et la vodka. La vodka, ce soir vous n'iriez pas jusque-là, mais les sous-vêtements noirs, pourquoi ne pas essayer ? Le soutien-gorge en dentelle et le porte-jarretelles, ça le fait chavirer.

## Lui

Vous arrivez dans la chambre. On dirait qu'elle dort déjà. Tant mieux, car vous n'avez pas vraiment la tête à quoi que ce soit et surtout pas aux interminables discussions sur l'oreiller qu'elle affectionne tant. Elle appelle ça l'intimité. Eh bien ! pour l'intimité, on repassera. Vous éteignez et là, sous les draps, vos mains ne croient pas ce qu'elles découvrent. Ah ! la petite coquine a mis son porte-jarretelles et son soutien-gorge en dentelle. Même si vous faites semblant de ne pas y toucher, votre cœur bat déjà un peu plus fort qu'avant. Vous sentez même poindre l'érection. Vous vous rapprochez d'elle et étreignez son corps tout chaud. Vos soucis sont déjà envolés. Elle résiste à votre étreinte, vous accorde finalement un baiser et vous demande d'allumer une chandelle. Elle joue un peu les vierges imprenables et vous devez avouer que ça marche à tout coup. Vous aimez le fait qu'elle ne soit jamais tout à fait conquise, comme si c'était toujours la première fois.

## Elle

Vous sentez ses mains sur votre corps, ça vous rassure. Votre petit stratagème fonctionne. Vous vous détendez peu à peu. Au fond, ce n'était pas si difficile, une paire de bas résille, et le tour est joué. Ses mains se promènent sur vous et vous avez envie de vous blottir contre lui. Vous le sentez dans votre dos qui palpite déjà, qui s'excite. Vous vous frottez contre lui et vous vous abandonnez langoureusement. Le problème, c'est qu'il se concentre déjà sur votre sexe et sur vos seins. Il vous pince déjà le bout des tétons mais vous ne vous sentez pas prête. Vous tentez quand même de jouer le jeu en espérant que ça viendra, mais ça ne vient pas du tout. Plus il s'excite et plus vous décrochez. Après un certain temps, ça commence même à vous énerver drôlement. Vous vous sentez de plus en plus comme un objet, comme un jouet qui ne sert qu'à lui donner du plaisir.

## Lui

Ça allait si bien. C'était si excitant. Il fallait qu'elle commence à faire la compliquée : « Caresse-moi ! Caresse-moi partout ! Mon dos, mes reins, mes jambes, mes épaules, j'ai besoin d'un peu de tendresse. J'ai besoin d'un peu de romantisme. »

Romantisme ! Le gros mot est lâché. Elle trouve toujours que vous n'êtes pas assez romantique, que vous allez trop directement à l'affaire. Votre orgueil de mâle vient d'être touché de plein fouet. À vrai dire, son romantisme, vous n'y comprenez rien. Lorsque vous la désirez ardemment, c'est du « cul » ; et lorsque vous ne la désirez pas, elle trouve qu'il y a un « problème » dans la relation. L'autre jour, après cette soirée un peu imbibée chez les copains, vous avez tenté de l'embrasser sous la lune en rejoignant l'auto. Pour vous, il n'y avait rien de plus romantique que cela. Vous ne désiriez pas faire l'amour dans la rue, vous désiriez tout simplement jouer les adolescents. Et, là encore, vous vous êtes fait dire que vous ne pensiez qu'à ça. Le lendemain, elle s'est excusée en disant qu'elle était tout simplement préoccupée par son travail. Mais vous, vous êtes de plus en plus confus. Être romantique, est-ce que ça veut dire que vous ne devriez jamais avoir d'érection en l'embrassant ? Mais vous n'êtes tout simplement pas fait comme ça, et il faudra bien qu'elle le comprenne un jour. Vous lui tournez le dos en maugréant et éteignez la chandelle.

## Elle

Encore une fois dans de beaux draps ! C'est le cas de le dire. Vous avez voulu arranger les choses, elles n'ont fait qu'empirer. Vous vous sentez ridicule avec votre soutien-gorge et votre porte-jarretelles, et vous enlevez tout ça avec des gestes brusques pour le déranger le plus possible. Mais est-ce donc si difficile à comprendre que vous aimez la tendresse ? Est-ce donc si dur à comprendre que vous aimez être conquise lentement, être désirée, être devinée ? Ce n'est pas que vous n'aimez pas faire l'amour, c'est qu'il y a la manière. Tout est dans la manière. Le sexe pour le sexe, ça ne vous intéresse pas. Mais le sexe avec des caresses et des mots doux, wow ! Quelle affaire !

Ah, tiens ! voilà qu'il remet ça ! Les hommes n'ont pas de fierté. Une fois excités, ils ne savent plus s'arrêter. Le voilà à nouveau en train de vous caresser les seins. Vraiment, il n'y comprendra jamais rien. Vous ne pouvez tout de même pas déposer une plainte pour harcèlement sexuel contre votre propre compagnon. Vous le laissez faire mais vous êtes complètement débranchée. Ce corps qui se frotte contre vous, cette voix haletante qui vous dit machinalement : « Mon chou ! mon chou ! », tout cela vous semble de plus en plus grotesque. Si vous ne l'arrêtez pas maintenant, dans cinq minutes vous aurez l'impression d'un viol.

Vous vous redressez d'un seul coup et vous allumez la lumière. Vous lui déclarez sur un ton sans réplique : « Je ne veux plus jamais que tu m'appelles mon chou ! »

## Lui

Ah ! ça, c'est le comble ! Vous lui répondez sur le même ton que non seulement il n'y aura plus de « mon chou », mais qu'il n'y aura plus de chouchouteries non plus. Vous en avez assez d'être toujours celui dont on dispose. Jamais elle ne prend l'initiative des caresses. Jamais elle ne propose de faire l'amour. C'est toujours vous. Maintenant, ça suffit ! Désormais, c'est elle qui devra faire les premiers pas. C'est elle qui devra vous deviner. Si elle croit que c'est si facile d'être rejeté sans cesse et de toujours revenir à la charge. Voilà ! Vous allez prendre des vacances d'érotisme, des vacances de romantisme, des vacances de tout. À elle d'organiser le voyage maintenant.

Vous êtes au milieu de ces réflexions et, tout à coup, vous avez l'impression d'entendre la voix de votre père en vous. Vous avez envie de brailler tellement ça fait vieux couple. La même tension, le même silence, le même problème. La même fatigue de sa femme, de votre mère, les mêmes désirs insatisfaits chez lui comme chez vous. Est-ce que c'est vraiment possible ? Une révolution sexuelle plus tard, et toujours la même histoire. Vous vous taisez et vous fermez la lumière. Vous cherchez sa main dans le noir, mais elle se dérobe. Elle est toute raide maintenant. Vos paroles ont dû la blesser. Et vous restez comme ça, les yeux ouverts dans le noir, incapable de dire quoi que ce soit, attendant que ça passe.

## Elle

Vous savez qu'il est là, les yeux ouverts, dans le noir. Vous savez qu'il vous cherche, pour se réconforter. Mais vous n'y pouvez plus rien, vous vous sentez tellement incomprise. Il vous semble que vous donnez tellement de vous-même. Vous faites tout pour lui, pour que sa vie soit agréable. Vous êtes à l'écoute de tous ses besoins. Est-ce qu'il ne pourrait pas vous approcher avec un peu de douceur ? Est-ce que c'est trop demander ?

Vous entendez soupirer votre mère : « Les hommes, c'est tous des cochons ! » Vous n'en êtes pas là, mais pas loin. Est-ce que ça va durer longtemps comme ça ? Est-ce que ce sera pour vous comme pour elle, une longue attente et se faire une raison ? Ce serait trop bête. La mort dans l'âme, vous vous dites que ce n'est pas grave. Mais ce qu'il y a entre vous deux est tellement lourd. On dirait que vous n'êtes jamais au même rendez-vous en même temps.

# Fuis-moi, je te suis ! Suis-moi, je te fuis [1] !

Je sais, je sais... Vous pensiez que ça n'arrivait que chez vous ! Désolé de vous décevoir... Ça arrive partout ! Ça arrive même lorsque c'est deux hommes ou deux femmes. Il y a toujours le sexuel et le romantique. Et c'est vrai ! Ça ressemble tellement à papa et à maman.

Je sais, je sais... Il y a aussi un autre scénario. Il est tout gentil, il est tout doux, il se blottit contre vous comme un petit garçon contre sa mère. Il reçoit vos caresses mais son érection ne vient pas. Elle ne vient jamais. Vous avez l'impression que c'est parce que votre corps a pris un coup de vieux, mais en réalité vous auriez beau être un top model, ça n'irait pas mieux. La vérité, c'est que vous lui faites peur et il ne sait pas trop pourquoi.

Je sais, je sais... Il y a même ce scénario-ci. Entre vous et elle, sur le plan sexuel, ça fonctionne bien. Le problème, c'est qu'il n'y a que ça qui fonctionne. Vous prenez l'initiative des caresses. Elle prend l'initiative des caresses. Vous inventez des petits trucs excitants, elle en propose elle aussi. Elle aime s'habiller pour vous, se déshabiller pour vous. Ce n'est pas là que le bât blesse. Toutes les fois que vous voulez régler un problème, il y a une impasse au niveau de la communication. Si vous avez le malheur de faire une remarque, elle se sent tout de suite attaquée. Elle se sent coupable et se referme. Ou encore elle vous accuse et vous inonde de reproches. Vous n'êtes plus devant une femme, vous êtes devant une petite fille. Vous avez beau lui expliquer comment ça marche, la communication entre deux êtres responsables, vous avez beau lui dire qu'il s'agit d'être un peu rationnel, un peu logique, un peu cohérent avec soi-même, ça ne change absolument rien. Alors, dans votre grande sagesse, avec vos diplômes et toutes vos connaissan-

---

1. L'expression est de la psychologue en relations humaines Line Corneau.

ces psychologiques, vous commencez bêtement à l'accuser de tous les maux de la terre. Et elle vous explique que ce n'est pas ça communiquer, qu'entre deux êtres responsables...

*Elle* va vers *Lui*, il s'irrite. Elle lui tourne le dos, il la cherche. Il la tient à distance, mais si elle menace de partir il la retient. Fuis-moi, je te suis ! Suis-moi, je te fuis ! Entre eux, la distance demeure toujours égale. Ils ne se rencontrent jamais.

Ils font tout ce qui est en leur possible pour maintenir cette distance parce que au niveau inconscient ils sont trop emmêlés l'un à l'autre. Le réseau des projections et des attentes qu'ils tissent entre eux sans le savoir empêche une communion véritable. Leurs territoires sont confondus, et là réside la raison de leur guerre. Ils ne luttent pas seulement pour savoir « qui sert et qui est servi », ils luttent pour savoir « qui est qui ».

Avec raison, serions-nous tentés de dire car, pour rompre avec l'héritage historique et en arriver à former un couple où leurs deux individualités peuvent exister, chacun doit se différencier et prendre conscience de lui-même. Les frictions de la vie de relation offrent ainsi une opportunité par excellence pour cette prise de conscience.

Vue sous l'angle d'une recherche de différences qui permettra une meilleure communion, cette guerre peut donc être interprétée comme un combat pour l'amour. Elle sert l'égalité et la complémentarité entre *Elle* et *Lui*. Mais il est vrai qu'elle peut aussi les éloigner pour de bon s'ils n'arrivent pas à contenir la tension qui existe entre eux.

Essentiellement, ces frictions renvoient chacun et chacune à ce que l'autre provoque en lui. Là débute la connaissance de soi. Car nos réactions n'appartiennent pas à autrui, elles nous sont propres. Négatives ou positives, les émotions, les pensées, voire les sensations que nos partenaires stimulent chez nous, révèlent ce que nous sommes et que nous ignorions. Cette connaissance de soi prépare le terrain à la communion consciente dans l'amour où chacun abandonne ses armes et ses pouvoirs pour expérimenter l'Unité.

Plongeons donc dans ce monde de répétitions qui, bien comprises, peuvent permettre la connaissance de soi et de la vie.

## *La peur de l'engagement*

### Ne fais jamais pleurer... ta partenaire !

Le déséquilibre du triangle père-mère-fils qui pousse la mère et le fils à vivre un mariage symbolique rend périlleux le couple que ce dernier vivra dans le futur avec une femme. Pour un tel fils, la ou les premières unions servent simplement à démystifier la figure maternelle. Il va de soi qu'une grande partie de ces complications pourraient être évitées si le père avait pris sa place de conjoint auprès de sa femme et avait accordé au fils l'attention dont il avait besoin. Mais comme ce n'est pas le cas, ce dernier est aux prises avec un complexe maternel qui le dévore inconsciemment et qu'il projette sur sa compagne. Cette projection provoque automatiquement la répétition du passé parce qu'il va se mettre à agir envers elle comme si elle était sa mère.

En réalité, rares sont les hommes qui ont vaincu leur dragon maternel. D'ailleurs, nous retrouvons la trace de l'emprise du complexe maternel négatif dans la complainte presque universelle des hommes : « J'étouffe avec ma partenaire ! » À les écouter, on a l'impression qu'ils souffrent tous du *syndrome de la corde au cou*.

Mieux connu sous le nom de peur de l'engagement, ce syndrome repose sur le sacrifice des besoins d'affirmation et d'autonomie, l'interdiction d'exprimer des sentiments négatifs et la répression de la sexualité qui ont eu cours dans l'enfance. Les éléments de ce contrat tacite entre mère et fils sont bien souvent transposés intégralement dans le couple.

Comme je le disais plus haut, beaucoup d'hommes n'arrivent pas à vaincre leur complexe maternel et restent pris dans les rets de la culpabilité. Leur pouvoir d'affirmation s'en trouve d'autant inhibé. Pour ces hommes, « Ne fais jamais pleurer ta mère ! » devient « Ne fais jamais pleurer ta partenaire ! ». Cette peur de faire pleurer sa partenaire, la peur de dire non à celle qu'on aime, a pourtant un effet très pervers. Car lorsqu'un être est incapable d'affirmer sa résistance, il n'est pas davantage capable de s'ouvrir et de dire « oui ». Lorsqu'un homme, comme *Lui*, a de la difficulté à prendre sa place au sein de la relation amoureuse, lorsqu'il s'efface sans cesse pour soi-disant faire plaisir à sa compagne et ne pas lui causer de désagrément, cette dernière finit pas se sentir extrêmement seule.

Par peur de déplaire, il se suradapte. Il rend service à sa partenaire comme il rendait service à sa mère. Tout cela dans le but de la rendre heureuse et de lui soutirer un sourire. Si bien qu'*Elle* va parfois jusqu'en thérapie pour se plaindre : « Oh ! Il est bien gentil, il sort les ordures, il prépare à manger. Il pleure de temps en temps. Mais je me sens abandonnée ! » Si elle osait, elle ajouterait : « J'ai l'impression qu'il n'a pas de couilles ! »

À l'évidence, la stratégie que *Lui* emploie pour éviter d'entrer en conflit avec *Elle* ne la rend pas heureuse. Pour éviter de se quereller, il lui laisse tout le territoire domestique et affectif, ce qui entraîne une perte de vitalité dont le couple se ressent.

Lors d'une séance de thérapie, j'ai entendu un « bon garçon » réfléchir à voix haute sur la difficulté de se séparer de sa femme alors qu'il entretenait une maîtresse depuis de nombreuses années. Il disait : « Je crois que je pourrai me séparer uniquement lorsque je serai convaincu qu'elle pourra me pardonner. » Il aurait désiré que sa partenaire absolve à l'avance le coup que le divorce allait lui infliger. Il privilégiait une situation ambiguë par peur de blesser l'autre. En réalité, sous le prétexte de protéger sa compagne, il se protégeait lui-même ; il préservait son image. Il ne voulait pas être le méchant, le bourreau, celui par qui le malheur arrive. Il avait obligé le couple à tolérer des années de vie conjugale insatisfaisante par peur d'affronter son dragon maternel.

La frustration de ses besoins d'affirmation et d'autonomie n'est pas sans conséquences pour *Lui* non plus. On voit fréquemment les « bons garçons » soumis à des accès d'agressivité. Le pouvoir d'expression réprimé se manifeste alors dans sa forme négative et destructrice. La colère peut éclater à n'importe quel moment, à l'occasion d'une remarque incongrue ou encore s'il a bu un verre de trop au cours de la soirée. Il rend alors l'autre responsable de sa propre impuissance. Il se débarrasse ainsi de la pression intérieure, mais finit dans les pires cas par gâcher la vie de tous ses proches.

Même si *Lui* se sent coupable de ses rages, il n'en comprend pas la raison profonde. Il ne comprend pas que l'inconscient cherche ainsi à briser le statu quo artificiellement maintenu en place par le moi. Il ne comprend pas l'importance psychique de ces manifestations de mauvaise humeur. Il n'entend pas la voix de son anima créatrice qui cherche à le sortir de la morosité pour l'entraîner vers une vitalité réelle. Il ne sait que s'excuser de ses excès pour recommencer à la moindre occasion. Cette situation ne saurait être résolue sans qu'il entre en contact avec lui-même et cesse de juger ce qui se passe en lui. Il ne s'agit plus ici de faire plaisir à maman, mais bien de faire plaisir à son âme en quête d'une expression plus complète.

Parfois, *Lui* réussit à étouffer sa peur de déplaire et son agressivité en se réfugiant dans le silence. Si je lui demandais pourquoi il lui est si difficile de parler au sein même de sa relation la plus intime, il pourrait très bien finir par me dire qu'il est honteux de ce qu'il ressent. Il a honte de son agressivité et de ses sentiments négatifs. Il a peine à prendre place dans le couple, n'ayant pas de place en lui-même. Car il faut bien dire que le pendant de la culpabilité est la honte ; la honte de ses mouvements intérieurs et de ses propres besoins[1].

Cela s'explique aussi par le fait que les hommes sont éduqués pour être à l'extérieur d'eux-mêmes. Le monde intérieur leur est interdit. Pour eux, parler des sentiments, c'est agir comme une femme. De plus, en exposant son intimité, un homme craint de fournir des munitions à sa partenaire. Il a peur d'être contrôlé et de perdre le peu de territoire qu'il occupe. Il défend son identité par son silence.

Si je voulais savoir en outre pourquoi les pleurs d'une femme lui font tellement peur, il me dirait que lorsqu'il était petit et que sa mère était « toute grande » ses pleurs à elle ressemblaient à un orage catastrophique dans son cœur d'enfant. Ses peines à elle devenaient ses peines à lui. Aujourd'hui c'est la même catastrophe qui éclate en lui lorsqu'il est la cause du malheur de sa compagne.

En fait, avec son éducation de héros, il a appris à être responsable des humeurs de sa compagne comme il était responsable du bonheur de sa maman. Pourtant il ne trouvera pas sa liberté et son épanouissement au sein de la relation intime sans avoir assumé que l'expression de ses besoins peut se faire à l'encontre de ceux de sa partenaire, que cela peut lui causer de la peine, mais qu'il n'est pas pour autant responsable de ce chagrin. Sur le plan symbolique, en acceptant qu'il puisse à l'occasion causer souffrance et désagrément à ceux qui l'entourent, un homme commence à faire reculer le dragon maternel. Pour

1. La culpabilité implique l'autre, on se sent coupable envers quel-qu'un ; alors que la honte est ressentie par rapport à des représentations plus ou moins conscientes qui servent de valeurs de référence au moi. Quand le moi est faible, ces représentations peuvent l'écraser. Il croule alors sous le poids de la honte. Ces représentations coïncident avec ce que la psychanalyse appelle le *sur-moi* et l'*idéal du moi*. Mario Jacoby distingue très bien la culpabilité de la honte dans son livre *Shame and the Origins of Self-Esteem, op. cit.*, pp. 1-4.

vaincre son complexe, il doit sortir de la sacro-sainte image du bon garçon.

La décision d'être lui-même, de prendre la place qu'il doit prendre bouleversera sans doute la dynamique du couple. Elle risque même de la mettre en danger, mais si *Elle* et *Lui* passent à travers l'épreuve, leur union s'en trouvera vivifiée. Elle cessera d'être un rapport de principe et de convention pour mettre en présence deux êtres authentiques. L'intimité n'est possible qu'à ce prix.

## Le mépris envers les femmes

Tous les hommes ne cachent pas leur faiblesse comme *Lui* sous le couvert d'une suradaptation mielleuse. Certains ont tellement de mal à s'affirmer et craignent tellement de tomber sous l'emprise d'une femme qu'ils décident de contrôler tout ce qui se passe à la maison. Ils s'attachent à diminuer et à critiquer leur partenaire de peur qu'elle ne finisse par prendre trop de pouvoir. Ce besoin de dominer l'autre ne peut que témoigner de l'ampleur d'un complexe maternel inconscient. On tente de conjurer le sortilège intérieur en soumettant et en asservissant la femme avec laquelle on vit. En la réduisant au rang d'objet, un homme tente de se venger d'une enfance passée aux mains d'une mère trop influente. Sur le plan symbolique, son comportement nous parle d'une enfance où lui-même s'est senti réduit au rang de simple chose soumise aux volontés du désir maternel.

Il me semble en tout cas que la méchanceté masculine à l'égard des femmes, les blagues les dénigrant et la volonté de les soumettre ne visent qu'un seul objet caché : le complexe maternel négatif qui continue des profondeurs de l'inconscient à opprimer un moi qui n'a jamais osé s'affirmer. L'homme passe alors son amertume et son impuissance sur le dos de sa femme. Mais ce qui apparaît de l'extérieur comme un mépris souverain à l'égard des valeurs féminines se présente de l'intérieur comme le seul moyen de défense d'un petit garçon désemparé qui n'arrive pas à assumer son propre pouvoir d'affirmation.

## La sexualité obligée

La sexualité constitue l'un des modes majeurs de l'expression humaine. Ne sommes-nous pas le produit de deux cellules sexuelles qui se rencontrent ? Chacune des fibres de notre être respire la sexualité, et il est illusoire de penser pouvoir la réprimer sans s'attendre qu'elle emprunte toutes sortes de chemins détournés.

Dans les familles traditionnelles, non seulement la sexualité entre mère et fils n'avait pas de place, ce qui va de soi, mais il n'y avait pas de place non plus pour le désir et pour l'éros partagé. On ne parlait tout simplement pas de ces choses-là. Cette atmosphère austère a de profondes répercussions sur la vie sexuelle du couple.

Le résultat en est que la majorité des hommes est convaincue que les femmes n'ont pas de désirs sexuels. Cela est dû au fait que nombre de mères se sont refait une virginité en enfantant. Comme si, à partir du moment où elles se dévouaient pour leur famille, les pères restaient seuls à porter cette chose innommable qu'est le sexe.

Or les jugements négatifs portés sur la sexualité masculine prédisposent mal les hommes à leur vie conjugale. Sur le terrain sexuel, plus que tout autre, les hommes doivent jouer les héros et prendre des initiatives. La plupart du temps ce sont eux qui prennent le risque du rejet ou du refus de leur partenaire. Autant de blessures d'amour-propre qu'ils ont appris à taire et qui demeurent largement inconnues de leurs compagnes.

Dans la chambre à coucher comme ailleurs, les hommes veulent se montrer performants. Il se crée là aussi une mentalité de devoir qui les empêche d'être vraiment présents à l'autre. S'ils n'ont pas appris à se détendre et à partager le plaisir avec leur partenaire, ils ont souvent du mal à s'abandonner. Au final ils se croient obligés de rendre caresse pour caresse dans un ballet presque minuté. Au fond, ils continuent d'être de bons petits garçons qui tentent, encore une fois, de faire plaisir à leur maman.

## « Je m'excuse, ça m'excite de te caresser ! »

Les hommes se sentent parfois tellement coupables de leur sexualité et de leurs désirs sexuels qu'ils finissent par avoir des attitudes tout à fait surprenantes. Dans un atelier où je discutais avec un groupe d'hommes de leur intimité amoureuse, un des participants nous a confié que le principal problème qu'il rencontrait lorsqu'il faisait l'amour résidait dans le fait qu'il était toujours en érection au moment des préliminaires. Il pensait que son érection trahissait un égoïsme fondamental et traduisait une forme de mépris envers sa femme. Il avait l'impression qu'il devait être totalement au service de sa compagne et oublier son propre plaisir.

Je me rendis compte qu'à l'instar de quelques hommes de notre groupe il avait honte de son monde intérieur rempli de fantasmes sexuels. Il avait de la difficulté à prendre du plaisir en donnant du plaisir. Il caressait les seins et le sexe de sa partenaire en oubliant sa joie de prendre des seins et de caresser un sexe. La sexualité avait été niée dans sa famille au point que cela avait fini par inhiber fortement ses pulsions. Il n'arrivait pas à croire que sa propre excitation éveillait et stimulait sa compagne.

## Le vagin denté

Je crois que la popularité des téléphones roses où les femmes prennent l'initiative et où les hommes peuvent confesser leurs fantasmes les plus profonds traduit bien ce genre d'impasse sexuelle. D'autant plus qu'avec une prostituée, en personne ou au bout du fil, on n'a pas besoin d'être un héros. On paie et on ne doit rien. Ainsi le recours à la femme-objet dont on peut disposer sans engagement et sans risque d'étouffement, ou encore l'utilisation de la poupée qu'on peut gonfler et ranger après usage trahissent l'angoisse de castration qui habite de nombreux hommes.

En effet, le manque de démystification de la figure maternelle favorise une peur chez le petit garçon qui perdure jusque dans l'âge adulte. Ce fantasme s'exprime sous la forme primitive du vagin denté de la sorcière qui peut trancher le pénis d'un homme. J'ai rencontré en thérapie des hommes qui avaient peur de la fellation parce qu'ils avaient l'impression qu'ils y perdraient leur organe.

Les fantasmes et les pratiques sadomasochistes expriment bien ce rapport non résolu avec la mère. Attacher une femme, torturer ses seins, la faire souffrir et l'asservir dit symboliquement la tentative de conjurer le pouvoir féminin, à savoir l'emprise maternelle. Le contraire témoigne d'ailleurs exactement de la même chose. L'homme attaché et humilié rejoue sur le plan sexuel l'atmosphère psychologique de son enfance.

Il est intéressant de noter par exemple que les clients des prostituées du type « dominatrices » sont souvent des hommes qui ont atteint des positions de pouvoir au sein de leur entreprise ou dans la société. Le jeu sexuel masochiste sert à expier aux pieds du dragon maternel le fait d'avoir osé lui voler son autorité.

Mais ce n'est pas seulement l'emprise maternelle qui est en cause ici. Nous voyons aussi comment l'absence du père ou son manque de participation à l'éducation des enfants entraînent une grande fragilité de l'identité sexuelle des fils. Ils ne sont pas sûrs d'être des hommes et ont peur d'entrer dans la femme, au plan littéral comme au plan symbolique. Au plan littéral, il en résulte l'éjaculation précoce ou l'impuissance sexuelle et, sur le plan symbolique, la peur de l'intimité avec la femme. On peut également lier le donjuanisme, c'est-à-dire le besoin de pénétrer dans toutes les femmes, à une tentative d'échapper à la peur de castration maternelle. D'une façon effrénée, don Juan tente de se prouver qu'il n'a pas peur de ses compagnes.

Ainsi beaucoup d'hommes abordent leur premier couple en projetant sur leur partenaire une diablesse qui menace de les castrer. D'ailleurs cette peur de la castration trouve une correspondance dans la réalité, car la rage d'avoir manqué d'attention paternelle rend souvent les femmes inconsciemment castratrices par rapport à leur partenaire masculin. Il s'agit là d'un désir de vengeance inconscient à l'égard du père, transposé dans le couple.

## Le bouton de panique

Comme je l'ai dit plus haut, l'activité d'un voyeur dans un *peep show*, devant une vidéo porno ou faisant l'amour dans la réalité virtuelle par le biais de son ordinateur exprime bien, elle aussi, la peur de la castration. En abolissant le rapport suivi avec l'autre, on échappe au monde des dettes et des devoirs, mais on se retrouve tout de même en position castrée. On jouit d'une position auto-érotique où l'autre n'existe pas, c'est-à-dire qu'il n'existe qu'en tant qu'objet qui nous obéit et qui sert notre satisfaction. Il n'y a pas d'investissement amoureux avec tout ce que cela comporte de risques. Sans compter que l'excès de consommation de matériel porno finit par engendrer une dépendance qui masque le manque réel, à savoir le besoin d'amour. À la longue, cela ne peut être qu'insatisfaisant pour l'âme qui cherche l'union intime.

Tout le monde sait qu'il n'y a rien de plus agréable que de faire l'amour lorsqu'on est amoureux parce que toutes les dimensions de notre être participent alors à la sexualité. Dans ces moments-là les différences s'anéantissent dans la fusion profonde avec l'autre. Mais que de difficultés et de rejets a-t-on dû négocier pour en arriver à ces extases parfois très courtes ! Jouir en l'absence de l'autre ou en manipulant son image peut alors apparaître comme un succédané acceptable d'une extase trop rare et trop difficile à atteindre.

La pornographie risque pourtant de renforcer la culpabilité ressentie vis-à-vis de la femme et soumettre l'homme encore plus au pouvoir du dragon maternel. En effet, comme cette sexualité se déroule la plupart du temps en cachette, elle replace l'homme au rang de petit garçon dissimulant à son milieu familial sa véritable libido. Les dessous de lit, les tiroirs oubliés, les tablettes de garde-robe et l'ordinateur deviennent alors les lieux où se cachent les images bénies de celui qui n'ose pas assumer complètement ses désirs devant sa partenaire.

Un ami me confiait que, sur l'une de ses disquettes, il avait la possibilité de visionner des couples faisant l'amour. Ce programme est assorti d'un « bouton de panique » qu'il peut presser si quelqu'un entre à l'improviste dans son bureau. Apparaît alors à l'écran une feuille de comptabilité. Rien de plus prosaïque, direz-vous, mais il s'agit d'une feuille de comptabilité des œuvres de Mère Teresa ! Je n'ai pu que rire à gorge déployée lorsqu'il m'a raconté ce fait. Il ne faisait que confirmer pour moi jusqu'à quel point la sexualité des hommes se déroule à l'ombre d'une sainte maman, vierge et martyre.

La sexualité est une dimension très importante de la vie des hommes. Beaucoup plus importante qu'on ne veut l'admettre. La prolifération de la pornographie et le tourisme sexuel nous le disent abondamment. Si nous tentons de comprendre l'aspect symbolique des comportements sexuels, nous avons une chance de saisir ce qui se met en scène à travers eux. Nous entrevoyons alors une misère affective masculine qui a souvent peu à voir avec la sexualité elle-même.

Par exemple, j'ai eu en thérapie un patient qui voyageait beaucoup et qui, d'une chambre d'hôtel à l'autre, avait développé tout un arsenal de moyens pour réussir à entendre ce qui se passait dans la chambre d'à côté. Ses masturbations les plus frénétiques et les plus satisfaisantes avaient lieu à l'audition d'un couple étranger qui faisait l'amour. Or ce patient avait singulièrement manqué d'attention de la part de ses parents lorsqu'il était jeune. Il agissait par vengeance. En volant leur intimité à des étrangers, il avait l'impression de pouvoir « emmerder » ses parents et surtout son père pour l'avoir exclu de la cellule familiale. En acceptant d'entendre son comportement sans le juger, nous avons pu remonter jusqu'à sa source. Son obsession déguisait et disait à la fois sa colère et sa déception d'enfant rejeté.

Les hommes entrent dans le rapport romantique et dans l'amour par la sexualité, alors que les femmes entrent dans la sexualité par l'amour et le romantisme. À cet égard, les cultures masculine et féminine sont très différentes. Pour que les hommes puissent s'épanouir dans le couple, j'ai l'impression que leur sexualité doit être prise au sérieux, même dans ses aspects rebutants. Les fantasmes doivent être entendus comme une expression profonde de l'être. Pour qu'un homme puisse s'investir complètement dans le rapport intime, il est nécessaire que sa vie sexuelle puisse être accueillie sans jugement, car elle est le lieu de symbolisation par excellence du rapport non résolu avec les complexes maternel et paternel. Il ne s'agit pas forcément de mettre en action ces fantasmes, mais bien de les formuler afin d'en comprendre le but inconscient.

### Le voyeur aux yeux fermés

Comme nous le voyons, la force sexuelle mâle demeure souvent l'otage du silence et de la gêne. Bien des hommes n'arrivent pas à dire à leur partenaire ce qui leur fait plaisir, parfois ils ne parviennent même pas à lui dire combien ils ont du plaisir à la toucher et à la regarder. Tout cela nous jette dans une situation tout à fait paradoxale puisque les femmes attendent avec impatience cette parole d'homme qui les valorise enfin. Une femme consacre beaucoup d'attention à son corps pour qu'il soit beau, pour que sa peau soit douce. Elle a besoin d'être valorisée par la parole et le regard de l'homme en retour.

À ce propos, un homme de trente-cinq ans m'a raconté l'anecdote suivante :

> Il était marié depuis six mois et venait d'emménager dans un nouvel appartement avec sa femme. Or la fenêtre de leur salon donnait sur la chambre d'une femme qui se déshabillait avec la lumière allumée. Pour cet homme qui avouait des tendances au voyeurisme depuis sa plus tendre enfance, la surprise était de taille. Peu à peu il prit l'habitude de laisser sa femme aller se coucher toute seule après les informations télévisées. De cette façon il pouvait rester dans le salon à se masturber en contemplant sa voisine.
>
> Après quelques mois de ce stratagème, il finit par se sentir si mal qu'il décida d'en parler à sa femme. Elle eut alors une réponse extraordinaire. Elle lui dit très tendrement : « C'est curieux, parce que lorsque nous faisons l'amour tu as toujours les yeux fermés ! Toi qui aimes tellement voir, tu ne me regardes pas lorsque je me fais belle pour toi et que je jouis. J'ai besoin que tu me dises que tu me trouves belle moi aussi. J'aimerais que tu me dises que mes seins sont beaux et que tu trouves mon sexe agréable. Je voudrais que nous sortions de la sexualité conventionnelle dans laquelle nous sommes enfermés. J'aimerais inventer des jeux avec toi et créer des scénarios. Je ne veux plus faire l'amour les yeux fermés. »

Cet homme ferme les yeux pour que sa véritable sexualité ne soit pas vue par sa partenaire. Sa culpabilité l'empêche de comprendre combien sa femme a besoin d'être regardée et appréciée. En réalité, bien des hommes ne croient pas qu'ils peuvent porter leurs désirs et leurs plaisirs jusque dans la chambre à coucher conjugale. Ils continuent à jouir en cachette, comme dans leur enfance. Le corps de leur partenaire demeure interdit tout comme le corps de la mère l'était.

## Le triomphe de l'esprit de sérieux *(bis)*

De toute façon, homme ou femme, nos corps et nos psychés appartiennent très longtemps à nos mères, à nos pères et à tout le milieu dont nous sommes issus. L'état de confusion entre le moi individuel et les arrière-plans psychiques qui le relient à l'inconscient familial passe pour normalité. Ce que je viens de dire sur la psychologie des hommes, même si elle nous révèle l'image d'un petit garçon qui se bat encore avec sa mère, n'est pas pathologique. Cela peut le devenir si on ne peut jouir qu'attaché ou si l'on maintient une érection uniquement lors de la masturbation et jamais avec un partenaire réel. Mais pour le reste, on gagne la souveraineté sur soi-même et on s'affranchit du passé uniquement au prix d'un effort soutenu. Ces prises de conscience sont souvent difficiles et entraînent elles-mêmes des choix qui peuvent être douloureux, mais il en résulte une vitalité accrue et une créativité plus forte. Le rapport avec les autres, avec soi-même et avec la vie s'en trouve grandement amélioré.

Le plus désolant est que cette misère sexuelle marque le triomphe de l'esprit de sérieux. Il n'y a pas de joie, ni de fierté d'être homme quand sa sexualité a été mal accueillie dans sa famille. Peu d'êtres parviennent à conserver leur légèreté jusque sur le matelas. Même chez les partenaires les plus fantaisistes, il semble n'y avoir rien de plus sérieux que de faire l'amour. Le silence, les attentes, la gêne et parfois même la honte imprègnent nos gestes érotiques. Un nombre incalculable de fantômes peuplent nos chambres à coucher : papa, maman, monsieur le curé, nos maîtresses et nos amants passés ou présents. Voilà pourquoi la véritable révolution consiste à créer un espace réellement unique, une relation véritable à deux.

Dans la même ligne de pensée, l'esprit joueur et fantaisiste d'un homme s'affadit aussitôt qu'il se trouve en présence de sa partenaire. Un homme m'a raconté qu'il ne voyait son père afficher son exubérance que lorsque sa mère s'absentait. En l'espace d'un instant, la maison se transformait en une immense salle de jeu où le père menait rondement tours de magie et chasse au trésor. Aussitôt que la mère réapparaissait, il redevenait sérieux. Qu'est-ce qui empêche un être de montrer son enthousiasme et sa joie à sa partenaire ? Est-ce le fait qu'il n'est pas encore séparé de sa mère ? Est-ce la crainte des jugements de l'autre s'il se montre spontané et vulnérable ? Pourquoi la joie est-elle encore plus difficile à assumer que le désir érotique ?

En fin de compte, nous pourrions dire que la véritable victime de la castration dans nos familles n'est pas la sexualité mais la joie, la simple joie d'exister. L'enthousiasme, la vitalité, voilà ce qui a été sacrifié au nom du puritanisme et du sérieux de la société patriarcale. Un être ne peut d'ailleurs pas retrouver ces cadeaux de l'existence sans libérer sa sexualité.

La joie est la marque de la relation réussie et d'un éros qui vit. Celui-là rallie hommes et femmes. À défaut de pouvoir en jouir, nous nous contentons d'un éros triste et conventionnel dont les petites ailes ont perdu bien des plumes et dont les fléchettes sont empoisonnées.

## Comment les hommes tentent de faire échec à leur peur des femmes

Au sein même de la relation, les hommes emploient diverses stratégies pour faire échec à leur peur profonde de la femme. La première, à laquelle j'ai déjà fait allusion, pourrait porter le nom de *dépendance totale* par rapport à sa partenaire. Celle-ci est installée d'office en position de mère de substitution. C'est elle qui le sauve, qui le lave, qui choisit ses vêtements et qui le « baise ». Elle lui permet de rester dans la douce irresponsabilité de l'enfance, même si les besoins d'affirmation, d'autonomie et d'indépendance en prennent pour leur grade.

Pour l'homme très sensible à l'étouffement et qui ne peut pas tolérer qu'une femme s'occupe de lui, la seconde stratégie consiste à *lui faire un enfant*. Ainsi elle pourra accorder toute son attention à quelqu'un, et le conjoint se sentira du même coup libéré de ses devoirs affectifs. Le summum de l'art consiste ici à laisser l'enfant prendre sa place dans le lit conjugal entre les deux conjoints. Ainsi on s'assure que la race des hommes qui souffrent d'emprise maternelle et qui ont peur de nouer des relations intimes avec leur partenaire pourra se perpétuer...

La troisième stratégie concerne ce que j'appelle la *contre-dépendance*. Il s'agit d'une sorte de célibat défensif. Son protagoniste pourrait s'exprimer ainsi : « Je suis autonome, je me prends en main sur tous les plans, je n'ai pas besoin d'une femme pour vivre ! » Autrement dit, le contre-dépendant choisit ses vêtements seul, mange seul et se baise tout seul ! Son lot est le lit vide, la solitude et la performance occasionnelle. Ses besoins d'union et de dépendance sont refoulés. Ses tripes pleurent pendant qu'il pratique l'autodiscipline et l'ascèse.

Depuis la libération sexuelle, une quatrième stratégie semble gagner en popularité. Elle vient satisfaire celui qui ne peut s'installer ni dans la dépendance, ni dans la contre-dépendance. Le pratiquant d'un tel art fréquente pour ainsi dire *des morceaux de femme*. Je m'explique : il sort avec l'une parce qu'elle fait bien l'amour, il en fréquente une autre parce qu'elle aime le théâtre et il est en relation avec une autre encore pour ses intérêts mystiques. Ainsi il arrive à respecter à la fois ses besoins d'union et de séparation.

Cette tactique consiste essentiellement en une élaboration post-moderne de la fameuse division entre la vierge et la putain, commune à bien des mâles. Celle-ci constitue la cinquième stratégie. Il s'agit d'*épouser une femme honnête et respectable* qui plaît à sa propre famille, de la cantonner à la maison, et d'entretenir une maîtresse avec laquelle on fait des fugues. On entretient ainsi une sorte de double vie pour conserver son image sociale, permettre aux enfants de grandir sans perturbations, ou tout simplement parce qu'on n'a pas le courage de se séparer. Dans plusieurs sociétés antiques, dont la Chine et le Japon, cette coutume était officialisée. La maîtresse devait même être présentée et approuvée par l'épouse officielle. Mais, faits notables, dans ces sociétés, le statut de mère est le statut ultime auquel une femme puisse aspirer, et les complexes maternels des hommes sont énormes.

À considérer de plus près l'éventail de ces stratégies, on se rend compte que ce n'est pas réellement la peur *des* femmes qui conditionne leur adoption mais plutôt la peur *d'une* femme. Un homme craint de se retrouver seul dans l'intimité avec *une* femme parce que le fantôme de l'emprise maternelle hante toujours son psychisme.

## Le besoin de romantisme

### Pourquoi les femmes tiennent tant au couple

Les hommes sont élevés pour être des héros et les femmes sont élevées pour être en couple. Si le complexe maternel masculin se met en scène principalement sur le terrain de la sexualité, le complexe paternel féminin se rejouera, lui, sur le terrain du romantisme et de l'amour. Si les premiers souffrent du *syndrome de la corde au cou*, nous pourrions dire que les deuxièmes souffrent du *syndrome du lasso*. Elles veulent attraper un homme.

Comme je l'ai expliqué précédemment, l'absence du père a pour conséquence essentielle une blessure d'amour-propre qui touche la femme dans son pouvoir relationnel. Elle se sent rassurée dans son identité par la présence de la mère, mais sa différence sexuelle n'a pas été validée par le père. Sa valeur en tant que femme sexuée n'a pas été reconnue. Elle ne pourra s'aimer elle-même tant qu'un homme ne l'aimera pas. Cela provoque l'obsession de vouloir être à deux. Elle cherche à tout prix le regard de l'homme et ses mots doux pour se faire confirmer sa propre valeur. Ici ce n'est pas l'amour qui parle, c'est la blessure d'amour-propre. L'héritage psychologique entraîne certaines femmes à confondre les deux. Elles ont l'impression d'être complètement altruistes alors que tout leur comportement vise à occuper une place centrale et à prouver qu'elles existent.

Le statut de femme n'existe pas pour elles. Elles ont l'impression qu'elles ne peuvent pas être heureuses et même qu'elles ne peuvent pas vivre sans avoir un partenaire. Elles croient que l'amour va tout régler, qu'il compensera le vide et amènera un sentiment de plénitude. Elles pensent qu'en s'occupant d'un homme ou d'un enfant elles trouveront le bonheur.

De plus, la femme élevée sans attention paternelle peut même croire que c'est en exerçant une emprise qu'elle va garder le regard masculin fixé sur elle. Elle se livrera donc à toutes sortes de contorsions et de manipulations pour parvenir à son but. Tous les moyens sont alors bons pour amener, sans qu'il s'en rende compte, l'homme qu'elle fréquente à lui accorder de l'attention. Séduction, soumission, retrait silencieux, soupirs, crises de larmes sont alors mis en œuvre pour le convaincre qu'il doit s'occuper d'elle.

Cela finit par produire le contraire de l'effet recherché. La tentative d'emprise motivée par l'insécurité d'une femme fait fuir l'homme ou l'attache à elle pour des raisons autres que l'amour. Il pourra par exemple se sentir coupable de quitter une femme en détresse. Cette culpabilité sera d'autant plus active s'il n'a pas vaincu son complexe maternel négatif.

## Parlez-moi d'amour

La sorcellerie des Indiens yaquis du Nord-Ouest mexicain enseigne que les hommes prennent leur force dans leur cerveau et que les femmes prennent leur énergie dans leur vagin. L'Orient professe que les hommes relèvent du principe Yang, actif et créateur de l'univers, alors que les femmes s'identifient à son contraire, le principe Yin, réceptif. Jung pensait que le principe masculin dépendait du Logos, c'est-à-dire de l'esprit au sens général, et que le principe féminin dépendait de l'Éros, le sens de la relation. Bref, *Lui* obéit à la loi de la Raison. *Elle* obéit à la loi de l'Amour.

Cela est vrai en grande partie. Les femmes en général vouent un véritable culte à l'amour. J'emploie à dessein le mot culte parce qu'à certains égards il s'agit d'une religion dont Vénus est la déesse. Les femmes font des sacrifices pour l'amour, lui font des offrandes et se rendent disponibles pour son épiphanie. D'une relation amoureuse à l'autre, elles observent des temps de repos. Quand l'amour est là, elles lui font toute la place. Ce monde amoureux a ses philtres et ses sortilèges, ses mystères et ses brouillards anesthésiants. La nature avec ses vents et ses marées, son tonnerre et ses éclairs, ses sécheresses et ses inondations le dépeint d'ailleurs beaucoup mieux que la plus belle description psychologique.

Voilà pourquoi les femmes se montrent sensibles à la poésie. Elle casse la linéarité du langage rationnel pour le faire s'épanouir en figures de style, en métaphores et en climats. Rien ne peut combler avec plus de satisfaction l'âme féminine que d'inspirer une poésie d'amour. J'entends les paroles d'une vieille chanson exprimer cela avec tellement de justesse :

*Parlez-moi d'amour, redites-moi des choses tendres*
*Votre beau discours, mon cœur n'est pas las de l'en-*
                                                   *[tendre*
*Pourvu que toujours vous répétiez ces mots*
*suprêmes :*
*« Je vous aime ! »*

Cette chanson exprime à elle seule l'essence du désir féminin. Rien n'exprime mieux l'âme féminine que l'esprit devenant poésie, que le Logos épousant la langue fleurie.

## Cette encre, c'est mon sang...

Dans sa pièce, *Cyrano de Bergerac* [1], Edmond Rostand nous fait une démonstration magistrale de ce qui précède. Le brave Cyrano, défiguré par un énorme nez, ne peut espérer les faveurs de sa cousine Roxane qu'il aime. Celle-ci est amoureuse d'un jeune homme, beau et bien fait, mais qui est sot. Cyrano offre donc ses talents poétiques au prétendant ignare pour qu'il puisse conquérir Roxane avec ses lettres à lui. Le premier mot d'amour qui fait chavirer le cœur de la belle est le suivant : « Ce papier, c'est ma voix. Cette encre, c'est mon sang. Cette lettre, c'est moi ! » On voit ici comment le « Verbe fait chair » incarne bien l'animus féminin. Lorsqu'elle lit « Cette lettre, c'est moi ! », Roxane a l'impression de toucher à l'âme de son bien-aimé.

Aussi, lorsqu'elle rencontre son soupirant en personne, elle s'installe tout à son aise pour recevoir ses mots d'amour, mais il ne peut que répéter platement « Je vous aime ! Je vous aime ! » en tentant de l'embrasser. Roxane est tellement déçue qu'elle le répudie. Cela nous mène à la fameuse scène du balcon où, prenant la place du jeune homme dans le noir, Cyrano

---

1. Edmond Rostand, *Cyrano de Bergerac*, Paris, Gallimard, 1990.

regagnera par la grâce de ses mots le cœur de la jeune femme.

Pour Roxane, comme pour *Elle*, comme pour bien des femmes, l'esprit d'amour qu'elle inspire à son amoureux est beaucoup plus important que ses réactions physiologiques. Elle désire aussi l'embrasser, mais l'atmosphère de ce baiser compte tout autant que la chose en elle-même. Lorsque cette ambiance proprement érotique n'y est pas, lorsque les deux êtres ne sont pas liés par l'*éros* au même esprit, lorsque l'acte n'a pas d'âme, la femme se sent réduite au rang d'objet. Le sexe pour le sexe ne l'intéresse pas. Voilà sans doute pourquoi la pornographie attire peu les femmes. Elles cherchent dans l'amour la manifestation d'un supplément d'âme.

Or, à l'instar du jeune prétendant de Roxane, *Lui* ne sait plus parler d'amour. Il est prisonnier du silence tout comme son père l'était. Dans un tel contexte, *Elle* va tout mettre en œuvre pour « faire parler son homme ». Elle va chercher, par ce qui semble être caprices et manipulations de toutes sortes, à le mettre malgré lui en situation de chevalier servant. Nous pourrions penser qu'il s'agit là essentiellement d'une manifestation de l'égoïsme féminin ou de la revendication d'un être blessé d'amour qui réclame finalement sa part d'attention. Mais il y a plus.

Au fond de ses entrailles, dans le clair-obscur des choses que l'on sait sans les savoir, *Elle* pressent que son accomplissement se trouve dans le fait de donner sans compter, par amour. Elle cherche dans l'amour personnel une façon de dénouer sa force. Elle tente donc d'amener son compagnon à donner un peu de lui-même, car elle saura multiplier ce peu pour le rendre heureux en retour. Voilà pourquoi Roxane demande à son prétendant de jouer les héros romantiques avant de se donner à lui.

## Le sens du romantisme

Autrement dit, même s'il est exacerbé par le manque de père, le besoin de romantisme remplit une fonction psychologique très importante. En effet, dans son essence, il représente le sens de la relation et de la rencontre de la femme. Elle sait qu'un aspect fondamental de l'être ne se réalise que dans l'amour humain. Son attente romantique cherche à entraîner l'homme vers sa propre réalisation par la rencontre profonde à travers le cœur et le corps.

Lorsque cette attente féminine se trouve sans cesse déçue, lorsque les attentions de l'homme ne viennent pas, cette attente tourne au vinaigre. Elle devient amertume, dépression et mépris de l'homme pour sa négligence. Alors une femme se durcit, elle n'attend plus rien des mâles, mais son cœur reste blessé.

Le cœur de l'homme aussi est seul sans cette rencontre, mais c'est comme si les hommes avaient tant à faire qu'ils ne le savent pas encore. Pourtant, un jour, chaque homme se retrouve seul face à lui-même et il comprend alors que cela ne sert à rien d'avoir conquis gloire et argent s'il n'a pas aimé, s'il n'a pas vibré à l'intensité de l'amour. La vie est vide sans amour. Dans le secret de son cœur, chaque homme le réalise au moins une fois.

L'homme qui a peur d'aimer ne sait pas qu'une femme peut, par sa générosité, multiplier le peu d'amour qu'il a à donner, à la condition expresse qu'il s'engage. Nous pourrions presque dire à condition qu'il accepte d'avoir besoin d'elle, à condition qu'il accepte de dépendre d'elle. Car une femme peut tout donner par amour. Là réside une grande partie du mystère féminin. Et une femme peut initier un homme à ce mystère. Elle peut l'initier au service et à la dévotion sans compter si elle se sent véritablement aimée, choisie, appréciée.

L'essence féminine se manifeste pleinement dans la rencontre personnelle et individuelle, cette essence implique l'autre d'emblée. Mais la beauté et la simplicité de ce mystère effraient souvent les hommes. Il faut dire, comme je le disais précédemment, qu'ils ont souvent eu des mères amères, privées d'Éros justement, qui sont devenues d'imposantes castratrices ou des femmes constamment en demande affective par rapport à leurs enfants, ce qui constitue des empreintes d'enfance difficiles à effacer...

En réalité, le romantisme féminin porte en lui le ferment de l'histoire. Il constitue l'héritage encore inemployé de l'humanité. La femme porte cet héritage comme un boulet à son pied parce que les hommes comme les femmes n'ont pas encore su reconnaître la beauté du féminin profond. Mais eux comme elles ne sauront esquiver encore bien longtemps le besoin de rencontre réelle, intense et harmonieuse au sein de l'amour. Nous pouvons penser que, tant que la primauté ne sera pas donnée au cœur, la situation entre les hommes et les femmes ne fera que se dégrader car l'espoir de communion dans l'amour est toujours déçu chez l'un comme chez l'autre.

## La pratique de l'erreur systématique

Le monde de la rêverie romantique a aussi son côté négatif. S'il compense la mièvrerie du quotidien et permet d'échapper à la souffrance, une femme peut facilement se perdre dans un tel univers, car il place un écran de fantasmes entre elle et la réalité. Si bien qu'elle projettera chez un partenaire qu'elle vient de rencontrer le prince charmant qu'il n'est pas. Elle fera de lui un chevalier servant dans son imagination et peu à peu le choc de la réalité la ramènera à elle-même : l'homme avec qui elle vit n'est pas ce qu'elle avait imaginé.

Le romantisme poussera même certaines femmes à se tromper systématiquement dans leur choix amoureux. Une femme peut confondre par exemple le machisme avec la fermeté. Elle pense trouver de la sécurité auprès d'un partenaire parce qu'il a l'air fort.

Mais elle sera surprise lorsque l'agressivité se retournera contre elle. Une autre prend le silence pour de la sagesse... pour réaliser plus tard que l'homme en question n'avait tout simplement rien à dire. Une autre encore « tombe » pour les belles paroles d'un séducteur, prenant son attention pour un intérêt personnel. Après s'être livrée corps et âme, elle se rendra compte qu'elle a été prise au piège.

La même chose vaut pour la fille qui a eu tendance à incarner l'anima d'un père en détresse, à répondre à sa sensibilité pour trouver une place entre la mère et lui. En devenant la confidente d'un père alcoolique ou dépressif, elle a appris son rôle de victime. Par la suite, tout en cherchant un sauveur, elle tombera à répétition sur des êtres dépendants qui abusent de drogues ou d'alcool ou qui ont peine à assurer leur subsistance. Elle finira par tenter de les tirer d'affaire en jouant les salvatrices.

L'attente inconsciente de celle qui épouse un homme en détresse est qu'elle finira par réveiller le prince charmant endormi en lui. Alors il lui montrera son cœur et la confirmera dans sa valeur. « Un jour mon prince viendra ! » pense-t-elle intérieurement. Mais si par hasard le crapaud se change en prince, c'est souvent pour abandonner celle qui l'a soutenu dans son combat.

Cette femme doit alors prendre conscience de la pauvre estime d'elle-même qui résulte de son enfance et qui la pousse à choisir des hommes qui ne la respectent pas. Elle découvrira un jour que, si elle est capable d'aimer avec autant d'abnégation, c'est tout simplement parce qu'elle ne s'aime pas suffisamment. En aidant l'autre à maîtriser sa dépendance, elle masque la sienne.

## Le jeu de la devinette

Le romantisme présente aussi d'autres pièges. L'attente du prince charmant chez la femme l'entraîne à entretenir un fond d'amertume constamment stimulé par les déceptions que lui apporte l'homme avec qui elle vit, notamment en ce qui concerne l'incapacité de ce dernier à deviner le monde féminin. Elle aimerait trouver un homme qui sache aller au-devant de ses désirs sans qu'elle ait à les formuler.

Nous sommes ici en face d'un paradoxe. Alors qu'une femme se targue d'être compétente dans le domaine des relations sentimentales, bien souvent elle n'ose pas dévoiler ses désirs réels à l'homme avec lequel elle vit. Elle croit à tort qu'il la connaît d'emblée et elle l'accuse intérieurement de ne pas vouloir y répondre. Elle considère que si elle doit tout dire, le jeu n'en vaut pas la chandelle. La gratification attachée à un désir que l'on a dû exprimer ouvertement lui semble amoindrie. Avoir à nommer ses envies prive sans doute les relations d'une certaine aura de mystère, mais comment pourrait-il y avoir communication réussie entre deux êtres s'ils ne sont pas prêts à clarifier leurs désirs authentiques ?

Les femmes pensent que les hommes sont comme elles et qu'ils excellent au jeu de la devinette, alors que les capacités d'intuition et de sentiment de leurs compagnons sont souvent atrophiées faute d'avoir été encouragées par l'éducation. Les hommes se situent mieux par rapport aux positions claires. Je préfère que ma compagne me dise : « J'ai envie d'un souper en tête à tête au restaurant » plutôt que de me faire dire sur le ton du reproche : « Tu n'as jamais envie d'être seul avec moi. »

D'autre part, une femme peut aussi se laisser abuser par son sentiment intuitif. Elle prend alors pour vérité ce qu'elle imagine du monde de l'homme. Elle lui met à l'avance des pensées dans la tête, des sentiments dans le cœur et des mots dans la bouche. Elle doute de Lui si par malheur sa parole n'exprime pas l'univers intérieur qu'elle croyait être le sien. Pas étonnant que dans un tel contexte les hommes se taisent. Ils ne se sentent ni écoutés ni respectés dans leur vérité. Ils se sentent contrôlés d'avance et finissent par ne plus parler puisqu'ils se trouvent régulièrement face à des partenaires qui croient savoir mieux qu'eux ce qui se passe à l'intérieur d'eux-mêmes.

## La difficulté de communiquer clairement

Pour communiquer vraiment, il faut s'ouvrir à la réalité de l'autre en prenant un peu de distance par rapport à soi. Si une femme pleure ou exprime de la déception dès que son compagnon ouvre la bouche pour parler de ses sentiments, il finira par ne plus échanger. Il éprouvera une sensation d'étouffement, de révolte et d'impuissance. Il se retrouvera dans un double lien. Elle l'invite à s'exprimer et dit souffrir de son silence mais, aussitôt qu'il ouvre la bouche, elle prend la parole pour parler d'elle ou le contredire. En pratiquant ce style de communication, une femme tisse son propre malheur et celui de son amoureux.

Dans de tels cas, on a parfois l'impression que pour cette femme communiquer signifie d'abord et avant tout apprendre de la bouche de son compagnon ce qu'il pense d'elle. Lorsqu'une femme se place ainsi au centre de la vie et de la communication de l'homme, son comportement exprime une blessure narcissique qui peut empêcher la vie à deux dans le respect mutuel. Il est légitime de vouloir entendre de l'autre ce qu'il ressent par rapport à soi, mais pourquoi ne pas le demander clairement : « Je désire connaître tes sentiments réels envers moi ! » ou même : « J'ai besoin d'entendre ce que tu penses de moi. » Une fois la question posée, il faut cependant être prêt à accueillir la réponse (ou la non-réponse) comme elle est, et agir en conséquence.

Malgré leur aisance à naviguer dans le monde affectif, les femmes éprouvent souvent de la difficulté à communiquer clairement. Entre elles les frustrations s'expriment franchement ; devant l'homme c'est autre chose. Or, tant que cette attitude n'est pas remise en question, il y a de bonnes chances que ces attentes non dites exercent sur la relation une pression qui fasse fuir l'homme. Il ne saurait y avoir de communication fructueuse entre deux êtres si on ne fait pas l'effort de comprendre les besoins cachés derrière sentiments et frustrations, si on ne les nomme pas et si on ne prend pas la peine de les exprimer sous la forme de demandes réalistes.

Une femme doit comprendre — et un homme aussi, il va sans dire — qu'il n'y a pas de partenaire magique qui va descendre du ciel comprenant d'avance ses besoins et y répondant avant même qu'ils ne soient formulés. Le prince charmant ne viendra jamais. Il s'agit d'une figure mythique qui parle d'un état de bien-être intérieur, mais qui a peu à voir avec les créatures poilues que sont les hommes.

La même chose vaut sur le plan sexuel. La plupart des femmes répugnent à être traitées comme une commodité sexuelle par leur partenaire et elles s'en plaignent ardemment à leur compagnon. Pourtant, si le désir de celui-ci vient à flancher, elles ne se sentent plus désirées et se posent des questions sur la vitalité du couple !

Voilà un autre double lien qui rend difficile la vie à deux. Ici encore mieux vaut exprimer franchement ses désirs. Cela est plus bénéfique que des plaintes qui mettent sans cesse l'homme en échec. Elles compliquent le rapport amoureux et finissent par l'en décourager. Bien qu'à l'évidence les hommes aient encore plus de difficultés à communiquer ce qu'ils ressentent que les femmes.

Aussi longtemps qu'une femme ne fait pas de place en elle à la différence fondamentale que représente le monde masculin, elle empêche l'égalité qu'elle recherche avec son partenaire. Pourquoi ne pas accepter l'homme dans sa différence ? Il est vrai que les hommes sont en général plus cérébraux et les femmes plus instinctives, pourquoi ne pas s'en servir comme base d'échange ? La raison masculine apporte un brin de relativité souvent bien nécessaire face aux emportements du sentiment féminin. Pourquoi ne pas en rire plutôt que de s'en offenser ?

## La guerre des sexes

### L'infantilisation de l'homme

Société patriarcale oblige, nos mères sont devenues des femmes de devoir et de principes, qui faisaient régner l'esprit de sérieux dans la famille. Cantonnées aux casseroles et à l'éducation des enfants, elles perdaient vite le sens du jeu et du plaisir. Leurs désirs personnels se noyaient dans l'amertume d'avoir été délaissées par leurs maris. À voir la vie par ce bout de la lorgnette, plusieurs de ces femmes ont fini par avoir une piètre opinion des hommes qui partageaient leur vie. Au Québec, les mères ont longtemps répété à une fille qui allait se marier que le premier enfant qu'elle aurait à élever serait son propre compagnon !

Ainsi les jeunes femmes apprennent à contrôler leur partenaire comme elles ont vu la mère dominer son mari. Par la parole, par le sexe, par les plaintes, les soupirs et les humiliations, elles essaient d'éduquer leur compagnon à la relation, prenant parfois pour des dialogues authentiques leurs longs monologues sur la vie à deux.

En réalité, bien des femmes ne se rendent pas compte à quel point elles peuvent être « contrôlantes », parce que cette coercition subtile avait pour nom « amour » dans les couples des générations précédentes. Ainsi l'autoritarisme féminin est souvent demeuré inconscient. S'il s'agit de l'éducation des enfants et de l'intimité amoureuse, les femmes croient sincèrement qu'elles savent ce qui est meilleur pour tout le monde. Mais lorsqu'une femme s'impose comme la seule spécialiste des sentiments dans une relation, elle fait en sorte de se retrouver malgré elle avec son père, c'est-à-dire avec un homme silencieux et fermé. L'idéal du couple qu'elle professe alors, et auquel tous les hommes devraient selon elle se ranger, exerce une véritable tyrannie qui écrase au lieu de rallier.

Plusieurs femmes jugent que cette coercition est de bonne guerre face à l'irresponsabilité des hommes et à l'oppression qu'ils leur ont fait subir. Peut-être. N'empêche qu'elle perpétue sur le plan social une véritable lutte de pouvoir entre l'homme et la femme au sein de la vie privée. Cette attitude cache une rage et un mépris entretenus pendant des siècles contre les hommes. Elle ne conduit pas à l'égalité, elle sape le couple à son insu. Cette oppression joue sur l'angoisse de castration masculine et fait que l'homme finit par se rebeller ou par accepter la place d'enfant qu'on lui propose. Cela n'arrange rien puisque s'il se plie, il perd le respect de sa partenaire et, s'il se révolte, cela entraîne le couple dans des discussions sans fin.

La femme qui infantilise son mari finit immanquablement par se retrouver au bras d'un homme qui ressemble au père qu'elle a décrié pendant ses jeunes années, un homme mou qui manque de solidité et qu'elle ne peut admirer. Par conséquent, elle ne pourra jamais se réaliser auprès de lui. Elle ressentira alors son don d'elle-même comme une exploitation et une servitude.

## Le meurtre du patriarche

Les hommes et les femmes ne se rangent pas en blocs monolithiques du côté des opprimés ou des oppresseurs. L'oppression sociale et idéologique masculine trouve à l'occasion sa contrepartie sur le terrain affectif et privé, où certaines femmes finissent par exercer une forme de dictature. Habituées à se considérer comme « victimes », elles ne se rendent pas compte de leur pouvoir opprimant.

À cet égard, Jung a pointé à de nombreuses reprises que l'opposé de l'amour n'était pas la haine, mais le pouvoir. Lorsque nous n'aimons plus ou que nous ne nous sentons plus aimés, nous entrons en conflit. Cette remarque vaut particulièrement dans le cas des couples. À mesure que l'amour diminue, il est remplacé par une sorte de guerre d'usure.

Cela est vrai également pour la femme déçue du rapport avec son conjoint. Une protestation sourde se lève en elle qui l'oppose à son mari et à ses enfants. Nous en avons parlé plus haut comme de la voix de l'animus, prisonnier d'un complexe paternel négatif, mais Jung voyait aussi dans la formation de cette attitude dominatrice l'effet d'un complexe maternel négatif. Il disait qu'une telle femme a eu une mauvaise relation avec sa mère et que, par conséquent, elle n'arrive pas à s'identifier aux comportements et aux attitudes féminines traditionnelles. Elle veut vivre dans un monde clair dépourvu des obscurités du monde maternel. Si elle trouve un compagnon qui peut accueillir la force et l'originalité de son esprit, son animus s'épanouit. Sinon, elle sombre dans la morosité et devient possédée par un animus qui fait tout pour briser la force de l'homme[1].

La pièce *Père* de l'auteur norvégien August Strindberg[2] nous en fait une démonstration magistrale. Elle met en lumière la dynamique inconsciente qui prend place dans un couple patriarcal. Le contexte social de la pièce est aussi fort intéressant. L'auteur l'a écrite au moment où le féminisme apparaissait en Norvège à la fin du XIXe siècle. Les femmes d'alors faisaient face à un monde où tout était réglé par la loi du père. Dans un tel univers, la femme n'a le droit d'exister que dans la cuisine ou dans la chambre à coucher. Elle doit afficher un sourire éternel de servante radieuse. Elle n'a pas de place pour exercer son pouvoir et celui-ci va ressortir de façon très perverse.

L'œuvre nous présente Adolphe, un capitaine d'armée passionné par la recherche scientifique, et sa femme Laura qui finit par le rendre fou et le faire interner. Laura est aigrie et elle est prête à tout pour

1. Carl Gustav Jung, *Les Racines de la conscience, op. cit.*, p. 117.
2. August Strindberg, *Père*, tragédie en trois actes, coll. « Répertoire pour un théâtre populaire », Paris, L'Arche, 1958.

faire vaciller la raison de son mari afin de se délivrer de l'emprise qu'il exerce sur elle. L'argument qu'elle utilise est terrible dans un monde de patriarches. Pour garder leur fille à la maison, alors qu'Adolphe veut l'envoyer étudier en ville, elle insinue qu'il n'est pas le père de l'enfant. Cette idée rend notre capitaine furieux et finalement l'entraîne dans la folie.

À un moment pivot de la pièce, il déclare à sa femme que c'est elle qui le rend fou parce qu'elle cherche uniquement le pouvoir. Laura admet alors que c'est bien de cela qu'il s'agit. Elle est complètement obsédée par un besoin de domination qui met toute son intelligence au service de l'acquisition d'un pouvoir qui a été trop longtemps nié.

De l'extérieur, on comprend sa méchanceté, de l'intérieur — comme spectateur et sans doute comme homme ! —, on la redoute car c'est la méchanceté d'une déesse trahie et blessée. D'ailleurs, à un point donné, Adolphe déclare : « Qui donc dirige la vie ? » Elle répond : « Dieu, et Dieu seul. » Adolphe reprend : « Le dieu de la guerre alors ! » Et il ajoute : « Ou plutôt la déesse [1]. »

Ce passage est troublant, car il fait ressortir la capacité de violence d'une femme opprimée. Elle ne tue pas son mari avec un fusil, elle s'applique plutôt à le tuer psychologiquement. Strindberg lui-même employait le terme de « meurtre psychique » pour décrire ce qu'il avait vécu aux mains de sa propre femme.

## La force des femmes, la fragilité des hommes

Il y a un autre moment de vérité terrible dans cette pièce. En se perdant dans les souvenirs de son enfance, Adolphe se retrouve tout attendri. Sa femme, Laura, qui est constamment dure et implacable, devient tout à coup douce et tendre envers lui. Elle

1. August Strindberg, *op. cit.*, p. 73.

prend sa tête dans ses bras et le berce en lui caressant les cheveux comme on fait à un enfant. Elle lui avoue qu'elle n'est jamais plus heureuse que lorsqu'ils se retrouvent dans cette position et qu'il appelle la mère en elle.

Pour Laura, tous les hommes viennent d'un ventre de femme et, à ce titre, toutes les femmes sont leur mère. Les hommes doivent demeurer des enfants toute leur vie. C'est ainsi qu'ils attirent l'amour des femmes. Elle lui dit qu'il a été folie pour lui de chercher la femme en elle, parce que la femme est infiniment supérieure à l'homme, plus forte et plus intelligente. Elle lui dit qu'à partir du moment où il a voulu quitter sa position d'enfant amoureux la guerre entre eux devait éclater.

> Le Capitaine. — ... *Moi qui, à la caserne ou à la tête de mes hommes, étais toujours le chef, j'étais près de toi celui qui obéit. Et je te regardais comme une créature surnaturelle, comblée de tous les dons, et je buvais tes paroles comme un enfant stupide...*
>
> Laura. — *Oui, et c'est pourquoi je t'aimais comme un enfant. Mais, ainsi que tu as pu le constater, chaque fois que la nature de tes sentiments changeait, chaque fois que tu te comportais avec moi en amant, j'avais honte, honte comme une mère que son fils caresserait ! Quelle horreur !*
>
> Le Capitaine. — *Je l'ai constaté, mais je ne l'ai pas compris. Sentant ton mépris, je voulais te conquérir en te prouvant ma virilité.*
>
> Laura. — *Eh bien, c'était là ton erreur. La mère était ton amie, mais la femme ton ennemie, car l'amour entre les sexes c'est le combat et la haine. Ne crois pas que je me sois jamais donnée à toi ; je n'ai rien donné, j'ai toujours pris ce que je désirais, voilà tout* [1].

---

1. August Strindberg, *op. cit.*, p. 53.

Cette partie de leur dialogue est très révélatrice d'une dimension cachée de beaucoup de relations homme-femme. Le patriarcat a tenu les femmes en état d'infériorité pendant de nombreux siècles, mais il ne s'agit là que de la surface des choses. Dans le clair-obscur de l'inconscient, nous pourrions dire que c'est tout le contraire. Par compensation, une conviction de supériorité règne chez la femme. Cela est d'ailleurs vrai pour tout être humain, celui ou celle qu'on diminue rêve toujours de montrer sa primauté avec éclat. Ainsi, la force d'affirmation des femmes s'appuie souvent sur cette conviction de supériorité qu'elles portent intérieurement. Pour un temps, elles risquent même de s'y identifier et de souffrir comme Laura d'un certain aveuglement.

Chez les hommes, on retrouve exactement le contraire. Beaucoup d'entre eux croient en leur prééminence, une croyance qui a été soutenue par la culture patriarcale depuis l'enfance. Mais cette supériorité affichée cache une grande vulnérabilité. Ainsi, le capitaine Adolphe, qui jouit d'une grande réputation chez les militaires, perd son autorité dans un temps record et déclare qu'il n'est plus rien dès que sa femme insinue qu'il n'est pas le père de leur fille. Le complexe d'infériorité qui se cachait dans l'inconscient vient de monter à la surface et de subjuguer la personnalité consciente.

Cette infériorité cachée explique d'ailleurs pourquoi les hommes réagissent au désarroi amoureux en abusant de la drogue, de l'alcool ou du sexe, des comportements qui trahissent tous cette faiblesse intérieure. Les statistiques confirment d'ailleurs une telle interprétation : trois fois plus d'hommes que de femmes souffrent de problèmes d'assuétude[1]. Il faut croire que la soi-disant virilité masculine n'est souvent qu'une parure qui masque une grande dépendance.

On peut d'ailleurs lier cette dépendance au manque de présence du père qui entraîne une fragilité psycho-

1. Huguette O'Neil, « Santé mentale : les hommes, ces grands oubliés... », dans *L'Actualité médicale*, 11 mai 1988, p. 27.

logique chez le garçon. Le manque de modèle masculin engendre une blessure d'identité qui fera que cet homme tentera de compenser par la construction d'une armure rigide sa fragilité ressentie. Cela produit le machisme masculin où les hommes tentent d'affirmer leur supériorité sur les femmes. On peut même y voir les racines névrotiques du patriarcat. On met en place un échafaudage idéologique et social pour masquer une blessure de fond et se convaincre de sa propre force par peur de sa faiblesse.

D'ailleurs il n'y a qu'à regarder du côté de la pornographie masculine pour se convaincre d'une telle interprétation. Dans des poses suggestives, la plupart des modèles déclarent avoir besoin à tout prix de l'organe sexuel mâle pour satisfaire une pulsion urgente. On sait bien que du côté de la réalité il n'en va pas toujours ainsi ; ils ne sont pas rares les couples où madame est fatiguée des attentes de monsieur. Ainsi donc la pornographie sert à renforcer une estime de soi défaillante et jette un baume sur le fragile ego masculin.

Les hommes semblent avoir besoin d'un renforcement constant de leur virilité pour maintenir leur équilibre narcissique. À certains égards toute la culture semble construite sur le maintien de ce renforcement. Voilà pourquoi la remise en question du patriarcat ne pouvait que faire apparaître la vulnérabilité, la fragilité et l'impuissance qui se cachaient sous la carapace masculine.

Si les femmes peuvent être possédées par la certitude intérieure d'avoir raison, les hommes en retour peuvent être possédés par le désespoir et réagissent par des gestes qui tentent de rétablir de façon bien illusoire la supériorité perdue. Il n'est pas rare que les actualités nous parlent de forcenés qui se barricadent dans leur maison, ayant pris en otages femme et enfants. De façon criante, leurs gestes mettent en scène la situation d'isolement intérieur qui est le fait de tant d'hommes. Ils sont les purs produits d'une société qui leur a demandé de se taire et ils nous disent de la sorte combien ils sont barricadés en eux-mêmes. Il est pitoyable de voir des hommes tuer leurs proches parce qu'ils n'ont pas de mots à mettre sur leurs sentiments et qu'ils ne peuvent pas faire face à la révélation de leur vulnérabilité.

Bien des couples modernes vivent des échanges où la dynamique traditionnelle des pouvoirs est inversée. Lorsqu'elle s'affirme avec passion, fière de la nouvelle force qui naît en elle, il se retrouve soudain anéanti sans raison. Cela rend leur communication très difficile. À la passion et au courroux de la déesse répond un petit garçon qui a peur de perdre ses prérogatives.

Tout se passe comme si une relation de type père-fille en surface cachait une relation de type mère-fils en profondeur. Je ne suis d'ailleurs pas convaincu que passer à une relation de type mère-fils en surface, masquant une relation de type père-fille dans l'inconscient, arrangerait quoi que ce soit. Dans chaque couple, l'homme comme la femme doivent lutter pour ne pas sombrer dans l'archaïsme des relations mère-fils et père-fille. Ce qui ne veut pas dire qu'on ne visite pas ces positions régulièrement, mais la fixation dans une dynamique donnée heurte le développement psychologique. Seule une vigilance accrue peut permettre l'égalité psychologique des partenaires.

## La montée des amazones

Le féminisme a permis à bien des femmes de mettre en avant leur côté amazonien, de rehausser leur amour-propre et de cesser d'attendre de l'homme une confirmation qui ne venait pas. Cela a produit au niveau collectif la création d'une véritable génération d'amazones et nous donne droit sur le plan amoureux à des retournements inattendus. Une autre pièce de théâtre, de l'écrivain allemand Heinrich von Kleist, cette fois, décrit cela remarquablement[1]. Il y a près

---

1. Heinrich von Kleist, *Penthésilée*, traduction et adaptation de Julien Gracq, librairie José Corti, Paris, 1970.

de deux siècles, il préfigurait déjà les amours contemporaines.

Penthésilée était la reine des amazones, ces guerrières légendaires qui s'amputaient un sein pour ne pas être gênées dans le maniement des armes. Les amazones ne toléraient pas les hommes, les tuaient à la naissance ou en faisaient des « esclaves d'amour » pour assurer leur descendance. L'inverse, en somme, du patriarcat, dans lequel ce sont les femmes dont on a fait des esclaves.

Dans la pièce de Kleist, les amazones partent en campagne et rencontrent sur leur chemin les Grecs ayant à leur tête le bel Achille. Les amazones s'attaquent donc à eux et, dans la fièvre des combats, Achille et Penthésilée tombent amoureux l'un de l'autre. Cherchant par tous les moyens à se rapprocher de sa rivale pour lui témoigner son amour, Achille finit par la provoquer en duel singulier au centre du champ de bataille. Penthésilée accepte malgré les incitations à la prudence de ses consœurs qui remarquent que le sang de leur reine ne bout pas seulement de la fièvre des combats mais aussi de celle, beaucoup plus dangereuse, de l'amour. Mais Penthésilée reste sourde à leurs suppliques. Elle ne reconnaît pas son amour pour Achille et elle jure qu'il périra par son épée.

Voilà cependant qu'au milieu du combat ce dernier a la main haute sur Penthésilée mais ne peut pas se résoudre à la tuer. Il décide donc de s'offrir à son amoureuse, poitrine nue, et de devenir son esclave pour s'assurer de pouvoir être avec elle. Refusant de céder à la faiblesse de l'amour, Penthésilée ne reconnaît pas le geste d'Achille et le tue. Revenue au camp, reine victorieuse portée par les siennes, ivre du combat, elle refuse d'abord de croire qu'elle a tué son amoureux. La prêtresse lui fait alors emmener le corps du héros déchiqueté.

LA PRÊTRESSE. — *Il t'aimait ! Il voulait être ton prisonnier ! Il était prêt à te suivre au temple d'Artémis. Il est venu à ta rencontre le cœur plein de joie... et toi... tu l'as...*

PENTHÉSILÉE. — *Non ! Non ! Non ! Ça n'est pas moi !... Je ne l'aurais pas défiguré... à moins que je l'aie déchiré à force de l'embrasser. Je me suis emportée. Quand on aime, on ne fait plus la différence entre mordre et embrasser.* (Elle s'agenouille devant le cadavre.) *Mon pauvre Achille ! Pardonne-moi ! Je n'ai pas pu retenir mes lèvres amoureuses. Je voulais seulement t'embrasser...* (Elle embrasse le cadavre.)

LA PRÊTRESSE. — *Éloignez-la d'ici !*

PENTHÉSILÉE. — *Vous avez toutes aimé au point de vouloir mordre ! Vous avez toutes murmuré à l'oreille de vos amants que vous vouliez les dévorer... eh bien moi, je l'ai fait !... Je ne suis pas folle !*

Finalement, reconnaissant qu'elle vient d'assassiner le seul homme qu'elle ait jamais aimé, elle se suicide à son tour.

Tentant sans doute de régler quelques mésaventures personnelles par l'écriture de sa pièce, le romantique auteur était loin de se douter qu'en faisant appel aux amazones mythiques il dresserait le tableau des relations amoureuses de l'avenir. En effet, l'inversion des rôles traditionnels a de plus en plus cours dans nos relations. Cela vaut en particulier pour la jeune génération. De plus en plus de jeunes hommes accusent maintenant leurs partenaires du même âge d'être dures et intransigeantes. Elles mènent le bal d'un bout à l'autre. Elles décident quand la relation commence, comment elle doit se dérouler et quand elle doit finir. Alors qu'ils sont eux-mêmes les garçons des premières féministes, qu'ils ont une oreille plus attentive aux revendications des femmes, ils s'offrent, pour ainsi dire, le poitrail ouvert tout comme Achille à leurs amoureuses. Mais celles-ci ont justement appris des mêmes mères à ne plus se fier totalement à leur sentiment amoureux.

Elles ont appris à se durcir et vont parfois trop loin dans l'exercice. Elles tuent la relation pour ne comprendre que plus tard l'aspect inconscient du drame.

## La démesure des déesses

Il est notable que Laura dans la pièce *Père* aussi bien que Penthésilée se réclament de la déesse. Comme elles plusieurs femmes, en redécouvrant les déesses antiques, se laissent entraîner à croire que ces dernières n'ont pas d'*ombre* [1]. Comme si les déesses n'étaient que généreuses, fertiles, bonnes et douces, et que sous leur régime il n'y avait que la paix. Elles appellent de tous leurs vœux un passage rapide au matriarcat, croyant qu'ainsi le monde deviendrait doux et accueillant. Il faut cependant noter que les déesses de la mythologie possédaient tout autant de capacité de violence que leurs homologues masculins. Par exemple, chez les Grecs, on connaît les trois Grâces, mais on connaît aussi les trois Furies. Il s'agissait de femmes complètement hystériques qui représentaient le côté irrationnel de la colère féminine. La belle Artémis, déesse sauvage, lançait ses chiens à la poursuite de celui qui la voyait au bain. Elle laissait ses bêtes le déchiqueter sous son regard impassible.

L'histoire est pleine, en réalité, de la violence des déesses. D'autant plus que plusieurs d'entre elles possédaient comme caractéristique principale une sorte de démesure. Qu'il s'agisse de piété, de don de soi ou encore de méchanceté. L'amazone moderne qui se réclame des déesses antiques peut elle aussi, à l'image de Penthésilée, être victime de la démesure. Elle abat alors son compagnon et brise son couple pour se ren-

---

1. Comme je l'ai mentionné plus haut, pour Jung l'ombre est une structure archétypale de notre psychisme, ce qui veut dire que chaque être a tendance à dissimuler les côtés moins reluisants de sa personnalité. Bien que ce ne soit pas une tâche facile, un être ne peut pas « devenir complet » sans assumer cette part d'ombre.

dre compte quelque temps plus tard qu'elle a été intransigeante et qu'elle aimait sincèrement.

Mais en raison de l'atrocité des violences commises par des hommes, parler de la violence des femmes est un sujet tabou dans notre société. Ce qui fait dire à la psychanalyste jungienne Jan Bauer que les femmes d'aujourd'hui sont devenues intouchables et qu'elles rejettent toute la faute sur le patriarcat. Fatiguées de porter l'ombre collective et de servir de boucs émissaires aux hommes, elles se débarrassent à juste titre de cet aspect, mais elles oublient la dimension de l'ombre individuelle, la part de mal qui afflige tout être humain qu'il le veuille ou non. C'est ainsi, continue-t-elle, qu'apparaissent de nouvelles hypocrisies et de nouveaux tabous :

> Comme si les femmes ne pouvaient avoir tort, comme si elles ne devenaient mauvaises que poussées par les hommes, à moins d'être, exceptionnellement, démoniaques ! Elles sont censées être toujours bonnes, toujours victimes. Non seulement cette façon de voir est-elle aberrante, mais, à la limite, elle nous enlève toute dignité. Pour qui veut parvenir à la plénitude, l'autocritique est essentielle. [...] Le grand défi pour les femmes est justement d'embrasser toute leur humanité, côté obscur et côté lumineux [1].

## Chaque cœur viendra à l'amour

En explorant les dynamiques de pouvoir qui viennent remplacer la collaboration et l'enthousiasme quand l'amour fait défaut, nous finissons par comprendre qu'une guerre sourde règne entre les sexes depuis fort longtemps. Cette guerre a commencé bien

1. Paule Lebrun, « Face à l'ombre », entrevue réalisée auprès de la psychanalyste jungienne Jan Bauer, magazine *Guide Ressources*, vol. 11, n° 8, mai 1996, Montréal, p. 41.

avant le féminisme. Mais j'ai l'impression que les hommes l'ont prise au sérieux uniquement à partir du moment où elle s'est mise à faire des victimes dans leur camp.

Toujours est-il qu'aujourd'hui *Elle* et *Lui*, comme bien des couples, en font les frais. Comment cette guerre finira-t-elle ? Par faute de combattants... ? Par épuisement... ? Je me demande parfois si le chanteur Leonard Cohen n'a pas raison lorsqu'il dit : « Chaque cœur, chaque cœur viendra à l'amour, mais comme un réfugié[1]. » La guerre fera peut-être rage jusqu'à ce que le champ de bataille soit complètement dévasté et que tout soit détruit. Alors peut-être l'homme et la femme, devenus des exilés et des réfugiés, seront-ils prêts à reconnaître leur besoin d'amour. Cette guerre aura servi à les préparer, à les travailler. Elle les aura labourés, mis en pièces, torturés, tourmentés. Elle leur aura fait connaître l'illusion de la victoire et celle de l'échec. Elle leur aura fait vivre des heures d'une grande noirceur dans les prisons du cœur... Jusqu'à ce que plus rien ne compte à leurs yeux qu'une main tendue dans le noir.

N'est-il pas vrai que plusieurs d'entre nous arrivons à l'amour ainsi ? Battus, humiliés, nous cherchons un dernier refuge. Alors l'amour apparaît, resplendissant, et nous reprenons nos vies, purgés de cette immense prétention qu'est la volonté d'exercer un quelconque pouvoir sur l'autre. Le seul pouvoir qui nous intéresse alors est celui d'aimer, avec force et humilité, sans fierté et sans honte, comme des êtres humains.

Voilà où nous en sommes. Le couple moderne est devenu un champ de bataille, et les nouvelles du front nous parviennent maintenant des chambres à coucher, des cuisines et des salons des villes et des campagnes. Il se peut bien que les dynamiques de domination soient en voie de renversement et que l'avenir appartienne aux femmes comme le passé

1. Leonard Cohen, « Anthem », tiré du disque *The Future*, Colombia Records, 1992.

appartient aux hommes. Le balancier est peut-être en train de passer d'un extrême à l'autre. Ces mouvements sont les mouvements mêmes de la vie. Je souhaite pour ma part que, dans le passage de l'ancien patriarcat à un éventuel matriarcat, les hommes et les femmes aient quelques générations pour marcher côte à côte dans une réelle fraternité. Ils y prendront peut-être goût et sauront s'y arrêter.

## La vie est parfaite

Que nous vivions dans des dynamiques de pouvoir traditionnelles ou inversées, que l'on soit une femme qui aime trop fréquentant un homme qui a peur de s'engager, ou une femme forte et rationnelle aimant un homme très féminin, il faut bien reconnaître que la vie est parfaite. Pas dans le sens qu'elle est toujours douce et bonne, nous accordant ce que nous voulons, mais plutôt dans celui qu'elle nous donne toujours ce dont nous avons besoin pour évoluer. Elle éveille ainsi tous nos complexes et nous oblige à passer à travers plutôt qu'à les éviter. Elle ne nous laisse pas tranquilles, nous poussant toujours en avant, nous forçant à découvrir les parties sombres et claires de nous-mêmes, nous amenant à réaliser que chacun est le premier artisan de sa joie.

# 10

## L'AMOUR EN JOIE

*Buvons à la liberté et à l'amour !*
*L'un n'excluant pas l'autre.*
Julos Beaucarne

## Le travail de l'amour

### « Tomber en amour » n'est pas entrer en relation

Comme nous l'avons vu, l'ignorance de chacun par rapport à ses blessures rend inévitables les répétitions qui constituent autant de chances de prise de conscience et d'évolution. Mais pour rendre le couple possible, il faut encore combattre certaines idées reçues. Cela nous permettra de mesurer l'ampleur du défi qui est devant nous et d'envisager des attitudes qui peuvent faciliter sa réalisation.

Former un couple, c'est d'abord devenir amoureux. L'amour-passion s'élance dans un espace vide où les amants n'existent pas. Les désirs enflamment d'un seul coup la forêt des fantasmes. En une seule nuit, on voit défiler devant soi la possibilité de réaliser tout ce à quoi nous aspirons secrètement à cause de nos manques. Nous voici subitement transformés, tellement plus ouverts, tellement unis avec la vie ! L'autre apparaît alors comme la condition *sine qua non* du maintien de cette ouverture. Il ne faut donc plus le perdre. Il ne faut plus le laisser aller, il faut le contrôler dans ses allées et venues. Ainsi la joie à peine entrevue se perd.

L'amour ne peut pas nous sauver de nous-mêmes. Notre partenaire ne peut pas nous prendre en charge. Il ou elle ne peut pas nous épargner notre misère intérieure. Une telle illusion ne peut prendre forme que dans le feu de la passion. Or les passions amoureuses sont fondées sur les carences de chacun. Elles deviennent vite des prisons parce que nous exigeons de l'autre qu'il sauve l'être en détresse que nous sommes et qu'il ne montre pas ses faiblesses. Les êtres victimes de la passion souffrent sans le savoir d'un grand vide intérieur. On peut les comparer aux verres qu'on utilise en laboratoire et dans lesquels on a créé un vacuum. Aussitôt qu'on les relève, ils aspirent tout ce qui les entoure. Les êtres carencés et désespérés produisent le même effet. Ils attirent et fascinent parce que leur vacuum intérieur joue le rôle d'aimant. Lorsque deux verres vides se rencontrent, ils se soudent passionnément.

L'amour est un choc, un traumatisme même. Il ne faut jamais oublier que la déesse de l'amour, Aphrodite, est née des testicules du dieu Ouranos jetés à la mer par son fils Cronos qui venait de les lui couper à la demande insistante de sa mère Gaia, lasse de faire des enfants avec son mari[1].

Mais il ne faut pas confondre « tomber en amour » et entrer en relation. La passion diffère de la création d'une relation, en ce que cette dernière est un choix conscient et articulé fondé sur le partage des valeurs ainsi que sur la négociation d'un but commun. La plupart du temps, nous tombons en relation en même temps que nous tombons au lit et de là vient une partie du problème.

1. Cette idée a été élaborée par le psychanalyste jungien Michel Cautaerts dans une conférence intitulée « I love you. Let's separate ! », présentée au 13e congrès de l'Association internationale de psychologie analytique (AIPA), à Zurich, en août 1995. Inédit.

# La phase narcissique de l'amour

Passer d'une passion amoureuse à une relation véritable signifie passer du couple narcissique au couple qui peut collaborer et s'entraider. Lors de la phase narcissique de l'amour, nous vivons dans les yeux de l'autre comme s'ils étaient une sorte de miroir idéalisant qui nous renvoie constamment une image positive de nous-mêmes. Ces yeux-là nous permettent de nous découvrir beaux, généreux et séduisants.

Moins nous aurons été reconnus, plus notre identité sera fragile, et plus l'amour prendra d'importance dans notre vie. Du moins cette sorte d'amour qui dans ses premiers élans ne reconnaît pas encore l'autre, où ce dernier ne nous sert pour ainsi dire que de reflet. Cette phase a quand même le grand avantage de nous faire entrevoir notre personnalité sous son meilleur jour. Elle a aussi l'avantage de nous faire connaître un état de fusion amoureuse où tout est harmonie. Ces impressions de départ demeureront des soutiens pour la route qui reste à faire vers le couple véritable.

Les couples contemporains ne durent pas parce que bien souvent ils ne dépassent pas la phase narcissique. Ils fonctionnent tant que les deux partenaires peuvent se contempler dans le reflet positif qu'ils s'offrent l'un à l'autre à travers les premiers émois. Mais, six mois plus tard, le miroir est devenu tout noir. On commence alors à découvrir son vis-à-vis en dehors de la projection qu'on avait faite. Sa réalité d'être blessé transparaît et renvoie une image moins flatteuse.

« Tu n'es qu'un paquet d'os, je ne peux plus t'embrasser ! » lançait un jeune amoureux à son amoureuse après quelques mois d'une aventure torride où celle-ci, plus âgée, s'était montrée patiente et initiatrice. Nous pourrions traduire l'expression de cet amant de la façon suivante : « Je ne peux plus m'embrasser et me reconnaître à travers l'image que tu me renvoies de moi-même ! » Lorsque les yeux du partenaire ne reflètent plus aussi fidèlement le sentiment de perfection, l'épreuve du couple commence.

Pourquoi est-il si dur d'abandonner le rêve que l'on a du couple et du compagnon ou de la compagne idéal(e) ? Tout simplement parce que l'abandon de ce rêve constitue une réelle perte de virginité au niveau psychologique. Pourtant il ne peut y avoir de relation complète et réelle sans elle. Chacun y résiste, les hommes comme les femmes, parce que alors il s'agit d'entrer en contact avec l'autre tel qu'il est et non plus avec l'autre tel que nous le voudrions. Il s'agit d'aimer quelqu'un même s'il ne répond pas parfaitement à notre image d'anima et d'animus. Une relation peut se construire à partir du moment où les deux partenaires ont accepté l'un comme l'autre cette perte de virginité.

Si le rapport parvient à s'établir sur des bases moins fantasmées, la communication véritable pourra prendre forme. Les rêves et les idéaux pourront alors être échangés comme de précieuses lignes directrices, mais ils n'entraîneront plus de comportements compulsifs ni de décisions à l'emporte-pièce. La relation pourra s'épanouir dans le respect mutuel.


## L'amour comme combat

Nous pouvons dire que lorsque les individualités refont surface avec leur cortège de fiertés, de pudeurs et de différences, le véritable travail de l'amour débute. Mais il ne peut pas se faire s'il ne garde pas en mémoire comme source et comme but ultime ce moment d'éclosion premier et spontané où dans les émois de la passion un « je t'aime » a été prononcé sans retenue.

Idéalement, la trajectoire de l'amour va du « je t'aime et je ne peux pas me passer de toi parce que en réalité je ne m'aime pas et que j'ai besoin que tu me confirmes ma valeur » à « j'aime que tu sois là, mon amour, j'aime que tu existes et je n'ai plus besoin que tu me confirmes sans cesse ma propre existence ». Le couple possible passe nécessairement par l'amour de soi et le respect de soi-même. En apprenant à s'apprécier, un être s'affranchit de sa dépendance à l'autre et peut relâcher son contrôle sur lui. Mais le passage d'une volonté de contrôle absolu d'autrui, par crainte de perdre l'amour qu'il nous offre, à un point de vue plus détaché où je peux permettre à l'autre de vivre librement engage l'individu dans un véritable combat intérieur.

En ce sens, l'amour fait trembler l'égocentrisme de façon insoutenable. Cet égocentrisme se vêt de mesquinerie, de susceptibilité, de jalousie et d'intolérance. Autant d'expressions qui disent les résistances à l'amour véritable. La fierté se trouve attaquée de toutes parts par l'amour, comme un diable jeté dans l'eau bénite. Tout en voulant bénéficier des grands effluves passionnés et des ouvertures illuminées, le petit moi égocentrique ne veut pas céder de terrain et se transformer. Il luttera contre l'amour jusqu'à ce que la relation soit en ruine et se plaindra ensuite amèrement de son infortune, ignorant le fait qu'il l'a lui-même provoquée.

Le couple est donc un champ de bataille où se mène la lutte contre l'orgueil personnel. En sacrifiant nos revendications égocentriques, nous nous rapprochons de l'intimité. Ce processus engendrera bien des souffrances pour l'égocentrisme qui se rebiffe. Certains jours, le sacrifice semble trop lourd et la mesquinerie triomphe à nouveau. Peu à peu, cependant, la conscience s'éclaircit et l'Amour s'impose jusqu'à sa mainmise finale sur le cœur.

## L'amour avec un grand A

S'unir par amour et rester ensemble par amour représentent incontestablement un défi. Pour que cela devienne possible, il faut remettre en question quelques idées reçues. La première d'entre elles veut qu'être complet signifie être deux. En réalité, si l'on s'unit à quelqu'un pour trouver sa *douce moitié*, on court à l'échec. Tout simplement parce que dans un couple il y a tellement de frictions entre les deux partenaires que nous n'avons pas affaire à une addition (1/2 + 1/2 = 1) mais plutôt à une multiplication. Or, lorsque vous multipliez 1/2 par 1/2, vous n'obtenez pas une unité mais plutôt un quart. Voilà où le bât blesse. Lorsque des individus vivent ensemble, ils deviennent rapidement le quart d'eux-mêmes. Si vous les fréquentez seuls, ils se montrent pétillants et créatifs. Si vous les rencontrez en présence de leur partenaire, ils semblent moroses et conventionnels.

Comme je l'ai dit plus haut, pour pouvoir vivre en couple, il faut savoir également que l'on peut vivre sans couple. Le célibat doit être accepté comme une option valable et sérieuse. Il ne représente pas nécessairement une diminution ou un choix égocentrique. Il peut être envisagé comme une occasion de retraite ou une pause dans le but de refaire ses forces. Il peut même se prolonger pendant toute une vie si l'on a décidé de consacrer ses énergies à autre chose qu'un couple ou une famille. Dieu merci, l'état amoureux échappe à la vie à deux. C'est même dans des périodes de solitude extrême que nous l'éprouvons parfois avec le plus d'intensité.

La vie en commun demeure cependant la grande affaire. La considérer à partir d'un renversement de perspective peut alors être salutaire. En effet, la plupart du temps, nous concevons l'amour comme quelque chose que nous devons cultiver. Mais, en réalité, ce n'est pas nous qui travaillons et labourons le champ de l'Amour, c'est plutôt l'Amour qui nous travaille et nous laboure jusqu'à ce que nous donnions nos fruits les plus beaux. À mesure que nous avançons, les obstacles et les difficultés agissent sur nous et nous pressent de nous ouvrir à son labeur. Plus nous résistons, plus nous souffrons, confessant ainsi notre participation intime à l'Amour. Le but de la vie est réalisé lorsque nous devenons Un avec le divin laboureur.

Le couple sert donc principalement de lieu d'évolution par rapport à l'amour avec un grand A. Dès que nous entrons dans le champ de l'Amour, tous nos points de résistance sont stimulés. Tous les boutons d'acné qui ne sont pas apparus à l'adolescence sortiront dans la friction intense du quotidien. Il y a tellement de frottement entre les deux âmes mises en présence que toutes les peurs vont émerger. Elles doivent se manifester pour que nous puissions les comprendre et les dépasser.

Il est tout à fait normal que les hommes et les femmes appellent et craignent l'Amour tout à la fois, parce qu'il est d'abord et avant tout une épreuve d'ouverture et d'expansion du moi. La possibilité de se perdre dans l'autre plane toujours ou, à l'inverse, celle de s'enfermer en soi-même et de vivre une mortelle solitude à deux qui est comme le purgatoire de l'intimité. Il ne faut donc pas avoir honte de cette peur du rapport intime avec l'autre, car sur le plan de l'identité l'enjeu est réel.

## La respiration du couple

Le sentiment amoureux est motivé par un besoin de communion que nous cherchons à concrétiser en nous unissant à une autre personne. Nous souhaitons que les différences et les conflits s'évanouissent pour que le sentiment de solitude et de séparation qui nous accable se taise enfin. Inconsciemment, nous désirons réparer cette blessure narcissique liée au fait de n'être qu'homme ou femme. Nous cherchons donc à répondre à l'incomplétude de base en nous collant à quelqu'un d'autre.

Mais, au-delà de la tentative de réparation narcissique, il semble qu'une pulsion en nous cherche cette vie en duo. Comme si, pour résoudre le paradoxe central de notre identité qui oscille entre individualité et universalité, la communion profonde avec une autre personne allait nous offrir un pont essentiel. Si je parviens à rester moi-même en présence d'un autre sans me fondre totalement en lui, si je parviens à me reconnaître complètement dans une autre personne sans perdre le sens de ce que je suis, alors le paradoxe est résolu. Je saurai comment être à la fois un et deux, au lieu de tout l'un ou tout l'autre.

Le bonheur repose sur le respect de deux pôles opposés mais complémentaires : d'une part, le besoin d'union et, de l'autre, le besoin de séparation. La capacité de régénération d'un couple repose sur une respiration entre ces pôles. La phase d'inspiration est constituée par des moments où l'on se retrouve à deux et en harmonie ; la phase d'expiration est représentée par des moments où l'on se retrouve seul et où on reprend contact avec sa propre individualité.

Bien entendu, les besoins d'autonomie peuvent être éprouvants pour le sentiment d'unité conjugale. Très souvent nous préférons oublier que nous existons encore comme individualité séparée. Mais le modèle du couple *collé-collé* où deux êtres vivent ensemble vingt-quatre heures sur vingt-quatre, dans la plus parfaite harmonie sans jamais se quereller, ne tient pas la route bien longtemps. Ce modèle est d'ailleurs la cause de nombreuses souffrances.

Les couples les plus fusionnels deviennent en général les couples les plus violents. Les explosions d'affects négatifs viennent alors manifester le besoin de séparation non reconnu. Il serait plus simple de reconnaître les sentiments de colère et d'irritation comme les manifestations d'un désir frustré d'expansion individuelle. Cette reconnaissance permettrait de faire des demandes réalistes à l'autre par rapport à ce besoin personnel d'autonomie et de les aménager dans la relation. Lorsque les exigences individuelles ne sont pas prises au sérieux, elles conduisent à des passages à l'acte regrettables ou à une guerre larvée qui empêche l'intimité réelle avec son compagnon ou sa compagne.

La question de l'autonomie de chacun des partenaires fait ressortir toute la difficulté d'être à deux. Ici plus qu'ailleurs, la peur de blesser l'autre ou d'être abandonné si l'on ose prendre du temps pour soi stimule le registre des peurs primaires. Voilà pourquoi la question de l'autonomie individuelle, de sa limite ou de son ouverture doit être discutée à deux. Il s'agit d'établir l'échelle du tolérable et de l'intolérable pour chacune des deux personnes. Des divergences de fond risquent alors d'apparaître. Parfois, le simple fait d'aborder cette question relève déjà du domaine de l'insupportable. Il faut alors discuter des menaces intérieures qui rendent l'ouverture pénible.

Il est important que chaque partenaire se réserve quelques minutes chaque jour ou quelques heures chaque semaine pour pouvoir se ressourcer et être en mesure de régénérer le couple, sinon l'ennui s'installe rapidement. Le couple s'installe alors dans une routine où plus rien de nouveau ne se produit. À long terme, c'est la sécheresse. Pour demeurer vivante, l'union doit être celle de deux individus qui se rencontrent et qui se redécouvrent à nouveau régulièrement.

Lorsque les membres d'un couple ne respectent pas leurs besoins individuels d'isolement temporaire, toutes sortes de sentiments négatifs les obligent à se replier sur eux-mêmes et à retrouver l'introversion qu'ils se refusent consciemment. De cette façon, chacun finit par se retirer dans sa bulle, ne communiquant plus avec l'autre, et le couple meurt.

Se donner l'espace dont on a besoin pour grandir s'avère donc un ingrédient essentiel du couple possible. Car il va de soi que la personne que l'on aime le plus est également celle que nous risquons de haïr le plus, parce que c'est elle qui constitue la plus grande menace pour notre identité personnelle. Face aux difficultés, il faut se rappeler que la liberté constitue sans doute le plus beau cadeau que l'on puisse offrir à son partenaire. Car, dans son essence, l'amour est liberté absolue. L'amour se donne sans condition et sans chaînes. Le couple sert à l'apprentissage de cet amour inconditionnel à l'image de la nature qui s'offre à nous sans que nous ayons besoin de la réclamer.

## Est-il tolérable de vivre
## sans contrôler quelqu'un d'autre ?

Mais, à bien y penser, est-il vraiment tolérable de vivre sans contrôler son ou sa partenaire ? Ou même est-il tolérable de vivre sans contrôler quelqu'un d'autre ? Est-il vraiment possible de « boire à la liberté et à l'amour, l'un n'excluant pas l'autre », comme le propose le poète belge Julos Beaucarne ?

Difficilement ; on dirait qu'aussitôt que nous nous retrouvons en couple, nous tentons de faire fi de la réalité incontournable de l'individualité des êtres. C'est comme si nous luttions de toutes nos forces contre la prise de conscience que l'autre existe vraiment, avec une histoire différente, des désirs différents, des sentiments et des besoins différents des nôtres. Nous résistons parce que nous sommes justement en couple pour tenter de réparer la déchirure de notre narcissisme de base qui affirme que nous sommes le seul dieu ou la seule déesse de l'univers, le seul maître à bord. Voilà pourquoi l'être amoureux adopte d'emblée des attitudes qui visent à éviter de prendre en compte l'existence de l'autre.

La première de ces attitudes consiste à *devenir tout pour l'autre*. En se rendant complètement indispensable, on finit par abolir la réalité et la différence que représente notre partenaire. L'attitude inverse consiste à faire que *l'autre devienne tout pour soi*. Alors on aime l'autre plus que soi-même, comme le dit l'expression, on sacrifie volontairement sa propre individualité pour ne pas briser la bulle d'amour. Plus les êtres se cantonnent dans ces positions de base, plus ils connaîtront un couple fondé sur le contrôle, la possessivité et la jalousie.

Or toutes conditions posées à l'amour créent une tension qui finit elle-même par créer une souffrance. Beaucoup de cette souffrance dans nos vies de couple vient simplement du fait que nous tentons de maîtriser la vie de l'autre. Nous contrôlons la façon dont il mange, le bruit qu'il fait en dormant, ce qu'il pense, les fantasmes qui trottent dans sa tête et, par-dessus tout, les attirances qu'il peut éprouver en dehors de la relation que nous avons avec lui.

Par exemple, pourquoi tenons-nous tant à contrôler la sexualité de nos partenaires ? Est-ce à dire que pour nous l'intimité se résume à la sexualité ? Comment se fait-il que des destinées entières se jouent autour de quelques pouces de peau ? Pourquoi avons-nous l'impression que, si nous ouvrions la porte à cette liberté, cela aboutirait à une débauche totale ? Un tel fantasme ne trahit-il pas toute la frustration que nous vivons par rapport à nos besoins sexuels ? Est-ce parce que nos vies sont vides de joie et que le sexe est le seul endroit où on en trouve que nous tenons tant à contrôler la sexualité de nos proches ?

## L'infidélité

La sexualité est un point délicat dans presque chaque couple, car ce que nous appelons les infidélités sexuelles et les tromperies fait souvent partie de cet intolérable qui peut faire éclater la relation. Nous pouvons bien sûr les juger et les condamner, sans autre forme de procès. Par contre, si on accepte d'en apprendre quelque chose, nul doute qu'elles obligent à un réel travail sur soi, car elles agitent les peurs et les insécurités de base, qu'on les commette ou qu'on les subisse d'ailleurs. Il s'agit ici de rester en contact intime avec la nature de l'expérience intérieure sans sombrer dans la culpabilité ou dans l'accusation sans fard du partenaire qui nous a trahi.

Si on regarde les choses sous cet angle, on peut découvrir que l'on ne se respecte pas en demeurant avec un partenaire infidèle, tout comme on peut s'apercevoir que ces tromperies sont le symptôme de quelque chose qui ne tourne pas rond dans la relation et qui nous remet tous les deux en question. On peut ainsi en arriver à élargir une conception limitée de la sexualité ou, au contraire, à quitter celui ou celle que l'on aime parce qu'on ne se sent ni aimé ni respecté. Dans les deux cas il y aura une épreuve de croissance.

Pour l'infidèle, il est important de se questionner. Quelle prise de conscience le fait d'aller voir ailleurs permet-il d'éviter par rapport à soi ou à son couple ? Quel est le non-dit ou la frustration qui se profile derrière ce comportement ? Quelle aventure intérieure de créativité est ainsi détournée ? Quelle insatisfaction profonde se trouve niée de la sorte ? Un tel examen de conscience est plus productif que le fait de se ranger aux prescriptions de la loi morale ou aux récriminations d'un ou d'une partenaire. Il ne s'agit pas de jouer au bon garçon ou à la bonne fille, il s'agit de saisir cette opportunité pour se comprendre.

Au cours d'un atelier qui avait pour thème les relations amoureuses, un homme souvent appelé à voyager nous a fait la confession suivante à propos de ses nombreuses infidélités conjugales :

> J'ai réalisé que la plupart du temps mes fugues masquaient une insatisfaction profonde dans ma vie de couple, une insatisfaction que je n'osais pas nommer par crainte de faire tout éclater. L'infidélité me permettait en somme d'accepter un statu quo qui autrement me paraissait intolérable. Cette stratégie me préservait d'avoir à incarner le « méchant » en provoquant la crise, et par-dessus tout elle m'évitait de passer à travers la douloureuse épreuve de la rupture. Je me suis rendu compte aussi que mes infidélités me mettaient à l'abri d'un abandon éventuel par ma compagne. J'avais bien enterré en moi les douleurs liées au fait d'avoir été trompé à quelques reprises, douleurs intenses qui m'avaient désillusionné par rapport à l'amour. C'est comme si je m'étais juré de

*ne plus jamais être fidèle à une femme. Ceci m'ame-*
*nait d'ailleurs à me sentir plus à l'aise dans des*
*unions où j'aimais à moitié, vivant dans une sorte*
*de détachement où je pouvais professer à mon aise*
*la remise en question de la jalousie.*

*La souffrance criante — dans tous les sens du mot —*
*de mes compagnes a pourtant fini par me faire com-*
*prendre combien non seulement je manquais de res-*
*pect au cadeau d'amour qu'elles m'offraient, mais*
*également combien je piétinais mon propre idéal*
*amoureux. Les amourettes me permettaient d'échap-*
*per à cette pulsion très profonde en moi qui cherche*
*désespérément à réaliser une union intime avec suc-*
*cès.*

*Je regrette profondément la souffrance que j'ai pu*
*occasionner chez les autres. En même temps, je ne*
*croule pas sous le poids de la culpabilité. Cette his-*
*toire est la mienne et me permet d'entrevoir aujour-*
*d'hui une notion d'engagement dégagée d'une rigidité*
*morale imposée. Lorsque le cœur est touché, il*
*retrouve de lui-même son intégrité.*

*Je sais que je ne pourrais plus vivre avec une parte-*
*naire qui a une conception trop étroite de la liberté.*
*Chaque dimension intime doit être évaluée à la*
*lumière de l'histoire de chacun. J'ai besoin d'un cou-*
*ple ouvert où chaque partenaire est suffisamment*
*enraciné dans son processus personnel pour com-*
*prendre que l'infidélité place d'abord celui qui la*
*commet face à lui-même.*

À l'évidence, la question de l'autonomie sexuelle
doit être discutée à la lumière des besoins de sécurité
affective de chacun. Mais elle n'est pas sans intérêt,
ne serait-ce que d'un point de vue rhétorique, parce
qu'elle fait ressortir un autre sujet qui m'apparaît
essentiel pour que le couple devienne libérateur, à
savoir l'amitié entre les deux partenaires.

# S'aimer d'amitié

Combien de couples peuvent vraiment dire qu'ils s'aiment d'amitié ? La fusion des identités dans le couple fait en sorte que nous ne pouvons pas entendre de notre partenaire le quart de ce qu'un ami ou une amie pourrait nous raconter. Nous ne jugeons pas nos amis, mais nous jugeons nos partenaires parce que nous nous identifions à eux. Ils sont « nous ». Pourtant, un des facteurs qui contribuent le plus à la création de l'intimité véritable s'appelle l'amitié. Elle nous permet d'accueillir l'autre et de le comprendre dans son vécu individuel, avec une histoire et des enjeux qui ne sont pas les nôtres.

L'amitié permet la respiration du couple, elle représente un ancrage plus solide et plus durable que la sexualité pour l'établissement d'une relation à long terme. Elle repose sur la communication authentique et véritable, qui elle-même s'appuie sur une parole qui exprime le sentiment. Dans une amitié tout peut être dit et tout peut être reçu sans jugement. Peu de couples arrivent à réaliser une telle entente. Ceux qui y parviennent transportent avec eux une aura de créativité et d'amour véritable.

L'amitié en amour est difficile parce qu'elle oblige à un réel travail de détachement. Non pas un détachement stoïque qui aboutit à l'indifférence, mais une attitude de lâcher prise qui permet de laisser l'autre être ce qu'il est. Nous cessons alors de vouloir contrôler les parties de notre partenaire qui nous dérangent. Nous admettons qu'il s'agit là de composantes de notre propre personnalité qui, si elles sont éveillées par sa présence, ne sauraient être sous sa responsabilité. Il se peut cependant que sans le juger nous estimions que ce qu'il provoque en nous est intolérable pour le moment. Dans de tels cas, il vaut peut-être mieux emprunter des routes différentes.

# Ça va mieux quand ça va mal !

Chaque difficulté de la vie à deux nous place devant des questions essentielles. Croyons-nous vraiment qu'il nous soit possible d'être heureux individuellement et que nous méritons ce bonheur ? Croyons-nous vraiment que le bonheur à deux est possible ? Est-ce que nous préférons vraiment la paix à la guerre ?

Nous prétendons chercher le bonheur et l'amour, mais en réalité ils sont ce que nous craignons le plus. Combien de gens peuvent tolérer plus de deux ou trois jours de bonheur sans nuages ? À l'occasion des vacances, par exemple, la plupart des couples partent souriants — à moins qu'ils ne se soient querellés en faisant les valises, ce qui est un « classique » de la résistance au bonheur —, mais ils rentrent de vacances silencieux et moroses. Après deux ou trois jours d'une vie sensuelle et paradisiaque, l'un d'eux s'est tout simplement réveillé de mauvaise humeur, un beau matin, comme ça, sans raison, parce que le bonheur devenait insupportable.

Un autre exemple ? Imaginez que vous rentrez du travail épuisé et que votre partenaire a préparé un petit repas aux chandelles... Quel plaisir ! Quelle gentille attention ! Mais si vous rentrez un deuxième soir et que les chandelles sont à nouveau sur la table, vous commencerez à vous poser des questions et croirez qu'il y a anguille sous roche. Le troisième soir, tout cela deviendra absolument suffocant. Il faudra rompre cette atmosphère par trop romantique. L'un de vous renversera son verre de vin, le rôti brûlera ou une querelle éclatera à propos d'une vétille.

Le bonheur est intolérable. Nous avons appris à le rêver, nous n'avons pas appris à le vivre. Il s'agit donc de s'habituer à évoluer dans des énergies positives. Il s'agit de les cultiver en comprenant peu à peu par quelle attitude on peut les stimuler. Cela peut nous entraîner à rompre avec certaines habitudes qui nous conduisent trop souvent à la lourdeur et à la morosité.

J'ai l'impression qu'aussitôt que nous sommes sortis de l'enfance la plupart d'entre nous oublient que nous sommes sur terre pour nous amuser et célébrer la vie. C'est comme si nous trouvions que « ça va mieux quand ça va mal ». Peut-être tout simplement parce que dans le malheur nous avons la sensation d'exister. Le malheur est palpitant, intense ! Lorsqu'il s'agit de réparer une situation difficile, de reconquérir notre partenaire ou de jouer les héros en surmontant une crise, c'est excitant. Lorsque nous sommes malheureux, nous sommes centrés sur nous-mêmes, sur notre vie, nous existons.

En comparaison, notre idée du bonheur est très statique. Il s'agit d'être assis sur un petit nuage à contempler le Bon Dieu jusqu'à la fin de ses jours. Finie l'aventure ! Il faut faire l'ange et se contenter des odeurs de sainteté. Cette conception s'érige contre la vie. On va même jusqu'à dire que les gens heureux n'ont pas d'histoire. Mais qui veut ne pas avoir d'histoire ?

Nous associons fréquemment l'état bienheureux à l'ascèse et à la rigidité. Il manque à cette idée la force de l'émotion et la créativité, alors que nous sommes essentiellement émotion et créativité. Pour aller vers une félicité vivante, il nous faut dépoussiérer ces notions désincarnées et embrasser l'idée d'un bonheur palpitant, curieux et aventureux. Nous devons opposer à l'idée d'une joie statique et tiède celle d'une joie vibrante qui utilise toutes les ressources de l'être humain.

Nous sommes sur terre pour être heureux à travers les sens et toutes les possibilités de l'esprit et du corps humains. Si tel n'était pas le cas, nous serions des anges. Chaque couple comme chaque individu est donc invité à communier avec la pulsion de vie. Maintenant qu'à peu près toutes les raisons d'être ensemble se sont évanouies avec la crise, la seule véritable motivation pour être à deux est la recherche d'harmonie dans la joie.

# Le contrat de mariage psychologique

## Une relation libératrice
## repose sur un choix conscient

Au moment où notre culture est en train d'éclater, il nous faut plonger de plus en plus vers l'intérieur pour trouver des bases solides. Aujourd'hui, ce n'est plus un contrat de mariage religieux ou civil qui peut offrir ces bases. Ces contrats doivent cependant trouver leur contrepartie psychologique. On peut établir un contrat de confiance mutuelle où chacun énonce les principes qui lui sont chers et où il y a entente sur un monde à partager. Un couple a tout avantage à formaliser un tel contrat intime, à le négocier et à le renouveler à l'occasion.

Or nous préférons penser que tout va de soi parce que c'est moins compliqué ainsi. Nous ne sommes pas habitués à négocier ensemble de façon franche et authentique ce qui concerne notre monde intérieur. Nous n'avons pas l'habitude de parler de tout et d'établir à deux les cadres de ce que nous voulons que soit notre vie commune. Par exemple, y a-t-il suffisamment d'intimité entre nous deux pour ne pas fonder notre couple sur la possessivité ? Quels sont les besoins en temps personnel et privé de chacun ? Comment organiser ce temps ? Comment souhaitons-nous régler les inévitables situations de conflit, etc. ? Il est nécessaire d'aborder franchement toutes ces questions et bien d'autres parce qu'une relation libératrice repose sur un choix de vie volontaire.

Il s'agit également de prendre conscience qu'une relation existe avec sa dynamique propre qui contient les deux individus. Elle représente un tiers symbolique dont il est bon de reconnaître la réalité. L'union devient alors un contenant auquel nous pouvons nous référer en période de difficulté. Sortir les poubelles ou faire les courses ne présente aucun problème lorsque nous sommes amoureux. Mais lorsque nous vivons une tension, cela devient problématique. Alors nous ne voulons plus rien faire pour l'autre et nous entrons en lutte de pouvoir avec notre partenaire.

Par contre, si nous avons pris la peine d'élaborer ensemble notre idée du couple et que nous nous y sentons à l'aise, il est plus facile de participer aux tâches communes. Alors un individu ne sort plus les poubelles pour l'autre, il les sort pour le couple, pour le « nous ». Il ne sacrifie plus ses amourettes pour faire plaisir à l'autre, il le fait pour nourrir leur union.

À mon sens, tant que de telles ententes n'ont pas lieu, le couple n'a pas encore pris forme et il n'existe pas encore réellement. L'idéal énoncé et échangé permet de créer une référence commune. Ces valeurs agissent comme arbitres dans les situations difficiles et permettent de sortir des luttes de pouvoir sans perdre complètement la face. Il est plus facile d'admettre que l'on a été déficient par rapport à une valeur commune que d'avouer son erreur à l'autre.

## Le couple rêvé

Se permettre de rêver ensemble à ce que nous entrevoyons chacun et chacune comme étant le couple idéal m'apparaît également capital dans l'établissement de ces paramètres et de ces valeurs communes. Dans des ateliers sur l'intimité amoureuse, créés à Montréal avec ma collègue Danièle Morneau, nous avions l'habitude de proposer l'exercice suivant. Des inconnus se retrouvaient ensemble deux par deux pour former des couples fictifs. La première période de quarante minutes leur servait à dire chacun à leur tour ce qui leur apparaissait comme la situation idéale et par la suite ils devaient la négocier. Une autre période de quarante minutes leur servait à décider des vacances idéales dans les moindres détails. Par la suite, l'exercice prenait une tournure dramatique au moment où l'un des partenaires devait annoncer à l'autre qu'il avait décidé de se séparer.

Cette simple mise en situation réactivait des traumatismes très profonds. Le plus surprenant était de voir des personnes qui se connaissaient depuis quatre-vingt-dix minutes à peine tenir tant à leur couple. Chaque fois je ne pouvais m'empêcher de constater la puissance du rêve partagé. Je me demandais ce qui arriverait à nos intimités si dans chaque couple on prenait la peine d'élaborer sans entraves une situation idéale en s'engageant par la suite à en réaliser le possible.

Nous n'utilisons pas suffisamment le pouvoir du rêve. Nous devrions faire comme les politiciens et les hommes d'affaires qui sont toujours à la recherche de ce qu'ils appellent une vision pour orienter leurs actions. L'intimité a besoin du partage des visions respectives de chacun pour pouvoir se nourrir. Si on arrive à les ajuster, le couple rencontre moins d'obstacles insurmontables dans son développement. De toute façon, tout évolue à partir de l'idéal que nous portons en nous. Alors, pourquoi ne pas le mettre franchement sur la table puisque c'est lui qui servira d'arbitre conscient ou inconscient ?

## L'importance du jeu et de la sensualité

J'ai remarqué également dans mes ateliers que, pour arriver à quitter l'espace mental d'où proviennent les jugements et les étiquettes qu'on applique aux autres et à soi-même, il faut très souvent impliquer la dimension corporelle. Pour ce faire, j'utilise toutes sortes de techniques qui vont de la danse au toucher affectif. Cette dernière pratique me semble particulièrement efficace et peut très bien s'appliquer à la vie à deux. Il s'agit tout simplement de toucher l'autre avec toute l'authenticité et la bienveillance dont nous sommes capables. Notre partenaire se met alors en état de réceptivité et nous émettons envers lui un simple sentiment de présence. Cela peut durer quelques minutes ou se prolonger. Ce n'est pas un massage

315

mais une attention silencieuse qui passe par les mains et a généralement pour effet de rassurer les partenaires. Un climat de confiance et d'amour peut s'établir ainsi en dehors de la sexualité active[1].

Ces nouvelles attitudes envers le corps sont absolument nécessaires parce que toutes nos tensions et nos résistances y sont ensevelies. Cela est particulièrement vrai pour les hommes dont la structure corporelle est souvent rigide. Toute notre enfance, on nous a dit de ne pas avoir l'air trop sensible ou sensuel, parce que ça faisait efféminé. Il faut donc apprendre à relâcher cette rigidité défensive.

Se réaliser à deux à travers le corps exige également la remise en question de la croyance qui veut que la sexualité éloigne de Dieu. Dans les religions patriarcales traditionnelles, ce sont les prêtres et les religieuses qui se réalisent et qui vivent près du divin. La sexualité demeure un second choix et le couple est conçu comme une sorte de faiblesse pour ceux qui ne peuvent se retenir. Jésus-Christ, à l'instar de la plupart des grands maîtres, n'a pas de vie sexuelle et sa troupe est uniquement masculine. On finit par se sentir honteux de sa propre humanité. Il me semble parfois que s'il avait couché avec Marie-Madeleine et que s'il n'était pas né d'une vierge, cela nous aurait facilité les choses ! Même la spiritualité moderne nous invite à une communion abstraite avec l'univers dans une sorte de fusion avec le soi cosmique en refoulant nos besoins sexuels d'homme ou de femme.

Pourtant le désir existe. Hétérosexuels ou homosexuels, les hommes et les femmes sont attirés les uns par les autres. L'existence de cette attraction est l'essence même du mystère de l'amour qui nous entraîne dans l'aventure de la vie. Il nous faut donc envisager un changement radical de conception et commencer à penser que les êtres peuvent très bien se rapprocher

1. Je tiens à remercier le kinésithérapeute François Dufour pour avoir introduit cet exercice dans mes ateliers et pour m'avoir initié à l'haptonomie.

de Dieu en célébrant le corps et la sexualité. Le refus de cette dernière reflète une haine cachée de la vie et une perception limitée de l'existence terrestre.

Il me semble en fait qu'en réprimant la sexualité nous prenons la question à l'envers, comme si nous voulions faire pousser un arbre par la tête. L'expérience de la sexualité dans la communion amoureuse de deux êtres peut leur servir de tremplin vers une extase qui finira peut-être par vouloir se passer du sexe mais qui commence quand même là. D'ailleurs, tant que le sexe demeure un point d'attraction, il me semble qu'il doit être vécu et utilisé comme pont vers la joie. Ce n'est pas le sexe qui est mauvais, c'est ce que nous en faisons.

## Nous avions besoin de la crise

Le défi posé par la nouvelle intimité est grand. Elle s'installe difficilement dans le couple, car il est comme une nation qui se relève péniblement après des siècles de dictature. Il y a tout un apprentissage à faire et toute une déprogrammation à opérer face aux réflexes de domination et de soumission qui l'ont conditionné pendant des siècles. Voilà pourquoi nous avions besoin d'une crise fondamentale pour permettre un si grand changement. Nous vivons un moment unique, exceptionnel. La communication réelle veut naître entre les hommes et les femmes. La démocratie veut prendre pied dans le couple.

J'entends des femmes et des hommes dire : « Oui, mais pendant ce temps, nos vies sont sacrifiées... » Si on pense de la sorte, on risque de souffrir de la crise sans contribuer à sa solution. Ce mode de pensée appartient à la croyance qui dit qu'une vie n'a de sens que si elle est vécue en couple. Il s'agit justement de retrouver le sens de la vie en elle-même, avec ou sans couple. Aussi longtemps que son bonheur personnel dépend de la présence d'un partenaire amoureux, il y a une faille importante dans l'être. La découverte de l'aptitude à être heureux ou heureuse sans amour romantique est cruciale pour la nouvelle intimité. Moins on dépend de son partenaire pour son bonheur, plus la vie à deux devient enrichissante. Si elle est absolument nécessaire pour que la vie ait un sens, elle empoisonne toute possibilité de rencontre réelle entre un homme et une femme.

Autrement dit, une femme ou un homme doit savoir dépasser par lui-même le sentiment de vide et de dépression qui l'habite lorsqu'il ou elle n'est pas amoureux. Seule la découverte d'une joie de vivre qui existe indépendamment de la romance permet que cette joie devienne la base d'une vie à deux honnête, intègre et authentique.

Ainsi, il ne saurait y avoir d'intimité avec l'autre sans intimité avec soi-même. C'est là l'ampleur de la révolution amoureuse qui sera accomplie par les générations qui viennent et à laquelle nous pouvons déjà participer si nous consentons à la crise et aux enseignements qui en découlent.

# 11

## L'INTIMITÉ AVEC SOI-MÊME

*Nous avons l'âge de notre tendresse.*
*Notre usure, c'est de l'amour inemployé !*
Stan Rougier

## Intimité bien ordonnée commence par soi-même

J'ai dit dans l'introduction que je ne connaissais pas d'autre chemin, pour sortir du champ de bataille de l'amour, que celui de se pencher assidûment sur l'intérieur. C'est encore la seule chose que j'ai à vous proposer à la fin de ce long périple. Nous sommes placés devant le choix suivant : ou bien tout ce que nous vivons et rencontrons a réellement un sens, ou bien il s'agit d'une comédie absurde ; ou bien toutes ces difficultés reflètent vraiment des dimensions inconnues de nous-mêmes, ou bien la vie est une loterie et nous avons simplement tiré le mauvais numéro, c'est-à-dire le mauvais ou la mauvaise partenaire. Je crois pour ma part que les répétitions que nous rencontrons ne relèvent absolument pas du hasard, et qu'au contraire elles nous révèlent les dimensions cachées de nous-mêmes que nous devons connaître pour non seulement les explorer mais pour qu'elles soient dépassées.

Autrement dit, l'intimité avec autrui nous renvoie à nous-mêmes, et l'intimité avec soi nous permet d'avancer dans l'intimité avec autrui. Il s'agit en somme du va-et-vient de l'amour. La plupart du temps nous nous cantonnons dans le pôle de la ren-

319

contre avec l'autre, sans jamais nous pencher sur nous-mêmes. Cela équivaut à se jeter pieds et poings liés à la merci des événements et condamne les êtres à l'attente et à la dépendance. Il est vrai qu'à l'opposé il est des personnes qui se cantonnent dans le pôle de l'intimité avec les profondeurs d'eux-mêmes en négligeant les rapports avec autrui. Il s'agit là d'une position un peu frileuse qui peut elle aussi aboutir au cul-de-sac de la sécheresse intérieure.

L'amour est éminemment difficile et le sera vraisemblablement toujours. Il représente un défi constant. Mais si nous acceptons la proposition que les difficultés qu'il nous présente ne relèvent pas du hasard, nous finissons vraiment par y trouver un sens et elles deviennent alors, à force d'attention, le tremplin d'une profonde communion avec l'autre, avec soi, et avec la vie.

L'intimité avec l'autre repose sur une capacité d'intériorité personnelle. La crise actuelle des couples nous conduit inévitablement à cette prise de conscience. Lorsque l'argent, les enfants et les jugements d'autrui ne s'avèrent plus des raisons suffisantes de rester ensemble, l'évolution personnelle peut devenir le facteur qui permet à l'union de résister.

Le défi de l'intimité est une invitation au travail sur soi. Cette invitation appelle à répondre par soi-même aux besoins affectifs stimulés par les conflits du couple au lieu d'attendre que l'autre y réponde. Il s'agit de s'engager profondément par rapport à soi-même et à la vie.

Choisir ce qui est bon pour soi en délaissant consciemment ce qui nous fait souffrir et nous dégrade n'est pas une mince affaire. Nous éprouvons un véritable attachement pour ce qui nous détruit et nous annihile. Comme si une mauvaise habitude de haine et de conflit intérieur nous empêchait de suivre ce qui est bon pour nous. Par exemple, nous savons tous qu'un peu d'exercice physique quotidien fait le plus grand bien. Pourtant ils ne sont pas rares ceux et celles qui ayant reconnu cette vérité continuent à ne rien faire en espérant qu'un coup de baguette magique les préservera de la maladie.

De la même façon, nous préférons dormir dans l'illusion qu'un amour fantastique viendra tout transformer et nous éviter d'avoir à nous prendre en main. Pourtant un peu d'amour de soi pratiqué chaque jour peut nous entraîner très loin sur la voie du mieux-être. Un peu de présence à soi-même, à ses maux, à ses tristesses, appliquée avec bienveillance et sans jugement, peut entraîner un changement important. Apprendre à s'accorder un peu de la sollicitude que nous réservons à l'être aimé peut guérir le cœur. Cette compassion est le secret du respect de soi-même et le germe de l'estime de soi. Il suffit d'y passer un peu de temps chaque jour.

En vérité, on ne peut aimer si l'on ne s'aime pas soi-même. S'aimer soi-même signifie être bon pour soi et se donner une chance au lieu d'être une exigence impitoyable. Cela signifie surtout passer du stade d'enfant à qui tout arrive par accident au stade d'adulte, responsable de ses états intérieurs. S'aimer soi-même signifie aussi comprendre que l'univers nous répond comme par aimantation et que, pour arriver à se donner ce qui est bon pour soi, il faut cultiver en soi des états de bonté. Bref, pour refuser la fascination des partenaires qui ne nous font pas de bien et qui nous entraînent à répéter le passé, il faut connaître une autre attraction, celle de la paix et de la joie intérieures.

S'aimer soi-même veut dire vivre dans l'amour de ce qui est donné plutôt que dans la recherche de ce qui manque. Cela signifie également la culture d'un rapport avec ce que le mysticisme soufi appelle le Bien-Aimé intérieur. Quand l'amour est en soi et pas seulement en dehors, lorsqu'on a pris soi-même la responsabilité de répondre à ses propres besoins, alors on cesse d'être victime. Nous nous rendons compte alors que l'amour que nous cherchons est partout en nous et autour de nous et que, par conséquent, on ne peut pas le perdre. Il n'y a que l'amour. Il s'agit de le reconnaître à travers les plus petits détails et de l'accueillir. Nul besoin d'être parfait ou imparfait, ni d'attendre de réaliser ceci ou cela. L'amour est là ! Il nous attend sans cesse. Il suffit de le prendre.

## Le sens des difficultés

Regarder chaque relation à la lumière de ce qu'elle nous fait vivre intérieurement et choisir si nous voulons la garder ou non constitue également une façon de prendre soin de nous-mêmes. Nous pouvons alors être amenés à rompre certains liens ou à constater que des relations à l'évidence négatives nous retiennent encore parce que s'en arracher entraînerait une douleur trop vive. Il s'agit de se pardonner de tels attachements et de les vivre pleinement en toute conscience afin de retirer une connaissance émotive et une sagesse de l'expérience. Les arrachements trop durs ne font que renvoyer à plus tard l'exploration d'une telle noirceur. Il ne s'agit pas de passer au-dessus des difficultés mais à travers pour en apprendre quelque chose sur soi et sur le monde.

La haine de soi est au cœur de cette manifestation de l'amour romantique que représente la difficulté de se séparer d'un être qui nous diminue. La magie de la liberté individuelle fait que l'on peut s'y complaire autant que l'on veut, personne ne viendra nous arrêter. De toute façon, tant que la mélancolie nous habite, nous risquons de retourner n'importe quelle histoire contre nous-mêmes. Nous pouvons même nous demander s'il est souhaitable dans un tel contexte de rencontrer l'amour idéal puisqu'il ne fera que retarder la prise de conscience de notre misère intérieure et nous fera vivre dans l'illusion de l'amour restauré, alors que rien n'a été accompli sur le plan conscient et qu'aucun choix n'a été posé en faveur de l'ouverture et de la joie.

Lorsque nous acceptons de reconnaître que les événements petits ou grands sont l'œuvre secrète de nos désirs, ceux que nous ne voulons pas nous avouer tout aussi bien que ceux que nous chérissons, nous libérons les autres de leur responsabilité à notre égard. Lorsque ce n'est plus la faute ni à papa, ni à maman, ni au gouvernement, lorsque nous admettons notre entière responsabilité par rapport à ce qui se passe en nous, alors les difficultés prennent leur sens.

En réalité, d'un point de vue thérapeutique, nous pouvons même dire que les difficultés, qu'il s'agisse d'épreuves psychologiques, d'accidents ou de maladies, collaborent à notre compréhension de nous-mêmes et du monde. Elles ne sont pas gratuites. Elles nous conduisent vers nous-mêmes. En les acceptant pleinement, nous leur donnons la chance de s'articuler en nous et de livrer leur précieux message. Sinon, elles ne feront que se répéter jusqu'à ce que nous ayons la sagesse de leur accorder une attention suffisante.

Vues sous cet angle, nous pourrions même ajouter que, à partir du moment où elles deviennent conscientes, les relations les plus difficiles sont vraisemblablement celles qui portent le plus de fruits. Elles obligent l'être à un immense effort d'ouverture qui l'amène à se reconnaître pleinement dans un partenaire qui le rebute. En intégrant une ombre plus grande, on avance plus rapidement. C'est sans doute ce que voulait dire le poète Rainer Maria Rilke lorsqu'il a écrit : « Nous savons peu de chose, sauf qu'il faille nous en tenir au difficile... »

La véritable raison de partager sa vie avec quelqu'un semble être de se stimuler mutuellement pour faire exploser la créativité de chacun. Mais, pour vivre cette créativité, les protagonistes d'un couple doivent accepter d'emblée que ce qu'ils considèrent comme « positif » ou « négatif » n'a pas grand-chose à voir dans l'affaire. La vie nous stimule à la vie en nous brossant le poil dans le bon ou le mauvais sens. À chacun de juger tolérable ou non ce qu'il éprouve.

En fin de compte, force est d'admettre que pour en arriver à évoluer dans la joie plutôt que dans la souffrance il faut en général avoir connu de grandes peines. La sagesse exige d'embrasser la vie telle qu'elle est sans jugement. En général, nous acquérons cette habileté à force de répéter les mêmes schémas limitatifs jusqu'à plus soif. Mais, en stimulant la connaissance de soi, les difficultés de la vie à deux ouvrent le chemin d'une communion plus intense avec l'univers et avec la pulsion de vie que chacun porte en lui-même. Cette communion intense peut se révéler tout aussi bien à travers le tourment que l'extase. Il semble que pour la vie tous les moyens sont bons pour nous éveiller et nous entraîner à découvrir notre identité fondamentale.

Ce qui précède ne signifie pas que, lorsque les situations sont bloquées et que l'échange créateur n'a plus lieu, il ne faille pas aller chacun son chemin. Mais, en général, il n'est pas mauvais de demeurer dans des conditions critiques jusqu'à ce qu'on ait acquis le détachement suffisant pour se séparer sans accuser le partenaire de tous les torts. Cette observation vigilante et sans jugement d'une conjoncture accablante permet de comprendre la dimension de soi qui nous y a entraînés et d'éviter de reproduire la même chose dans le futur.


## Le miroir brisé

Passer d'une position de victime à la perception concrète de la façon dont il crée lui-même son propre destin constitue la révolution la plus profonde qu'un individu puisse effectuer au cours d'une vie. Il s'agit d'un moment charnière dont personne ne peut faire l'économie, bien que la majorité des gens passe outre sans sourciller. Ce véritable passage initiatique est comparable à la transition de l'enfance à l'âge adulte. Paradoxalement, même si elle exige le deuil de l'enfance, il ne saurait y avoir d'esprit réel de jeu, de liberté et de légèreté sans cette mutation.

La prise de conscience de la nécessité de se prendre

en charge parce que l'amour ne nous sauvera pas invite à dégager l'autre de nos exigences. Il s'agit d'arrêter de lui demander de se plier à l'image idéale de l'homme ou de la femme que nous portons. Les projections de l'animus et de l'anima doivent être retirées. Le retrait des projections s'avère le seul moyen de récupérer son pouvoir personnel et de toucher à son être fondamental. Pour arriver à connaître l'essence de son identité, un être doit absolument accepter la part d'ombre qu'il porte. Tant qu'il vit dans l'illusion de sa projection, on ne peut pas parler de progrès psychologique ou même spirituel [1].

Afin de prendre conscience de sa propre essence et, partant, de l'essence de la vie dans l'univers, les projections doivent être retirées car nous ne voyons pas l'autre comme il est, nous le voyons comme nous sommes. C'est donc dire que tout ce que nous reconnaissons en lui s'avère également une partie de nous-mêmes. Bien entendu, la plupart du temps il faut que l'autre possède, pour ainsi dire, un « crochet psychologique » sur lequel on peut accrocher la projection. Mais à la base, pour être en mesure de reconnaître un trait de caractère chez quelqu'un, il faut le posséder en soi.

Pour offrir une illustration du jeu des projections au sein du couple, j'emploierai l'exemple suivant. *Elle* trouve que *Lui* est vraiment infirme quant à l'expression de ses sentiments. Elle souffre de son silence et le rend responsable de la détérioration de leur relation. Sa première attitude est accusatrice. *Elle* demeure en projection active, sans avoir fait son propre examen de conscience.

Le retrait de sa projection va connaître plusieurs étapes et l'amènera à constater comment elle contribue à la dynamique de cette situation. Par exemple, est-ce qu'elle accepte ce que son partenaire lui dit quand il exprime ses sentiments ? Est-ce qu'elle émet

1. Sur la question du retrait des projections, voir l'ouvrage de Jolanda Jacobi, *La Psychologie de C.G. Jung, op. cit.*, pp. 146-148.

rapidement des jugements sans jamais le laisser aller au bout de son émotion ?

La seconde étape du retrait des projections consistera à chercher en elle-même comment s'exprime sa propre infirmité par rapport au partage des sentiments. *Elle* peut alors découvrir que, dans certains cas ou par rapport à certains sentiments, elle apparaît fort handicapée elle-même. La constatation d'une blessure similaire chez elle lui permettra déjà de bâtir un pont vers *Lui* et de trouver la base d'une entente.

La troisième étape consiste à comprendre comment sa vision des choses est préconstruite par une réalité antérieure. *Elle* prend alors conscience des arrière-plans de son irritation. Si en tant que petite fille elle se sentait responsable des silences de son père et craignait ses colères, elle peut très bien être en train d'appliquer le même schéma à la situation qu'elle vit avec *Lui*.

Au lieu de bêtement l'accuser, elle peut alors lui faire part de son trouble intérieur. Elle peut lui dire : « Lorsque tu es tellement silencieux, je me sens comme une petite fille devant son père et je crains tes réactions. » La confession du vécu affectif engage la communication avec autrui au lieu de contribuer à lever ses défenses comme le blâme le fait immanquablement. Cela permettra à *Lui* de comprendre ce que *Elle* vit intérieurement. Elle peut alors lui parler du besoin de sécurité affective qu'elle ressent. Elle peut même compléter son propos avec une demande du genre : « J'aurais besoin que tu me rassures en me disant quelques mots sur ce que tu vis actuellement par rapport à nous deux et sur ce qui rend la communication avec moi si difficile. »


## Communiquer pour vivre

Les étapes qui précèdent résument le processus de communication non violente mis sur pied par le psychologue Marshall Rosenberg. Si elles n'accompagnent pas nécessairement tout retrait des projections, il faut bien préciser qu'il y a un immense avantage à ce que ce dont nous prenons conscience dans une relation soit communiqué à notre partenaire. Car la guérison vient de là. Nous sommes essentiellement des êtres de communication, ce qui signifie que nous devons transformer ce qui agit sur nous pour le rendre aux autres sous une forme modifiée. L'expression permet à l'énergie de circuler et au processus de continuer. La communication de quelqu'un me provoque, je réagis, interprète son contenu et le lui rends sous une forme différente, ce qui le stimule en retour. Il ressent mon message, lui résiste, le refuse ou l'accepte, l'intègre d'une façon quelconque, et le transforme pour s'exprimer à son tour. Et ainsi de suite.

Tout ce qui nous arrive ou nous est communiqué agit sur nous afin que nous puissions le transformer en nous exprimant. Ainsi la vie stimule la vie et les êtres deviennent eux-mêmes. Ce n'est pas l'intensité d'un stimulus qui rend malade, mais bien l'incapacité de le transformer par une création quelconque. Lorsqu'un besoin demeure frustré, lorsqu'un affect demeure bloqué, le flux vital reflue vers l'intérieur et se met à stagner. La maladie physique ou psychologique n'est pas loin.

À la limite, il est plus important que les affects circulent que de régler ses problèmes. Même la décharge brute et impulsive d'un affect sans travail de transformation est plus saine que son inhibition. Bien entendu, nos réactions aux stimuli peuvent devenir plus conscientes et nous permettre de mieux maîtriser progressivement notre destin. Pour ce faire, le retrait des projections et le partage de nos trouvailles par la communication demeurent des instruments privilégiés. Nous sommes des êtres de langage et dans ce sens communiquer verbalement dans le rapport intime représente une dimension essentielle de nos vies. Bien que la danse, le dessin ou toute autre forme d'expression soient également des outils valables pour transformer nos affects et les communiquer à autrui.

Passer d'une transmission qui décharge l'affect sans le transformer à une communication créatrice de paix et d'intimité, c'est essentiellement passer du langage « tu » qui tue l'autre au langage « je » qui parle de soi en respectant la liberté inaliénable d'autrui[1].

Dans un premier temps, *Elle* peut observer un comportement sans juger (le silence de *Lui*). Dans un deuxième, *Elle* doit vérifier ce que ce comportement lui fait vivre au niveau des sentiments (de la crainte et de l'insécurité). Puis, en tirant pour ainsi dire sur la corde affective, elle peut dans un troisième temps découvrir le besoin fondamental (la sécurité) que l'attitude de *Lui* vient heurter. Finalement, elle peut formuler une demande adéquate envers son partenaire pour l'inviter à répondre à son besoin (« Dis-moi quelques mots... »). Donc observer sans juger, ressentir, identifier le besoin en souffrance et formuler une demande réaliste résument simplement un processus qui dans la pratique demande beaucoup de doigté[2]. À l'évidence, le même processus vaut pour *Lui*.

Le travail de retrait des projections s'appuie sur une communication authentique qui engage les partenaires au lieu de les opposer à travers blâmes et jugements. En développant sa capacité de communiquer, un couple peut devenir un élément de libération et de connaissance de soi. Les perceptions de l'autre et ce qu'il vit par rapport à nous peuvent aider à dépasser certaines limitations. Je me souviens d'avoir été très touché en thérapie par un homme dont la femme était très timide et silencieuse. Les deux partenaires étaient conscients de cette difficulté et elle acceptait de se faire aider dans l'acquisition de nouveaux moyens d'expression. Cette épreuve les avait soudés d'une façon très intime, mais avait exigé de chacun l'abandon des rêves de perfection.

1. Lire à ce propos le livre de Jacques Salomé et Sylvie Galland : *Si je m'écoutais... je m'entendrais*, Montréal, Éditions de l'Homme, 1990.
2. Ces quatre étapes constituent la base du *Processus de communication non violente* mis au point par le psychologue américain Marshall Rosenberg.

Ces choses ont l'air simples sur le papier, mais elles constituent des épreuves presque insurmontables sur le terrain de la relation. Chacun de nous répugne plus ou moins à faire ce travail de retrait des projections parce qu'il dévoile à coup sûr notre vulnérabilité. Collaborer ou s'entraider au lieu de verser dans le « chacun pour soi » et dans les procès permanents demeure et demeurera pour longtemps le défi d'une intimité à construire. Le principe de base d'une telle collaboration est pourtant facile à formuler : chacun des partenaires est responsable à cent pour cent de tout ce qui arrive dans le couple. Cette formulation reprend sur le terrain du couple le principe de *responsabilité globale* que professe le bouddhisme tibétain.

## La confrontation avec l'ombre [1]

Faire sienne la part d'ombre entrevue chez tous ceux qui, dans leur ignorance, nous ont fait du mal est laborieux. Pourtant, en acceptant de reconnaître l'autoritaire, le menteur, le traître, l'hypocrite qui peut résider en soi, on acquiert un pouvoir sur ces formes d'expression plutôt que d'en être victime quand les autres les incarnent. L'autre symbolise bien souvent une partie de nous-mêmes avec laquelle nous ne sommes pas à l'aise ou que nous ne connaissons pas et nous serons liés à lui tant que cette partie ne sera pas reconnue. La reconnaissance de l'ombre en nous-mêmes ouvre ainsi le chemin du pardon et de la compassion. Ils deviennent possibles lorsque nous admettons que l'autre dans sa faiblesse et dans sa méchanceté est pareil à nous.

Jung appelait *confrontation* cette rencontre avec

1. Marie-Louise von Franz, « Le processus d'individuation », dans *L'Homme et ses symboles, op. cit.*, p. 68. Voir également « Les techniques de différenciation entre le Moi et les figures de l'inconscient » du livre de Jung intitulé *Dialectique du Moi et de l'inconscient, op. cit.*, pp. 201-233.

l'ombre pour marquer à quel point elle n'était pas facile. Il faut pourtant prendre conscience que la véritable liberté ne se gagne qu'à ce prix. Lorsqu'un être a délivré famille, partenaires et amis du poids de leurs ignominies, lorsqu'il a clarifié dans son cœur la nature de ses diverses relations, il s'allège.

Pourquoi l'intégration de l'ombre nous rebute-t-elle ? Parce qu'elle vient percuter l'illusion que nous construisons chaque jour de notre propre perfection et de l'innocence de chacun de nos gestes. Le travail sur l'ombre ne mène pas pour autant à une position résignée et dépressive. Elle permet d'introduire un espace de choix là où il n'y en avait pas puisque ce sont les autres qui avaient le pouvoir de nous faire du tort et que nous ne pouvions rien sur eux. Lorsqu'un être découvre que ce pouvoir est sien, apparaît la possibilité de se comporter différemment. Au lieu de jouer les autruches et de se plaindre de ce que le sort lui impose, faisant tout pour ignorer qu'il est l'artisan de son propre malheur, il peut commencer un dialogue avec cette ombre qui réside sous son toit.

Qu'est-ce qui nous entraîne irrésistiblement à être négatifs devant certaines situations ? Quelles sont nos motivations ? Quelles sont nos envies et nos jalousies cachées ? Pourquoi avons-nous tendance à nous comporter de façon telle que les situations se retournent contre nous ? Quel est ce personnage intérieur qui préfère que rien ne se règle ? Quel est celui qui se délecte de notre mauvaise humeur ? Qui est celui qui aime faire la guerre ? Quel plaisir prend-il à trancher les conflits par des actions d'éclat qui humilient autrui, annihilant toute possibilité de relation ? Voilà autant de questions qui mènent directement à la rencontre de l'ombre.

La perception de ce personnage obscur en rapport avec chaque situation conflictuelle dans votre vie aura tôt fait de vous convaincre que la cause des querelles de couples aussi bien que de la guerre dans le monde ne réside pas complètement à l'extérieur de vous. Un tel examen répugne, car il signifie le déplacement du lieu du conflit de l'extérieur vers l'intérieur. La négativité d'une partenaire que vous soulignez quotidiennement pourrait bien devenir alors le combat contre votre propre négativité. Il était simplement plus commode de la projeter sur elle que de l'affronter au-dedans de vous-même.

Trouver un bouc émissaire pour lui faire porter le poids de nos torts est d'ailleurs une fonction psychologique primordiale du couple traditionnel. Blâmer, ça ne règle rien mais d'une certaine façon ça fait du bien ! En réalité, au quotidien, nos partenaires servent surtout à ça : avoir quelqu'un à accuser. Sur le plan collectif, nous avons les Russes, les islamistes, les femmes, les hommes, etc. Sur le plan personnel, nous n'avons personne pour nous délivrer. Le partenaire intime remplit ce rôle à merveille, d'autant plus que la relation suivie ne peut pas manquer de nous révéler ces failles que nous sommes toujours plus habiles à voir chez le voisin ou la voisine plutôt que chez nous.

La projection de l'ombre est un des mécanismes de défense favoris du moi qui tente ainsi de préserver l'illusion de son innocence. Plus l'amour-propre est faible, plus le recours à l'autre comme bouc émissaire sera utilisé activement. Voilà pourquoi certains conflits entre amoureux ne peuvent absolument pas se régler paisiblement. La fragilité de l'estime personnelle de l'un ou des deux partenaires ne le permet pas. Admettre ses torts et ses faiblesses devant l'autre serait alors vécu comme un échec supplémentaire qui menacerait trop la structure du moi. On préfère garder une image de soi forte et se croire victime de la méchanceté de l'autre pour ne pas tout perdre.

Comme je l'ai mentionné plus haut, l'ombre n'a pas que des côtés négatifs. Nous projetons également certains aspects de nous-mêmes qui sont positifs mais peu développés. Ces derniers nous attachent tout autant à nos partenaires que les aspects négatifs. On doit aussi se les réapproprier pour sortir des attachements qui nous font souffrir. Une personne peut s'être convaincue qu'elle était idiote et tomber amoureuse d'une autre, très douée sur le plan intellectuel. S'ils en viennent à se séparer, elle aura l'impression qu'on lui arrache une partie d'elle-même, qu'on la mutile, ni plus ni moins. Sur le plan psychologique, c'est exactement de ça qu'il s'agit. Tant qu'elle ne fera rien pour développer activement sa partie intellectuelle, elle la projettera sur les autres et répétera le même style d'attachement.

Pour se sortir d'un tel chagrin d'amour, une partie du travail de deuil consiste en cet effort de retrait des projections positives et négatives. Ainsi chaque relation devient le lieu d'une connaissance profonde de soi. Comme la vie psychique est très mouvante et que chacun de nous résume l'univers, il n'y a pas à craindre que l'on soit un jour à court de projections. Pourtant celles-ci deviennent de moins en moins contraignantes à mesure que l'on avance. On gagne même la liberté devant la fascination qu'un être exerce sur nous d'explorer à l'avance le genre de projections qu'il s'attire de notre part. Naît alors le choix de suivre ou non cette expérience qui se présente sous l'apparence de l'amour.

Nos projections nous contraignent à suivre nos passions. Notre être inconscient se manifeste à la conscience par ce biais. Voilà pourquoi ce que nous appelons *tomber amoureux* s'accompagne de maux de ventre et de nuits d'angoisse. Pourtant, nous pouvons introduire un choix là où il n'y a que détermination aveugle. Nous gagnons cette liberté en acceptant de nous confronter à l'ombre que nous projetons sans juger ni l'autre ni soi.

L'intégration de l'ombre nous ouvre à l'universalité. En consentant intimement à ce que j'interprète comme négatif en moi-même, je peux accueillir ce qui me semble mauvais dans l'univers. Sans ce travail sur soi, je ne peux jamais parvenir à l'Unité, car ma vision de l'univers en exclut toujours la moitié et m'oblige à délaisser cette partie pour gagner un peu de paix. La voie de l'ombre est plus efficace. En résolvant mes conflits intérieurs entre le bon et le méchant, je deviens uni en moi-même et, sans conflit, je peux alors devenir Un avec le cosmos. Je constate peu à peu qu'il n'y a rien à changer. Les forces de destruction servent aussi bien le renouvellement de la vie que les forces de création. La danse de la vie est parfaite, il n'y a rien à en retirer. L'intégration de l'ombre enfante un détachement qui permet la naissance d'une sérénité se situant au-delà de la douleur et du plaisir. C'est-à-dire qu'il y a encore douleur et plaisir mais ils deviennent plus relatifs. On les prend moins au sérieux. Ils sont le jeu de la vie en soi qui permet le plaisir de l'expression et de la communication.

Déferle alors dans l'être une joie concrète. D'abord par de petits influx dont la fréquence et l'intensité augmentent à mesure que l'on devient conscient du processus. Jusqu'à ce qu'un individu s'enracine dans une paix durable. Il ne s'agit pas d'une paix mentale artificielle gagnée à force de renoncement à soi-même, mais au contraire d'un dynamisme engendré par un consentement total au vivant. Cette vibration d'enthousiasme n'exige pas des heures quotidiennes de méditation, l'arrêt des relations sexuelles et un silence sans faille de l'esprit. Au contraire, elle est plongée consciente d'elle-même dans la joie de vivre.

## La paix de l'âme et la joie du cœur

La communion avec cette joie exige une liberté par rapport aux relations que nous avons nouées dans notre vie, *toutes* les relations et particulièrement celles qui sont restées incomplètes et problématiques. Pour être libre, il faut se dégager de chacune d'elles, c'est-à-dire qu'il faut retourner consciemment vers les mémoires passées et laisser jaillir ce qui vient spontanément. On suit les fils et on dénoue les écheveaux créés en soi par chacune de ces unions. Cela pourra vouloir dire écrire quelques lettres, donner quelques coups de téléphone, organiser quelques rencontres pour échanger en profondeur ; la légèreté du cœur ne se gagne qu'à ce prix.

Il ne faut rien laisser derrière soi. Il faut faire le tour de tous ses attachements un à un. Il faut examiner chaque ressentiment qui habite l'être et faire tout ce qui semble adéquat pour apaiser le tourment intérieur. Parfois il s'agit simplement d'une résolution intime qui n'implique pas l'autre, parfois il faut reprendre contact avec quelqu'un pour résoudre concrètement certains conflits restés en suspens.

Cet examen permet de se mettre en paix avec tout ce qui s'est passé dans sa vie. Il permet de faire la paix avec ses parents, avec les accidents de parcours, les événements difficiles et les relations tourmentées. Il permet d'évaluer comment tout cela a contribué et contribue à ce que l'on est. Et il permet de prendre conscience de combien tout cela nous ressemble.

En faisant un tel examen, j'ai pu comprendre par exemple que certaines de mes partenaires connaissaient un réel problème d'expression qui, de mon point de vue, avait foutu notre vie commune en l'air. Mais cette difficulté à manifester l'émotion profonde, je la retrouve parfaitement chez moi. Mes choix amoureux m'ont permis pendant de nombreuses années de me décharger de ma propre incapacité, rendant mes partenaires responsables de mes malheurs. Jusqu'à ce que la souffrance des ruptures m'aide à retrouver le fil de ma propre histoire, pas seulement pour comprendre mais pour passer à l'action au niveau de l'expression. J'ai fermé mon cabinet. J'ai commencé à écrire, à donner des conférences, et j'ai repris la musique et la poésie. Toute ma vie me semble plus forte et plus heureuse depuis.

Il ne s'agit là que d'un simple exemple. Mais, en passant en revue culpabilités, ressentiments, attachements et jugements, on commence à se comprendre et on s'allège. À mesure qu'on laisse tomber des pans de soi-même, la légèreté vient et avec elle la joie du cœur qui s'incarne de plus en plus au présent.

Se rendre disponible au réel constitue le but de

l'exercice ; être *ici et maintenant* comme le dit si bien une expression galvaudée. On ne peut pas être présent à soi, à l'autre et au monde si on a les tripes et le cœur tiraillés par des relations non résolues. Il faut donc résoudre et clore chacune d'elles. Alors, la joie de vivre naît dans la paix de l'âme et du cœur.

Vous objecterez que c'est faire là bien des simagrées pour trouver le chemin de la liberté mais, lorsque ce travail n'est pas fait, le bonheur demeure un accident de parcours. Il ne s'enracine pas profondément dans l'être et celui-ci peut être balayé par le moindre destin adverse. Le travail sur soi représente le seul moyen de gagner une liberté face aux conditionnements qui nous enchaînent. Oui, vraiment, intimité ordonnée commence par soi-même. C'est une charité que chaque être se doit d'avoir envers lui-même.

## La voie, c'est la joie

Dans un monde qui change tellement vite, la seule solution réside dans l'intériorité, là où les choses ne changent pas aussi rapidement. Confrontés que nous sommes à tant de changements et d'instabilité, il faut rechercher et cultiver en soi ce qui dure, ce qui est permanent. En stabilisant dans son être le plaisir de vivre et d'exister, on commence à toucher à l'immortalité de sa propre essence. Je parle ici de l'expérience d'un appui intérieur dans une profondeur d'être qui à la fois embrasse, contient et dépasse la contingence de notre vie actuelle.

Notre vie commence et se termine dans le simple plaisir d'exister. Il s'agit donc de le cultiver chaque jour le plus simplement du monde en acceptant d'orienter ses choix en fonction de ce qui garde vivant. Si un être osait utiliser réellement ce barème, un décapage incroyable surviendrait dans sa vie, un décapage douloureux certes, car il l'amènerait à rompre avec bon nombre d'habitudes, de responsabilités et de routines. Lorsque j'évalue chaque chose que je fais en me demandant si cela avive mon plaisir de vivre ou l'amoindrit, je me rends compte que je possède alors une mesure étalon pour commencer à agir dans le sens d'un changement positif.

Nous traitons l'amour comme un accident heureux qui devrait nous arriver. Cela ressemble à la loterie ; mais peu de gens gagnent à la loterie. La solution durable ne se trouve pas de ce côté. Il faut plutôt chercher à cultiver l'amour en soi, indépendamment des conditions du couple, pour être capable d'offrir quelque chose à notre union et la sauver au lieu de toujours lui demander quelque chose. Comment une chose qu'on ne prend pas la peine de soigner pourrait-elle nous nourrir indéfiniment ? La question de ce que chacun est prêt à investir pour conserver l'union est donc au cœur de toute relation. La qualité des énergies qui y sont investies compte beaucoup. Si nous offrons toujours au couple des énergies épuisées, nous ne recevons en retour que fatigue et irritation.

Passer d'un monde où je suis tout pour l'autre et où l'autre est tout pour moi à un monde où j'aime que l'autre existe et où, finalement, j'aime exister, le défi est là. L'amour émotif est un amour de réactions et d'actions toutes inscrites dans la passion et les jalousies. Mais l'amour du cœur est un amour fondé dans la joie, la joie profonde d'exister et de voir l'autre exister. Cet amour existe dans l'amour de soi et dans l'amour de la vie en soi et dans l'autre.

La joie n'enchaîne pas, ne prescrit pas, ne condamne pas. Elle est toujours libre et disponible, accessible pour qui veut la fréquenter. Elle est la meilleure maîtresse intérieure. En conséquence, l'être qui vit dans la joie représente le meilleur partenaire possible. La joie à deux est apprentissage de la liberté, culture d'un état d'âme d'ouverture et d'harmonie. Elle culmine dans la communion avec la légèreté et la douceur de vivre.

La meilleure chose que nous puissions faire pour nous-mêmes et pour nos partenaires est de fixer en nous des états de joie. Lentement, ces états abolissent le sentiment de séparation d'avec l'autre et d'avec le monde. Nous cherchons désespérément la joie et l'harmonie dans le couple parce que nous ne les connaissons pas à l'intérieur de nous. Comment deux êtres pourraient-ils connaître une joie durable à deux, par quel improbable accident leur plaisir d'être ensemble pourrait-il durer si aucun d'entre eux n'entretient la joie profonde d'exister ?

L'intimité avec soi-même permet l'accueil de l'autre dans la communion profonde. Un poème de l'auteur belge Émile Verhaeren en témoigne admirablement. Il s'intitule *Chaque heure où je pense à ta bonté*[1].

*Chaque heure où je pense à ta bonté*
*Si simplement profonde*
*Je me confonds en prières vers toi.*

*Je suis venu si tard*
*Vers la douceur de ton regard*
*Et de si loin, vers tes deux mains tendues,*
*Tranquillement, par à travers les étendues !*

*J'avais en moi tant de rouille tenace*
*Qui me rongeait, à dents rapaces,*
*La confiance ;*

*J'étais si lourd, j'étais si las,*
*J'étais si vieux de méfiance,*
*J'étais si lourd, j'étais si las,*
*Du vain chemin de tous mes pas.*

*Je méritais si peu la merveilleuse joie*
*De voir tes pieds illuminer ma voie,*
*Que j'en reste tremblant encore et presqu'en pleurs,*
*Et humble, à tout jamais, en face du bonheur.*

1. Émile Verhaeren, *Les Heures claires*, 1896.

## CONCLUSION

À *cause de l'amour, nous sommes ensemble !*

Osho

### L'amour n'est pas une relation, c'est un état

Nous sommes de la matière brute, mal préparée pour le bonheur et l'extase de vivre. Nos expériences difficiles dans l'enfance ou dans le couple servent à notre épuration. Elles nous ouvrent et nous rendent capables du sublime. Elles révèlent notre substance intime, nous forçant à abandonner une à une nos carapaces et nos définitions limitées.

Pour les alchimistes qui cherchaient à transformer le vulgaire plomb en or, la première phase de cette épuration s'appelait *nigredo*, c'est-à-dire l'œuvre au noir. Putréfaction, calcination, démembrement devenaient les principales opérations de cette période. Nous avons là une bonne métaphore pour la vie à deux et la vie en général. Lorsque ça sent mauvais, lorsque ça chauffe, lorsque ça brûle, lorsque ça se défait, la *nigredo* est en train d'accomplir son œuvre de purification. Le danger est alors que le feu de l'émotion soit trop fort et précipite l'explosion. Dans ces moments-là, une mère et un fils se blessent, un père écrase sa fille, un couple se sépare. Par contre, lorsque le feu est trop faible, il n'y a pas transformation. Les individus restent ensemble dans une sorte de confort indifférent où la communion ne peut avoir lieu. Tout l'art réside donc dans la production du feu adéquat.

Il en va de même avec la crise. Il n'est pas grave que nos relations soient dans le four alchimique de la transformation, c'est même nécessaire. Nous ne pouvions pas faire l'économie de la crise. Elle permet de passer à de nouvelles valeurs. Elle est un processus de purification naturel.

Son but est de nous faire abandonner l'illusion d'un bonheur qui se trouverait dans l'autre, dans le bon partenaire, dans l'être parfait que nous pourrions rencontrer et qui viendrait tout régler pour nous. Cette prise de conscience est essentielle, car elle est la condition *sine qua non* d'une réalisation encore plus importante, à savoir que l'Amour n'est pas une relation, l'Amour est un état. La visée secrète de ce processus de transformation est de nous faire réaliser que l'Amour existe déjà en nous. Il préexiste à toute relation et nous pouvons nous y nourrir sans cesse.

L'épreuve de la relation provoque un retour à soi qui permet à la longue l'union entre deux êtres souverains qui célèbrent ensemble la joie d'exister. Car voilà ce à quoi nous sommes conviés par les forces vives de l'existence : la célébration consciente et partagée de la joie de vivre. Beaucoup de sages ont pu réaliser l'identification suprême avec l'Un, seuls dans une caverne ou dans un monastère, il est maintenant temps d'étendre cette réalisation à la vie collective en passant par la vie à deux, et la vie de famille.

Tant que ce but ne sera pas reconnu, la Terre risque de demeurer un lieu de perdition. Les véritables cadeaux que sont la sensualité et la sexualité ne servent alors à rien. Ils sont perçus comme des tentations qui retardent l'évolution de celui qui s'y attache. Mais s'il s'agissait tout simplement de célébrer la Vie à travers la sexualité et la sensualité ? S'il s'agissait de jouir sans culpabilité de notre capacité de transformer la matière physique et psychique ? S'il s'agissait de prendre pleinement plaisir à notre capacité de ressentir et de nous exprimer en retour ? S'il s'agissait simplement de participer à l'extase de vivre en communion avec tout ce qui est ?

La planète se meurt de notre absence. La vie terrestre a besoin de notre présence et de notre pleine attention. L'Incarnation est le prochain paradigme, la prochaine étape de l'évolution, le défi qui nous appelle. L'interprétation que nous avons faite des paroles de sages comme Jésus ou Bouddha a entraîné une négligence de la vie dans le corps au profit de la vie de l'esprit. Une telle conception de la vie spirituelle est limitative et blessante pour l'intégralité de l'être. L'individu qui a fait l'expérience de l'Unité de toutes choses sait qu'il n'y a pas d'autre endroit où aller, que la réalisation cherchée existe tout autant ici que sur d'autres plans de conscience. L'énergie est la même partout. L'énergie d'amour qui tient toutes choses unies est semblable à elle-même sur tous les plans d'existence. Ce que nous cherchons est déjà ici.

## Nous sommes libres de nous détruire

L'univers est composé de cette énergie indéfinissable qui, dans son amour infini — comment en parler autrement ? —, répond à tous nos caprices sans jamais juger, sans jamais se refuser. Le choix réside donc entre nos mains. Rien, absolument rien, ne peut empêcher un être de se détruire s'il le désire. C'est là l'étendue de la liberté de chacun. Il n'y a même pas de jugement à poser sur de telles expériences. Peut-être même chacun de nous a-t-il besoin de les vivre en partie pour se connaître et entrer en contact avec l'énergie d'Amour. De la même façon, rien, absolument rien, ne peut empêcher un être d'aller vers sa joie et sa libération en prenant en main son pouvoir personnel.

La vie est parfaite dans sa manifestation intelligente, consciente d'elle-même et joyeuse. Elle possède une capacité d'autogénération et d'autocréation. Ce génie habite chaque cellule vivante et l'être qui se reconnaît dans le miroir cosmique réalise sa souveraineté sur lui-même et son aptitude à créer sa vie à partir de ce champ de tous les possibles qu'est l'existence.

Nous communions sans cesse avec l'univers. Il n'y a pas de séparation. Par chacune de nos fibres nous y participons. Nous sommes de la même nature. Nous sommes faits des mêmes matériaux. Nous sommes l'univers et pouvons en jouir profondément grâce à notre conscience ; cette conscience qui en est pour ainsi dire la propriété émergeante. Le défi de l'intimité demeure de célébrer cette jouissance à deux, à trois, à dix, à mille, à un milliard. Éveillés, nous deviendrons des cocréateurs conscients de cette trépidante aventure de la création. Au lieu d'être des victimes du Diable et du Bon Dieu, nous deviendrons des êtres responsables de leur destin.


## Le meilleur moyen d'être heureux...

Huit heures du matin. Je lève la tête de mon ordinateur. Dehors, le printemps s'éveille. L'arbre devant mon bureau a de gros bourgeons qui attendent seulement la chaleur du soleil pour devenir des feuilles. Les oiseaux piaillent. Le trafic de la ville me fait l'effet d'une mer sans fin avec ses vagues successives de clameurs. Le printemps est en moi aussi. Je sens un goût de vivre et une force inouïe couler dans mes veines. Assez pensé maintenant ! La vie m'appelle de toutes ses forces. Je suis excité comme lorsque j'avais dix ans et que, constatant au réveil qu'il faisait grand soleil, je sautais sur ma bicyclette et partais à l'aventure.

Une dernière chose pourtant avant de vous laisser, la plus importante bien sûr. J'entends encore Vlady, mon professeur de tai-chi, nous la répéter inlassablement : « Le meilleur moyen d'être heureux, c'est d'être heureux ! »

## ÉPILOGUE

### Elle

Enfin les vacances ! Compte tenu de vos antécédents avec *Lui*, ça se déroule plutôt bien. Petite station balnéaire aux États-Unis. Réservation à l'aveugle juste avant de partir. Chambre minable au-dessous d'un ventilateur bruyant. Nourriture qui laisse à désirer. Tout pour vous irriter. Bizarrement, ça vous rapproche. Il y a quelque chose comme un renouveau amoureux dans l'air. Mais vous parlez trop vite... Le voilà en train de se dévisser la tête pour regarder passer une adolescente qui balade ses seins sur la plage. Vous vous sentez blessée instantanément. Vous allez lui faire une remarque, mais il est tellement drôle avec son air de petit garçon coupable, déjà prêt à jurer qu'il ne regardait pas, que vous pouffez de rire. Non, décidément, il ne s'en sortira jamais de sa mère.

### Lui

Vous étiez en train de courir après elle dans ce parking américain sur de l'asphalte trop chaud avec un Coke et un cornet de frites graisseuses à la main. C'est alors que cette déesse est passée... Wow ! quels seins ! Ça ne devrait pas être permis. Vous ne vouliez pas regarder, histoire de ne pas blesser *Elle*. Mais c'était plus fort que vous. Tout à coup, vous sentez vos jambes partir. Non, ce n'est pas possible, *Elle* s'est rapprochée de vous uniquement pour vous faire un croc-en-jambe et repartir au galop en vous criant à tue-tête :

« Je t'aime, mon amour ! Je t'aime, mon amour ! »,
c'est bien beau, vous venez quand même de laisser
échapper votre cornet ! Pendant quelques secondes
vous sentez une colère immense vous envahir. Elle
n'arrêtera donc jamais de vous emmerder. Puis c'est
trop drôle. La situation vous apparaît soudain d'un
ridicule consommé. Et là, sur cet asphalte trop chaud,
les pieds englués dans les frites et dans le Coke, vous
vous sentez transporté par une vague d'émotion si
belle et si profonde que vous lui criez à tue-tête : « Je
t'aime, mon amour ! Je t'aime ! » Assez fort pour que
la moitié de la plage entende. Ce « Je t'aime », elle
peut bien l'enregistrer sur cassette. Il vient de tellement loin en vous. Vous l'attendiez depuis si longtemps. Il vous fait tellement de bien que vous vous
mettez à pleurer de joie comme un enfant. Vous la
voyez qui sourit à travers vos larmes et *Elle* vous
prend dans ses bras doucement, si doucement...

## L'auteur

Je sais... je sais... vous pensiez que ça n'arrivait que
chez vous. Désolé, ça arrive partout. C'est l'amour qui
est comme ça. C'est l'amour.

# BIBLIOGRAPHIE

BADINTER, Élisabeth, *XY. De l'identité masculine*, Paris, Odile Jacob, 1992, 314 p.

BAUER, Jan, *Impossible Love, Why the Heart Must Go Wrong*, Dallas, Spring Publications, 1993, 207 p.

BILLER, Henry B., « Fatherhood : Implications for child and adult development », dans *Handbook of Developmental Psychology*, publié sous la direction de Benjamin B. Wolman, Englewood Cliffs, N.J., Prentice-Hall, 1982, 960 p.

BLY, Robert, *Iron John. A Book About Men*, Massachusetts, Addison-Wesley Publishing Company, 1990, 269 p.

CARTER, Julian, et SOKOL, Julia, *Ces hommes qui ont peur d'aimer. Ceux qui séduisent et ne s'engagent pas. Comprendre les hommes des amours impossibles*, Paris, J'ai lu, coll. « Bien-être », n° 7064, 1994, 318 p.

CHEVALIER, Jean, et al., *Dictionnaire des symboles. Mythes, rêves, coutumes, gestes, formes, figures, couleurs, nombres*, Paris, Robert Laffont et Jupiter, 1969, 844 p.

CORNEAU, Guy, *Père manquant, fils manqué. Que sont les hommes devenus ?*, Montréal, Éditions de l'Homme, 1989, 187 p.

CORNEAU, Guy, « Le défi de l'intimité », dans *Communiquer pour vivre*, publié sous la direction de Jacques Salomé, Paris, CLÉS et Albin Michel, 1996, pp. 63-69.

CYRULNIK, Boris, *Sous le signe du lien. Une histoire naturelle de l'attachement*, coll. « Histoire et philosophie des sciences », Paris, Hachette, 1989, 319 p.

CYRULNIK, Boris, *Les Nourritures affectives*, Paris, Odile Jacob, 1993.

DESTEIAN, John A, *Coming Together — Coming Apart. The Union of Opposites in Love Relationships*, Boston, Sigo Press, 1989, 185 p.

DORAIS, Michel, et MÉNARD, Denis, *Les Enfants de la prostitution*, Montréal, VLB Éditeur, 1987, 139 p.

DORAIS, Michel, et SEGUIN, Christian-André, *Une enfance trahie. Sans famille, battu, violé*, Montréal, VLB Éditeur et Le Jour, 1993, 146 p.

ELLENBERGER, Henri, *The Discovery of the Unconscious. The History and Evolution of Dynamic Psychiatry*, New York, Basic Books Inc., 1970, 932 p.

ÉMOND, Ariane, *Les Ponts d'Ariane*, Montréal, VLB Éditeur, 1994, 252 p.

FRANZ, Marie-Louise von, « Le processus d'individuation », dans *L'Homme et ses symboles*, Paris, Robert Laffont, 1964.

FRANZ, Marie-Louise von, *La Femme dans les contes de fées*, Paris, La Fontaine de Pierre, 1979, 316 p.

GRAVELAINE, Joëlle de, *La Déesse sauvage. Les divinités féminines : mères et prostituées, magiciennes et initiatrices*, France, Dangles, 1993, 291 p.

GRAVES, Robert, and al., *New Larousse Encyclopedia of Mythology*, Londres, Hamlyn, 1983, 500 p.

GUGGENBÜHL-CRAIG, Adolf, *Marriage Dead or Alive*, Dallas, Texas, Spring Publications, 1981, 126 p.

JACOBI, Jolanda, *La Psychologie de C.G. Jung*, coll. « Action et Pensée », Genève, Mont-Blanc, 1964, 259 p.

JACOBY, Mario, *Individuation & Narcissism. The Psychology of Self in Jung & Kohut*, Londres, Routledge, 1990, 267 p.

JACOBY, Mario, *Shame and the Origins of Self-Esteem. A Jungian Approach*, Londres, Routledge, 1994, 131 p.

JUNG, et al., *L'Homme et ses symboles*, Paris, Robert Laffont, 1964, 320 p.

JUNG, Carl Gustav, *Métamorphoses de l'âme et ses symboles*, Genève, Librairie de l'Université, 1967, 770 p.

JUNG, Carl Gustav, *Dialectique du Moi et de l'inconscient*, coll. « Folio/Essais », n° 46, Paris, Gallimard, 1973, 311 p.

JUNG, Carl Gustav, *Les Racines de la conscience. Études sur l'archétype*, Paris, Buchet/Chastel, 1975, 629 p.

KAST, Verena, « Animus and Anima : Spiritual Growth and Separation », dans *Harvest, Journal for Jungian Studies*, n° 39, London, C.G. Jung Analytical Psychology Club, 1993, p. 7.

KINSEY, Alfred Charles, WARDELL, B. Pomeroy, MARTIN, Clyde E., *Sexual Behavior in the Human Male*, Rapport Kinsey, 1948.

KINSEY, Alfred Charles, WARDELL, B. Pomeroy, MARTIN, Clyde E., *Sexual Behavior in the Human Female*, Rapport Kinsey, 1953.

KOHUT, Heinz, *Le Soi. La psychanalyse des transferts narcissiques*, coll. « Le Fil rouge », Paris, Presses universitaires de France, 1974, 376 p.

LAGACÉ, Linda, *Femmes et relations humaines*, cours donné à l'université de Sherbrooke dans le cadre du certificat en psychologie des relations humaines, notes de cours inédites, 1994.

LAPLANCHE, J., et PONTALIS, J.B., *Vocabulaire de la psychanalyse*, Paris, Presses universitaires de France, 1976, 523 p.

LAVALLÉE, Gabrielle, *L'Alliance de la brebis*, coll. « Victime », Éditions JCL, 1993, 445 p.

LEBRUN, Paule, « Face à l'ombre », entrevue réalisée auprès de la psychanalyste jungienne Jan Bauer, *Guide Ressources*, vol. 11, n° 8, mai 1996, Montréal, pp. 37-41.

LEBRUN, Paule, « La rage au cœur », *Guide Ressources*, vol. 11, n° 8, mai 1996, Montréal, pp. 32-36.

LEWIS, C.S., *Till We Have Faces*, Grand Rapids, W.B. Eerdman's Publishing Co., 1956.

LICHTENBERG, J.D., *Psychoanalysis and Infant Research*, Hillsdale N.J., Analytic Press, 1983.

MILLER, Alice, *Le Drame de l'enfant doué. À la recherche du vrai soi*, coll. « Le Fil rouge », Paris, Presses universitaires de France, 1990, 132 p.

NEUMAN, Erich, *The Origins and History of Consciousness*, New York, R.F.C. Hull, 1954, 234 p.

NORWOOD, Robin, *Ces femmes qui aiment trop. La radioscopie des amours excessifs*, Montréal, Stanké, 1986 ; J'ai lu, coll. « Bien-être », n° 7020, 376 p.

O'NEIL, Huguette, « Santé mentale : les hommes, ces grands oubliés... », *L'Actualité médicale*, 11 mai 1988.

OLIVIER, Christiane, *Les Enfants de Jocaste. L'empreinte de la mère*, Paris, Denoël/Gonthier, 1980, 202 p.

OLIVIER, Christiane, *Filles d'Ève*, Paris, Denoël, 1990, 218 p.

OLIVIER, Christiane, *Les Fils d'Oreste. Ou la question du père*, Paris, Flammarion, 1994, 200 p.

PEDNAULT, Hélène, « Mon père à moi », *La Vie en rose*, Montréal, mars 1985.

RICH, Adrianne, *Of Woman Born*, New York, W.W. Northern & Co., 1986, 322 p.

RODGERS, Karen, « La violence conjugale au Canada », *Tendances sociales canadiennes*, n° 11-008F au catalogue, automne 1994, Statistique Canada, pp. 3-9.

SALOMÉ, Jacques, et GALLAND, Sylvie, *Si je m'écoutais... je m'entendrais*, Montréal, Éditions de l'Homme, 1990, 329 p.

SHEEHY, Gail, *New Passages. Mapping your Life Across Time*, New York, Random House, 1995, 498 p.

SHIERSE-LEONARD, Linda, *La Fille de son père. Guérir la blessure dans la relation père-fille*, Le Jour, 1990.

SIMARD, Réjean, *Au-delà de l'inceste. À la recherche de son identité*, présentation faite dans le cadre du 11e Congrès en analyse bioénergétique, Miami, mai 1992.

SINGER, June, *Androgyny*, New York, Anchor Books, 1977.

STEVENS, Anthony, *Archetypes. A Natural History of the Self*, New York, Quill, 1983, 324 p.

THOMAS D'AQUIN, saint, *Somme théologique*, tome III, nouvelle traduction française, Paris, Éditions du Cerf, 1985.

TREMBLAY, Michel, *Les Belles-Sœurs*, Montréal, Lemeac, 1972, 156 p.

TURNER, Victor, « Betwixt and Between : The liminal period in rites of passage », dans *Betwixt and Between*, publié sous la direction de Louise Carus Mahdi, Steven Foster & Meredith Little, La Salle, Illinois, Open Court, 1987, pp. 3-23.

*Bien-être*

7157

Composition Nord Compo
Achevé d'imprimer en Europe (France)
par Maury-Eurolivres – 45300 Manchecourt
le 20 juin 2002.
Dépôt légal juin 2002. ISBN 2-290-07157-9
1er dépôt légal dans la collection : janvier 1999
Éditions J'ai lu
84, rue de Grenelle, 75007 Paris
*Diffusion France et étranger : Flammarion*